Así en La Habana como en el cielo

J. J. Armas Marcelo

Así en La Habana como en el cielo

ALFAGUARA

© 1998, J. J. Armas Marcelo
© De esta edición:
1998, Grupo Santillana de Ediciones, S. A.
Torrelaguna, 60. 28043 Madrid
Teléfono (91) 744 90 60
Telefax (91) 744 92 24

• Aguilar, Altea, Taurus, Alfaguara S. A.
Beazley 3860. 1437 Buenos Aires
• Aguilar, Altea, Taurus, Alfaguara S. A. de C. V.
Avda. Universidad, 767, Col. del Valle,
México, D.F. C. P. 03100
• Distribuidora y Editora Aguilar, Altea,
Taurus, Alfaguara, S. A.
Calle 80 n° 10-23
Santafé de Bogotá, Colombia

ISBN: 84-204-8364-8
Depósito legal: M. 20.799-1998
Impreso en España - Printed in Spain

Diseño :
Proyecto de Enric Satué
© Cubierta:
Así en La Habana como en el cielo, acrílico sobre lienzo
de Eduardo Úrculo. VEGAP, 1997

© Mapas de Miguel Sanguino

PRIMERA EDICIÓN: ENERO 1998
SEGUNDA EDICIÓN: FEBRERO 1998
TERCERA EDICIÓN: MARZO 1998
CUARTA EDICIÓN: ABRIL 1998
QUINTA EDICIÓN: MAYO 1998

A todos los cubanos,
a la Isla entera, la de ayer,
la de hoy, la de mañana.

Yo te amo, ciudad,
cuando la lluvia nace súbita en tu cabeza
amenazando disolverte el rostro numeroso,
cuando hasta en el silente cristal en que resido
las estrellas arrojan su esperanza,
cuando sé que padeces, cuando tu risa espectral se
    deshace en mis oídos,
cuando mi piel te arde en la memoria,
cuando recuerdas, niegas, resucitas, pereces,
yo te amo, ciudad.

                                    GASTÓN BAQUERO

Amar un horizonte
es insularidad.

                                    DEREK WALCOTT

Primera parte
El santuario en ruinas

Uno

Lo primero que me contó el ingeniero Hiram Solar, al que todos llamábamos Harry por su extraordinario parecido con el cantante norteamericano Harry Belafonte (tanta era su similitud física que podrían haber pasado por gemelos), es que nunca antes de ese momento de la huida había visto La Habana desde el mar, aunque inmediatamente la reconociera en la oscuridad de la noche.

Antes de continuar hablando, se pasó con suavidad la palma de la mano por la cara para limpiarse el sudor que le mojaba desde la frente la piel brillante de su rostro. Era uno de los gestos genuinos de Hiram Solar, un reflejo para coger resuello y ganar un breve espacio de silencio en la tensión del relato. Tras desviar por un instante su mirada hacia la calle desde el fondo del Sloppy Joe's, siguió contándome su escapada.

Jamás había tenido Harry Solar ocasión de regresar a la Isla en barco, porque siempre lo había hecho por avión, directamente desde Moscú, desde Madrid, alguna vez desde París o Terranova, y por último desde Luanda, en convoy aéreo bajo supervisión militar. Tampoco tuvo nunca el privilegio de una excursión en yate, un paseo por el mar a pocas millas por delante de La Habana, lujo que se había destinado durante todos esos años exclusivamente a ciertos invitados oficiales, a determinados personajes del gobierno y al turismo internacional, que volvía a la Isla treinta y tantos años después de que el castrismo lo hubiera condenado como una práctica sacrílega para la dignidad del país en sus relaciones con el mundo.

Nos habíamos abrazado fervorosamente hacía unos minutos, en la misma puerta del Sloppy de Cayo Hueso, Florida, como si se encontraran dos hermanos de verdad después de una larga separación. Hiram Solar había llegado de Nueva York el día antes y se había alojado en el Holiday en el que yo había reservado habitaciones para todo el equipo de rodaje durante las próximas cuarenta y ocho horas. Yo había venido directamente desde Madrid para encontrármelo allí, pero con la excusa de trabajar en unos reportajes de televisión sobre los cayos del Estrecho.

En mi último viaje a La Habana y en la cena a la que invité a Petra Porter con la secreta intención de volver a verla en privado, nosotros dos solos sumergidos por fin en las fantasías cuya cómplice sensualidad también yo había acariciado en secreto, surgieron inevitablemente los nombres de los amigos comunes. En un recodo de la conversación, huyendo tal vez de la cercanía del aliento con el que me hipnotizaban sus palabras, le dije a Petra Porter que iba a ir muy pronto a Miami y ella me miró fija pero dulcemente, con sus ojos negros, profundos y sacrales.

—Un documental sobre los cayos —le dije sonriendo—... y el papel del Comando Sur en esa zona del Caribe, la base militar de Boca Chica, ahora que los gringos van a invadir Haití.

—Harry está en Nueva York, Marcelo, llámalo por teléfono —me contestó sin dejar de mirarme a los ojos, convenciéndome de que lo citara para vernos en Miami.

De modo que era la primera vez que Harry Solar y yo nos encontrábamos fuera de Cuba, en el lugar exacto que él había escogido para vernos cuando lo llamé a su apartamento de Brooklyn: en Cayo Hueso, en el Sloppy Joe's del que tanto nos había contado el viejo Pedro Infinito durante los asaderos de pargo y chicharro en Cojímar, un local situado en la esquina de las calles Greene y Duval, el mismo bar que Hemingway describe en su novela póstuma. La luminosidad exterior contrastaba con la sombra todavía fresca del interior del Sloppy en las horas en las que el sol tropical amenazaba con arrasar el asfalto a latigazos de fuego. Y, para colmo, teníamos suerte, el día estaba muy claro, las partículas de luz jugaban con un cielo abiertamente azul, y el buen tiempo nos mantenía instalados en un estado de ánimo muy parecido al que provoca la química de la euforia en nuestros mejores momentos.

Hiram Solar me lo contaba sin darme resquicio a la duda, con la voz madura del que no sabe mentir, aunque lo hayan educado también para esa misión, y con sus ojos de mulato mundano abriéndose paso desmesuradamente en cada secuencia de su memoria. Me dijo que la sorpresa le desbocó el corazón cuando entreabrió desde el sueño los ojos extraviados para sacudirse de golpe la visión fantasmagórica de la ciudad que flotaba sobre las aguas, mientras la turbiedad del mar cerrado, negro y ciego, le acercaba el eco de las profundidades al pozo de sus recuerdos.

—Miedo pánico, eso es lo que sentí, ganas de tirarme al mar y nadar hasta apartarme de la aparición —me dijo Harry haciéndome partícipe de su angustia.

Me confesó que no tuvo que esforzarse mucho para reconocerla. La inmensa silueta que se levantaba ante su asombro en mitad de las aguas, majestuosamente sombría y llena de silencios estáticos, era La Habana. Desde el mismísimo Malecón hasta la Loma de Chaple, desde la desembocadura del Jaimanitas hasta más allá de las azules Playas del Este.

Era una ciudad enorme, aparentemente derrumbada y hundida en la soledad, que navegaba suavemente hacia ninguna parte entre sus propias ruinas; una ciudad deshabitada, turbia, abandonada al fin por todos los que dijeron siempre que la amarían incluso después de la muerte, una sombra errática flotando a la deriva en el cercano horizonte sin un soplo de luz que rompiera aquel apagón estremecedor que se acercaba por instantes hasta sus ojos entumecidos por el sueño y el agotamiento. Parecía estar completamente desierta, sin rumbo y perdida en el mar.

Ahí estaba todavía La Habana, ante la embarcación que unas horas antes, cuando terminó de levantarse totalmente la noche anterior a esta pesadilla, Harry Solar había sacado clandestinamente de la Isla con trece fugitivos más, desde la playa escabrosa de Quiebrahacha, más allá del puerto del Mariel, con el objetivo de llegar al destino final en Cayo Hueso, Key West, la Yuma, los Estados Unidos de América, el cielo, la gloria, la libertad. Y ahora Harry estaba aquí, en Cayo Hueso, recién llegado de Nueva York, contándome su epopeya.

—Se desplegaba como una ciudad espectral, asere —me dijo Hiram—, en la que el mar penetraba apenas sin ruido, como si sólo buscara acariciarla, seducirla con sus espumas fluorescentes antes de decidirse a tragársela por completo en la inminencia del océano. Tuve la impresión de estar viendo una película muda, en blanco y negro, en la que de pronto aparecían colores temblorosos que no llegaban a cuajar, sino que inmediatamente se desleían para volver al gris.

Ésa era la sensación que Harry tuvo en plena noche, cuando estaba escapándose de la Isla. Se desesperó al creer que se había equivocado de viaje; que Elegguá no le había respetado la promesa que tradujo Petra Porter cuando le tiró los caracoles sagrados; que Yemayá y la Caridad del Cobre lo habían abandonado y que Ayikí se había emborrachado con aguardiente de caña para burlarse de él y no cumplirle su parte del pacto, me dijo sonriéndose entonces; Echu que apareces a lo ancho y largo —cantó Petra Porter con los ojos cerrados—, Niño de Atocha, Mamá Keni Irawó E —respondió Harry el ritual mirando a la santera en plena ceremonia—, que no cortes lo bueno cuando me eche a la mar, ya tú sabes qué cosa hay que hacer y en qué tienes que ayudarme, bisbiseó traduciendo la letanía yoruba y convirtiéndola en oración propiciatoria para los benéficos orishas.

En medio del mar, se sintió preso de la confusión. Pensó entonces que de nada sirvió la gran ofrenda que Petra Porter había hecho para saciar la inmensa glotonería del dios, sino que Echu Chiguidí lo había sumido en aquel sueño disparatado para vengarse de su descreimiento, porque en todos esos dioses había que hacer que se creía, aunque no se creyera del todo, no es necesario que existan para que creamos en ellos, me dijo Harry. Y ahora se le cruzaban los caminos confundiéndole los rumbos hasta desnortarlo, hasta que la brújula quedara en la ceguera absoluta, errara la deriva del barco y lo regresara de nuevo a La Habana contra su voluntad, para que por fin Cabeza Pulpo le cayera atrás después de tanto tiempo, terminara por echarle la zarpa encima y lo encerrara en las celdas de Villa Marista.

«Es una ilusión óptica», se dijo Harry para escapar de la visión fantasmal. Pero desde lejos, sin leerlo, como una intuición persecutoria, adivinó la sombra centelleante del letrero de neón (aunque ahora estuviera a oscuras como toda la ciudad) cuyo eslogan recordaba la resistencia de los cubanos frente al enemigo siempre a punto de invadirlos, un cartelón escrito como un tatuaje altivo junto al Malecón habanero, precisamente delante de la Sección de Intereses de la Yuma: «Señores imperialistas: no les tenemos absolutamente ningún miedo».

—No había duda alguna, Marcelo —me dijo Hiram—, se veía clarito a pesar de la oscuridad. Era La Habana.

En las tardes de Cojímar, Pedro Infinito se lo había aconsejado a Harry multitud de veces, en cualquier resquicio de sus charlas sobre los secretos del mar. «Nunca se te ocurra quedarte dormido de noche en alta mar», le dijo cuando hablaron de los cayos, de sus orillas engañosas y de sus espejismos. El viejo aguantó un segundo el buche de ron Paticruzado calentándole la boca, antes de dejarlo correr garganta abajo. «Te pierdes en los vericuetos, equivocas las estrellas y acabas confundiéndolo todo. Ahí ya estás en el infierno», añadió. Aunque pensó que el infierno era exactamente aquella Isla llena de maldiciones, Hiram Solar guardó silencio, miró a Infinito con atención, enarcó suavemente las cejas, se pasó la palma de la mano por la frente y esperó a que el pescador volviera a hablar.

Al viejo Infinito le encantaba escucharse cuando conversaba con los demás, como si relatara con su voz antigua y segura la génesis del mundo, la invención del agua y la creación de los océanos. Era el dueño del mar y hacía rato que le sobraban años para serlo, para contar delante de los otros con mil variantes su existencia larga y para inventarse las mentiras más verosímiles y hermosas, hasta convertir toda su vida en una epopeya esencial, vigo-

rosa y única. Veinte años junto a Hemingway ur-
dían las ínfulas suficientes para que Pedro Infinito
fabulara en cada tenida una nueva hazaña del mito y de sí mismo, con añadidos que enriquecían la
épica de su memoria, así en La Habana como en
el mar, contando una leyenda interminable que su
sabiduría se encargaba de estimular mágicamente
en cada episodio. En Cuba, en las aguas del Golfo, en esa encrucijada atlántica, entre los cayos, las
islas, el Yucatán, la península de la Florida y el mar
Caribe estaba su territorio sagrado, su paraíso geográfico, la memoria de su tiempo, la medida de todas las cosas, desde que a los quince años se lanzó al
agua arrojándose por la borda del *Argentina* al rendir viaje en la bahía de La Habana. Así dejó atrás
las tierras volcánicas del Archipiélago, al otro lado
del océano de las corrientes, y comenzó a alejarse de
los recuerdos y las penalidades que había sufrido
de niño en la costa africana.

Del viejo Infinito se decía con razón que llevaba todos los fondos del mar de Cuba tatuados
en las arrugas de su cara de uva pasa, en cada uno
de los profundos surcos que el sol y la sal habían
ido percudiendo sobre su rostro a lo largo de los
años. Debajo de una piel de saurio de otras épo-
cas, endurecida ya como la de un carey, guardaba
los secretos de la supervivencia y, a esas alturas, nadie como él conocía los vaivenes del Gran Río Azul
y las aguas traicioneras del estrecho de la Florida,
las latitudes cambiantes de los cayos, los espejismos y las dunas que aparecían por sorpresa sobre
la mar, las bajas invisibles de las que huir y los re-

fugios en los que había que largar el ancla y amarrar la embarcación ante un repentino temporal. Era de dominio público entre todos los pescadores del Golfo, e incluso fuera de las hipérboles inventadas por el gremio, que su olfato de lobo de mar estaba capacitado para ventear a muchas millas de distancia la presencia escondida del pez aguja, el castero y el merlín blanco, cuya cacería se había convertido para Hemingway en una obsesión religiosa tan absorbente como la que debió enloquecer al capitán Akhab al perseguir por todos los mares del mundo a Moby Dick, la imposible Ballena Blanca.

Fue su leyenda, todo cuanto se contaba e inventaba del viejo Infinito, desde sus hazañas pescadoras y marineras hasta los chismes que se decían de su huida desde el otro lado del mar cuando era un niño, lo que me hizo ir por primera vez a Cuba tras sus huellas, para conocerlo, entrevistarlo, y mostrar su desnudo sólidamente humano ante mis lectores, hasta desvelar todo cuanto todavía no se supiera del mito.

En ese primer viaje a La Habana, lleno de sospechas, cautelas y rechazos, conocí nada más llegar al Hotel Habana Libre a los principales integrantes de la Tribu, como se nombraban en su pleno apogeo rememorando la banda de Beny Moré: la negra Petra Porter, que era la traducción física y armónica del mestizaje en Cuba (piel de color yodo llamando a tocarla, ojos de caramelo café, gestos y movimientos de los que emanaba una frescura selvática y tentadora; rostro limpio, con pómulos suavemente salientes y labios que delataban el triunfo del tiempo sobre el embuste de las razas puras; cuerpo ligero y tenso, de antílope hembra reencarnado en mujer de ahora, las dos en uno solo y al mismo tiempo, cuello fino, de gacela salvaje, cintura de gimnasta olímpica; unas piernas largas, de bailarina acostumbrada a evolucionar en el aire húmedo de la manigua, que dibujaban bajo sus vaqueros unos muslos sin mácula, pechos firmes y decididamente justos a la medida de su equilibrio, y unos pies únicos, mágicos y perfectos); Zeida Olivar, la Botellita de Licor, toda ella invitación a la más saludable promiscuidad física, una artista igual de mulata que Petra Porter, un contoneo constante dejando escuchar la voz de una trompeta seca educada para mejor destino que el que tuvo, una muchacha vehemente y enloquecidamente libre que había empezado a trabajar con Alicia Alonso desde muy joven, pero que todavía no había llegado a salir del todo en el baile (lo contaba ella misma, desbocándose de la risa, haciendo sarcasmo con el drama de su fracaso anticipado) porque su costumbre de beber ron del bueno se lo estaba impidiendo hasta ese momento; el ingeniero Hiram Solar, negro de Trinidad, alias Harry, del que inmediatamente capté la complicidad de tantas intuiciones y palabras; Cabeza Pulpo, blanco habanero, con el rostro desfigurado por un accidente de adolescencia, con ojos de hurón ansioso, cubiertos por gafas graduadas con montura de metal plateada de cristales redondos, de frente abultada y grueso y musculoso cuello que lo asemejaba a un extraño paquidermo humano; y Tano Sánchez, periodista como yo (amigo íntimo del coronel De la Guardia, como supe después), el más relajoso de toda la Tribu y a quien debo haber conocido al viejo Infinito en su casa de Cojímar durante ese primer viaje a La Habana.

Casteros y merlines atravesaban en silencio las oscuras aguas del Golfo, cabalgando en manadas incansables por todos los recovecos de las profundidades, a la búsqueda de alimentos que calmaran siquiera momentáneamente el hambre ancestral que acuciaba sus frenéticas correrías bajo las aguas del Estrecho. El viejo Infinito les ponía atención a esas angustiosas escapadas, sabía verlos sin mirarlos y seguía su rumbo por el hilero con los ojos cerrados, olisqueándolos con su sabiduría. Estudiaba después las distancias, resolvía las dudas sobre la marcha, y de nada servía ya la prudencia instintiva y atávica de los animales. Como el cazador que espera en el imaginario desfiladero de la geografía escogida para el encuentro la llegada de las presas en tropel, Infinito observaba el color negruzco de la cara del agua, entre las dos mares que marcaban la frontera movediza del Gran Río Azul al paso sigiloso de los enormes pejes, aguzaba el oído y escuchaba la galopada submarina, como si se tratara de bisontes salvajes aplastando en estampía la tierra polvorienta de las praderas del oeste americano.

Nunca sin embargo vio otros bisontes que los que Hemingway le mostró en fotografía al regreso de algunos de sus viajes, pero recordaba desde los años de su infancia en la otra isla, en los alrededores de la playa del Confital, el zumbido casi eléctrico que bloqueaba los aires ardientes y asmáticos de la calima cuando se acercaban los enjambres de langosta sahariana para devorar en vuelo rasante las cosechas y los campos de labranza de Gran Canaria.

Cada vez que los grandes pejes venían hasta el pesquero, el viejo Infinito volvía a escuchar en su interior aquel zumbido histérico que lo excitaba disponiéndolo para la lucha como al gladiador romano al que le va la vida en la derrota. Entonces el guerrero se aprestaba al combate, como si lo hiciera contra la marabunta invasora de las selvas en las que tampoco estuvo nunca. Además, conocía exactamente las fechas de la atropellada carrera de los cardúmenes hacia cualquier lugar bajo las aguas del Estrecho. Desde la cubierta del *Pilar*, recorría con la mente y a ciencia cierta, con un poder adivinatorio que parecía regalo de los orishas marinos que lo protegían de la desgracia y el accidente, cada uno de los abismos submarinos de los que surgían de improviso los monstruos que plateaban por un instante la cara azul cobalto del agua, al emerger hambrientos desde las profundidades, para hundirse otra vez en la misma insondabilidad misteriosa en la que Hemingway los buscaba con furor durante días de vigilia en el puente de mando del *Pilar*, para obligarlos a subir de sus confines, sacarlos del agua y llevarlos como un botín de guerra hasta Cojímar, hasta el embarcadero de Tarará (según Infinito, muy cerca de donde vivía en ese tiempo Félix B. Caignet, el gran héroe de la radio cubana gracias a *El derecho de nacer*), o hasta las arenas de la desembocadura del Jaimanitas, más allá de Siboney, e incluso hasta el puerto del Mariel, cuyo nombre serviría algunos años más tarde para bautizar a una de sus nietas actrices.

Aunque no fue el modelo que Hemingway siguió para escribir el cuento en el tiempo en que Dios lo visitó en Finca Vigía para otorgarle la eternidad de la gloria, a Pedro Infinito lo perseguía esa misma leyenda y todo el mundo le atribuyó el papel de confidente marino del escritor, del que una vez muerto se había convertido en un exégeta inigualable y legal que inventaba con asombrosa verosimilitud e incesantemente historias y relatos de la mar. Todas esas epopeyas las había vivido con Hemingway, enfebrecido por la avidez de aventuras, siempre en inminente peligro y rodeado de accidentes que estuvieron a punto de provocarle la muerte violenta en más de una ocasión, hasta convertirlo en un personaje de apariencia primaria y esquiva que realmente consiguió inquietar a sus compatriotas, a veces hasta la fascinación, aunque supieran que el escritor buscó distanciarse de ellos, y que por eso había vivido en Cuba, primero en un hotel habanero, en la cercana frontera del mar y La Habana Vieja, por donde caminaba con la misma familiaridad que si hubiera nacido en sus entrañas, y más tarde, cuando consiguió comprar la casa en la que reprodujo cuanto pudo de su mansión de Cayo Hueso, en San Francisco de Paula, en Finca Vigía, durante veinte años.

A pesar de los peligros de su imaginación, en la que se perdía con la rara habilidad que hipnotizaba a su audiencia cotidiana, Infinito cargaba a sus espaldas con una experiencia marinera y pescadora con la que nadie se atrevía a competir. Los viejos que hubieran podido contradecirlo en los detalles de cualquiera de sus hazañas, desde que vino de Gran Canaria como polizón en las bodegas del *Argentina,* apenas con quince años de edad, hasta que comenzó a forjarse en hierro su leyenda de amistad con Hemingway, habían ido poco a poco desapareciendo, o se habían muerto amojamados por una incontable cantidad de años y agotados por el paso del tiempo. Pero Infinito resistió más de lo que nadie pudo haberse imaginado al ver su cuerpo menudo, encogido por sus muchos años de respiración salina y sus tímidas maneras de estar delante de la gente, moviendo los ojos sin parar para captarlo todo en sus alrededores, y ahora que la edad andaba rozándole la del siglo su organismo físico lucía enterizo, recio, completamente atlético. Además el mar lo había indultado en las ocasiones en las que lo rondó la muerte lejos de la costa, y por eso también se había convertido ya en una visita necesaria para todos los que llegaban a Cuba atraídos por la curiosidad de conocerla, y otros muchos que recalaban en la Isla buscando las huellas de su leyenda.

—Ahí, en el sueño —dijo Pedro Infinito, grave, sentencioso, los ojos fijos en Hiram, la voz ronca y marinera brotando desde el fondo de la memoria—, te cogen los diablos de la mar, chico, se te montan y no hay modo de quitártelos de arriba. Aprovechan tu sueño, se te meten dentro, te hacen un amarre que te seca la garganta, te dejan sordo, te ahogan si te dejas engañar. Resístele a los diablos, compadre, antes de que te despiertes cuando ya te jodieron y te hayan vuelto loco, Harry.

Entonces venían las visiones, decía Infinito, como cuando el alcohol termina por robarle el tino al bebedor. Se sucedían las pesadillas, los espejismos, los monstruos del fondo del mar, los aparecidos y fantasmas que cada cual había intuido que un día se encontraría en la soledad de sus recuerdos, los amigos ahogados, los cementerios al borde de los acantilados de los cayos que repentinamente se aparecían delante del barco en la penumbra absoluta, los graznidos de animales satánicos con garras de felino y caras de demonios del fondo del mar, las voces de las mujeres hermosas que el hechizado llegó a amar durante toda su existencia (o había soñado alguna vez que amó), las ciudades que había visitado o en las que había vivido un largo tiempo.

—Eso fue lo que pasó —me contaba Hiram en el Sloppy—, exactamente lo que me dijo el viejo Infinito.

A Hiram Solar se le secó la garganta. El ansia de escapar del espectro despaisajado y huesudo de La Habana, que se mecía ante sus ojos medio devorado por la mar, le subió ardiendo, vertiginoso y salvaje desde el fondo de los testículos hasta casi cortarle la respiración. El miedo, el frío y la soledad calaron hasta más allá de sus tuétanos el alma del ingeniero de Trinidad.

Se lo había anunciado el viejo Infinito; que el miedo en alta mar y de noche era el único verdadero, que todos los demás que hubiera sentido alguna vez en su vida no eran más que amagos, anuncios y escarceos que anticipaban el que ahora le había tocado en suerte. Ni el miedo de las selvas en la guerra africana de Angola, ni el miedo a la tortura policial en Villa Marista la primera vez que cayó en manos de Cabeza Pulpo, el Implacable (así lo llamaba el propio Harry antes de que la realidad policíaca le cambiara la broma en drama), ni el miedo a la manigua huracanada, llena de sonidos sobrenaturales y de gritos de los orishas revueltos en el monte, en Cabaiguán, a orillas del río Zaza, cuando todavía era un niño que nunca había viajado hasta La Habana. Ninguno de esos miedos era tan verdadero como el de la noche en alta mar.

Angola le pasó entonces por la cabeza como un relámpago que hubiera estado esperando su gran momento para deslumbrarlo hasta la ceguera y la confusión. En plena batalla de Cuito Canavale, la noche caía diariamente sobre el silencio exhausto de las tropas con una espesa dulzura que adormilaba la tensión del día para dar paso al reposo que con un esfuerzo de la imaginación se asemejaba lejanamente al descanso. Pero aquella misma noche, la del miedo de Harry en África, tras los últimos obuses de la batalla, el general Arnaldo Ochoa colgó el teléfono del puesto de mando con un ostensible gesto de incomodidad y destemplanza. Todos sus colaboradores sabían que aquélla era la línea directa para los mensajes cifrados de La Habana. Hacía tiempo que venía soportando los dislates estratégicos del Comandante en Jefe con el estoicismo propio del carácter irreductible que le ganó fama en todos los frentes de batalla en los que había participado, desde Venezuela y Nicaragua hasta Etiopía y Angola.

Antes de dirigirse a alguno de los que se encontraban presentes en ese instante, el Calingo Ochoa dejó pasar unos segundos para que cada uno de sus jefes y asesores fuera haciéndose la idea de lo que le había ordenado Saturno. Ensayó una ligera mueca de displicencia y superioridad. Después miró la hora en el mismo Rolex de oro que le había regalado Tano Sánchez (eran las nueve y media de la noche y había oscurecido ya completamente en el frente de batalla). Estiró su cuerpo sin levantarse de la silla de mando y el desprecio contenido con esfuerzo hasta entonces comenzó a dibujársele paulatinamente en cada músculo de su rostro cetrino. No era más que un militar hecho a la guerra, un general de verdad que se conocía los más íntimos escondrijos de todas las geografías del mundo donde se había fraguado su leyenda y había ganado a pulso cada uno de sus ascensos y condecoraciones.

—Se está volviendo loco —dijo Arnaldo Ochoa, alargando las sílabas con lentitud, como si mascara hasta el final cada una de sus palabras.

Tano Sánchez, el general De la Guardia, Mico Montané (uno de sus ayudantes más cercanos) e Hiram Solar, alias Harry, fueron los testigos a los que les había tocado en suerte la lotería malsana de la complicidad con el sacrílego comentario del general Ochoa. Los cuatro se sorprendieron de la virulenta frase del Calingo, pero ninguno dijo nada. Por el espesor del sofocante silencio que soplaba dentro de la tienda podía medirse la magnitud del furor de Ochoa con Saturno.

—Quiere dirigir las operaciones desde La Habana —añadió Ochoa, tratando de dominar su creciente irritación.

Levantó las cejas hasta que dos arrugas aparecieron en su frente y tensaron su rostro aceituno. Alargó los gestos de su cara y en ese mismo instante su mirada se ensombreció haciendo más evidente sus ojeras verdosas. Por eso también le llamaban el Calingo, por su forma de mirar de frente a la cara de sus interlocutores, por su manera directa de tratar las cuestiones más duras y por su claridad suicida.

Todavía debe recordar el general Patricio de la Guardia la exhibición de desprecio que Ochoa desplegó en una reunión secreta entre algunos políticos chilenos y el Comandante en Jefe cuando visitaron Santiago de Chile en la época de la Unidad Popular. Llevaban dos horas sentados, De la Guardia ni siquiera retenía en su memoria los nombres de los chilenos que desayunaban ese día en la residencia de Mario García Incháustegui, embajador cubano en el Chile de Salvador Allende. Arnaldo Ochoa, vestido de gala y luciendo en el uniforme todas sus condecoraciones bélicas, comenzó a gesticular de cansancio e incomodidad. Bostezó ostensiblemente, demostrando una displicencia impensable sin la complicidad del Comandante en Jefe. Y, entonces, luego de revolverse en su sillón como si estuviera en su propia alcoba, se levantó de su asiento. Todos los presentes se quedaron mirándolo, incluido el Comandante en Jefe, que no pareció en absoluto ni incomodado ni sorprendido por la repentina actitud del Calingo.

—¡Caballero, por favor, vamos a ver, vamos a ver, señores! —gritó Ochoa sarcástico, ante el asombro de todos los invitados y el pavor repentino del embajador de Cuba en Chile—, a mí me roncan los cojones todas las politiquerías de ustedes, señores, señores, ¡pero qué cantidad de mierda ustedes hablan para arreglar el mundo!

Los invitados a la reunión enmudecieron asombrados, y sin creerse del todo lo que estaban viendo, las evoluciones circenses de Ochoa, mientras trataban de no atender a sus palabras. Miraban alternativamente a Castro y a Ochoa, esperando que el Comandante en Jefe lo llamara al orden y acabara con aquella inesperada representación de teatro bufo.

—¡Señores, caballero, por favor, qué cosa más grande! —volvió a gritar Ochoa elevando los brazos hacia la techumbre de aquel ámbito diplomático—, lo mejor que se puede hacer cuando se habla tanta mierda es echarse a dormir contra el mismo piso.

Y entonces, delante de todos, Arnaldo Ochoa se tendió boca arriba, cerró los ojos simulando que dormía profundamente y comenzó a roncar.

El Comandante en Jefe lo miró impávido, sin prestarle apenas atención, como si fuera parte del juego de un niño, mimado y maleducado, al que se le consentían los privilegiados despliegues de histrionismo como el que exasperaba en ese momento a los invitados chilenos de Castro. Y como si no hubiera ocurrido nada, el mismo Comandante en Jefe reclamó de nuevo el interés de sus interlocutores chilenos y recuperó el galope tendido sobre su verbo incansable mientras Ochoa seguía roncando, arrebujado teatralmente en un sueño de mentira en el mismísimo piso del comedor de la embajada cubana en Santiago.

Tano Sánchez me lo contó entre mojitos y carcajadas durante mi primera estancia en La Habana, en una de las muchas noches de confidencias y tragos que nos llevaban a discutir hasta que la mañana comenzaba a despuntar en el horizonte. Confieso que siempre dudé de la certeza de esta historia chilena del Calingo, aunque de esos desplantes estaba hecho el carácter cotidiano y la biografía del hombre, hasta que lo mandaron fusilar por una supuesta traición a la patria en los primeros días del mes de julio de hace seis años.

Ochoa señaló el teléfono mirando a cada uno de los presentes. A Hiram Solar también, otorgándole la misma complicidad que al resto de sus hombres, aunque fuera un recién llegado. Inició un gesto de desprecio, respiró hondo y volvió a mirarlos a todos dejando que una mueca de ironía se deslizara por toda su cara. Se mesó los cabellos suavemente y la piel del rostro adquirió el tono

mate e impenetrable del jefe militar al que obede-
cían ciegamente sus hombres.

—Desde los mapas que tiene sobre su mesa
en el Ministerio de las FAR, desde La Habana, así
quiere dirigir la guerra, ¡no me jodan con Alejandro
Magno! ¡Entonces, carajo, yo soy por lo menos Es-
cipión el Africano, no jodan con la misma vaina
de siempre! No vamos a obedecerle —dijo después,
contundente y en voz baja, para que no cupieran
dudas. Se transfiguró desde la primera frase a la última y sus ojos color humo se tiñeron de un brillo felino y altivo que engrandecía la figura del general,
cuyo temperamento desprendido le había dibujado
un aura de guerrero invencible en todos los frentes
africanos.

Hiram Solar sintió la repentina y sudorosa
punzada del estilete entumeciéndole los músculos,
y esa misma impresión le nubló el equilibrio durante unos segundos pegajosos e interminables. La
certidumbre de que se había convertido en una
prueba testifical del peligroso juego de Arnaldo
Ochoa frente al Comandante en Jefe lo hizo tiri-
tar de frío en plena sauna africana.

—Ya estaba señalado, cargué con aquello
—me contaba Harry, sentados los dos en torno a
una mesa del Sloppy— como si yo fuera uno de
los responsables de la Candonga. Sólo les faltó una
cuenta corriente a mi nombre en algún banco de
Panamá. Me hubieran raspado del todo. Ya sabes
todo lo que vino después.

Aunque no estaba en Angola de convidado
de piedra, tampoco había sido nunca un militar

profesional, sino que aquel destino fortuito era un servicio más exigido por la Revolución a quienes resultaban sus vástagos más mimados. Sus altos conocimientos de ingeniería electrónica lo llevaron al corazón de la guerra angoleña en el momento crucial de la defensa de Cuito Canavale, pero desde aquel suceso era testigo de cargo de la apostasía de Ochoa junto a sus íntimos, su general más cercano, su edecán y Tano Sánchez, su amigo, que estaba allí con la orden expresa de Castro para escribir un libro de reportajes y testimonios sobre las tropas cubanas en los frentes africanos. Desde ahora era un entenado del clan de Moneda Convertible, un compadre más de los dueños de la Candonga, compinche a su pesar de los secretos de los jefes de aquella guerra que empezaba a maldecir para sus adentros temerosos, y de todas las operaciones clandestinas que en el fondo ni conocía de verdad ni nunca había participado en ellas, las mismas por las que ya se chismoseaba entre la soldadesca más aviesa que más temprano que tarde tronarían al Calingo y a sus ayudantes.

Por mucho que la temperatura se hundiera bajo cero, las aguas del río Angará, en el interior de Siberia, nunca terminaban de helarse, no porque alguna magia atávica se revolviera desde sus profundidades oscuras contra las leyes de la naturaleza, sino porque su cauce central, que surge del fondo de la tierra en las cercanías del lago Baikal, recibe aguas de otros trescientos ríos y pequeños afluentes que alimentan la fuerza descomunal y salvaje de su caudal impidiéndole que se hiele por debajo de la superficie.

Bañarse en esas aguas frenéticas y gélidas en pleno invierno y rodeado de nieve, aunque estuviera totalmente embriagado por los tragos de vodka que había bebido sin parar, resultaba una excentricidad inútil y suicida, sobre todo si se trataba de un cubano (de un negro como Hiram Solar) nacido en Trinidad, a pocos quilómetros del macizo montañoso y sacral que divide en dos la isla de Cuba, la Sierra del Escambray. Sin embargo, Harry no lo pensó dos veces. Se tiró al río casi de repente, dando gritos de júbilo como si hubiera descubierto un nuevo mar en el fin del mundo, y probó el agua de hielo y la rara naturaleza mineral que lo impulsaba a hundirse en la vorágine de una oscuridad desconocida para él. Pero en el peor momento de la aventura suicida tomó conciencia del peligro, nadó, se revolvió cuanto pudo contra la asfixia inminente y gesticuló completamente desnudo dentro de la masa oscura y densa que corría imparable por el cauce, ante el asombro de los técnicos y militares soviéticos que lo acompañaban en la fiesta. Fue una manera excesivamente exhibicionista de exteriorizar su contento y saludar personalmente el éxito de uno de aquellos absurdos programas conjuntos de investigación electrónica que no servían para gran cosa.

Estuvieron a punto de darlo por ahogado después del impacto con el agua, cuando una espiral de espuma oscura se lo llevó hasta los abismos del fondo del Angará como quien se alonga hacia un destino lleno de cataratas que no podrá dominar jamás. Entonces nadó para salvarse, como un poseso al que los diablos del río empujaban lentamente hacia el fondo del cauce. Se movía como un animal salvaje que buscaba la salida hacia el aire después de arriesgarse en la penumbra de la selva, mientras los cazadores esperaban en sus puestos de privilegio la carrera desesperada del atleta que huye para escapar de la acechanza de la muerte segura. Se revolvió como pudo para que el frío no lograra atenazarle los músculos y paralizarlo hasta la asfixia. Movió toda la fuerza de su vitalidad tropical para escapar del remolino que lo hundía en la nada y para que su cuerpo siguiera sintiendo los estímulos exteriores y pudiera sobrevivir al frío glacial de las aguas. Hubo un momento en que se sintió al borde de la desintegración, hecho trizas dentro del agua, a punto de la petrificación física, pero superó el pánico, gritó como un bicho genéticamente acostumbrado a las nieves y salió de las aguas hasta la orilla, purificado por aquel calor repentino que le entraba desde la piel hasta penetrarle el alma, nada más sentirse a salvo en la intemperie.

Ni siquiera los miembros más íntimos de la Tribu le creyeron la aventura siberiana cuando Harry la contó en La Habana con el esplendor de la verdad reflejado en los gestos de su rostro. Pero ese frío monstruoso del Angará se le quedó para siempre en la memoria de su piel negra, como una cicatriz que hubiera grabado en las sentinas del alma la condecoración del superviviente a toda prueba. Por eso podía volver a relatármelo, años más tarde, tal como se lo contó a sus amigos al llegar a Cuba, tal como me lo contó a mí cuando lo conocí, con la certeza de haberlo sufrido de verdad. Cuando le oí esa epopeya por primera vez, creí que me cubaneaba, que me engañaba tratando de seducirme con su experiencia. Pero luego supe por él mismo que entre los cubanos tan sólo Petra Porter, cuya historia amorosa con Jean-Paul Belmondo mientras anduvo de pasarela en pasarela por París tampoco se creía nadie en La Habana, admitió sin ambages que Harry decía la verdad sobre el baño de hielo en el río Angará. Quiero imaginar, ahora que lo escribo, que ese fue el comienzo de su verdadera complicidad, la larga temporada de sus confidencias, de sus confabulaciones, pasiones y amoríos secretos, que intuyo también ahora (sintiendo la picazón de los celos sobre mi piel erizada) que ni siquiera terminaron con la huida de Hiram Solar de la Isla a la Yuma.

Me dijo que la soledad interminable de las noches que pasó escondido en los solares de las casas de Lawton, las mismas que le sirvieron de guarida clandestina mientras dibujaba el barco desmontable de su libertad, no fue tan sórdida como la que sentía en ese momento de alucinación en alta mar. ¿No era el peor de los sarcasmos? Mientras más había intentado escapar de Cuba, más cerca se encontraba de la ciudad de La Habana. Además, ahora era también responsable del destino de otras trece personas que habían confiado en él para marcharse a Miami.

Recordó Villa Marista mientras recuperaba en alta mar el sentido de la orientación física y despertaba del sopor de la pesadilla. Vio de nuevo la cara de satisfacción de Cabeza Pulpo cuando lo acompañó desde la estación de policía de Playa donde lo habían conducido bajo arresto hasta la celda en la que habría de esperar los interrogatorios. Cinco meses estuvo tras sus pasos Cabeza Pulpo, persiguiéndolo por los rincones marginales de La Habana. Incluso supo por Petra Porter que había intentado la complicidad de algunos abakkuás de Pogolotti, donde salvo por orden expresa de la Seguridad del Estado ni siquiera se aventuraba a entrar la policía. Cinco meses sin dejarse ver de nadie estuvo Hiram Solar respirando bajo la tierra, como si se lo hubiera tragado el infierno o se hubiera escapado hasta lo hondo del monte, en el mismo corazón de la manigua donde no alcanzaba la mano del hombre, cinco meses escondido en las casas de Lawton que Petra Porter iba alquilando para él, pagando el silencio de sus cómplices en dólares del mercado negro.

Aunque Harry llegó a pensar que Carlos Tabares, el embajador de España en La Habana, conocía algunos detalles de la trama clandestina que dirigía para escapar de la Isla, Petra Porter le aseguraba que únicamente ella sabía siempre donde respiraba el fugitivo de sus amores, en qué subsuelo imaginaba los motores del barco fantástico que lo sacaría de Cuba, en qué lugares secretos guardaba los croquis y los planos de la embarcación que lentamente crecía en su cabeza de ingeniero. Y aunque sabía también que Cabeza Pulpo podía intuir que su enlace con la vida era precisamente Petra Porter, nunca tuvo miedo a la delación de la mujer, ni siquiera si hubiera llegado a ser torturada con ese objetivo. Ella no sólo lo había amado con la pasión envenenada del delirio durante una temporada de la que ya no se olvidaría ninguno de los dos, sino que le había regado la cabeza con coco seco y rallado, le había refrescado las ideas y había pedido la protección de la Caridad del Cobre después de moyugbar por la vida de Harry, tirarle los caracoles en más de cuatro ocasiones sacrales y pronosticarle siempre el triunfo de su proyecto prohibido. Ella fue quien lo encomendó a sus orishas, ella misma hizo de santera y madrina propiciatoria del gran plan que Hiram Solar organizó para escaparse de la Isla.

—Nunca dudé de ella —me dijo Harry—, ni cuando me confesó que estaba a punto de empatarse con el embajador Tabares.

—Aquí lo dice, mi amor, que tú saldrás adelante —le dijo Petra Porter a Harry con los caracoles—, ¿pero no lo ves tú cómo hablan ellos, viejito? Mientras más oscuridad, mejor, mi amor, aquí lo dice. Mientras más dificultades, más soluciones, lo dice aquí, está muy claro, tú, chico, mi amor, poquita fe que tú tienes, muchacho...

También sabía que Cabeza Pulpo dudaba de todo, incluso de sus conclusiones profesionales. Se conocían desde niños, desde los primeros años de la CUJAE, Ciudad Universitaria José Antonio Echeverría, una universidad técnica de vanguardia, y era verdad que se olisqueaban en sus intenciones, y se intuían como si fueran jimaguas cualquiera de los pasos que daba cada uno por su lado (uno para

escapar del otro; el otro para evitar que Harry se escapara), pero nunca con la seguridad insolente de la
que el propio Cabeza Pulpo alardeaba ante sus jefes.

Cinco meses tardó en llevarlo a Villa Marista
para nada. Como por milagro tuvieron que dejarlo
libre tan sólo unos días después de que Cabeza Pulpo lo arrestara bajo la acusación de un delito nunca
bien explicado que servía a veces para todo y en
muchas ocasiones nada más que para amedrentar al
sujeto digno de tal sospecha: diversionismo ideológico. Por fortuna (y por torpeza de Cabeza Pulpo en
los primeros instantes de euforia, tras la detención),
no habían encontrado nada que delatara su proyecto de huida y no le habían requisado más que el libro de poemas de Mario Benedetti que Hiram Solar
releía en un cuarto que Petra Porter había alquilado
esa misma tarde en la zona urbana de Playa, al oeste
de la ciudad de La Habana. Nada tenía en la mano
Cabeza Pulpo, salvo sospechas y la certidumbre inasible de que Hiram Solar estaba preparando una evasión clandestina y masiva. Pero ese proyecto no le
importaba en realidad gran cosa a ningún jefe de la
Seguridad del Estado, porque ocurría cotidianamente en cualquier rincón de la Isla donde el mar estuviera
al alcance de la vista, de los sueños y de las tentaciones de fuga. Tan sólo a Cabeza Pulpo le iba la arro-
gancia, el orgullo enfermizo del perseguidor, la vida
misma, en conseguir abortarlo, detener a Harry y en-
tregarlo sumiso, humillado y derrotado a las autoridades policiales.

El miedo, el frío y la soledad de esa noche en
el mar eran muy superiores a cuanto había sentido

en cada una de las ocasiones que recordaba como claves de su existencia. Ahora la alucinación fantasmagórica de La Habana le descoyuntaba todos los sentidos del equilibrio. La serenidad intuitiva que Pedro Infinito juzgaba necesaria en un patrón de barco y las cartas de navegación que se había aprendido de memoria para esquivar cuanto obstáculo se le pusiera por delante de su quilla no le bastaban al negro Solar, sino que se le amontonaba la confusión en su cabeza hervida por la fiebre y se le encendían de repente luces que creyó definitivamente apagadas, vagos recuerdos que se habían ido quedando avejentados y polvorientos en su memoria antigua.

Entrevió en las brumas del pasado, junto a la ilusión óptica de La Habana, sus días en Moscú: la primera percepción de la Unión Soviética, el bautizo del frío, la nieve, la soledad asmática y reverencial de la Plaza Roja en la lóbrega temporada invernal; la entrada a la Universidad Lumumba, como un catecúmeno ungido con la responsabilidad de las élites revolucionarias; el ámbito desconocido del miedo que no se puede controlar rezándole una breve oración a los orishas que se habían quedado en Cuba o sacando a relucir mentalmente las lecciones elementales del materialismo dialéctico.

Se acordó de la guagua militar que lo trajo hasta la CUJAE, a La Habana, por primera vez en su vida. Sintió el olor profundamente ácido de la melaza que desparramaba el Central Martínez Prieto por todos los entornos de la universidad técnica; y el mismo escozor se adueñó de su propio miedo, o una parecida e incómoda curiosidad, la sensación del intruso que está siendo vigilado desde siempre por un perseguidor cuya misión en la vida estriba solamente en conseguir su captura, la confesión de los delitos todavía por cometer en ese futuro que ahora le traducía la alucinación de La Habana desde el mar, los olores cercanos del salitre, el fracaso y la basura. Y la certeza de la leyenda en el letrero de neón que cree ver no muy a lo lejos, como un faro que señalara la cercanía del Malecón: «Señores imperialistas: no les tenemos absolutamente ningún miedo».

Como en aquel primer instante de Moscú, quiso escapar de sí mismo, esconderse en el mar de la ciudad de la que estaba huyendo junto a otros trece cómplices. No podía haberse equivocado en todo, ni todas las precauciones podían haber fallado ante los errores de su cálculo. Quiso pensar incluso que lo habían dejado escapar, que Cabeza Pulpo le había ganado la partida al tenderle una trampa de la que no se había percatado, cuyos resultados eran exactamente los que estaba viendo (o malsoñando) en ese momento de pesadilla. Sintió otra vez el aliento pútrido de Cabeza Pulpo, su voz alcohólica golpeándole los tímpanos, sus escupitajos resbalándole por la cara en las largas sesiones de los interrogatorios de Villa Marista. Vio el rencor desfigurándole los gestos de su rostro embotado y las cicatrices que le afeaban monstruosamente la frente, bajo cuya piel picada de viruela Hiram Solar sabía que Cabeza Pulpo llevaba una placa de platino desde que una piedra accidental que le destrozó la cabeza en un paraje boscoso de los mogotes del Valle de Viñales estuvo a punto de matarlo.

—Ya te lo dije, compañera Gladys —oyó de nuevo la voz de Cabeza Pulpo dirigiéndose a la instructora (no se acordaba bien de su grado militar) que lo había interrogado en Villa Marista—. Este bugarrón maneja bien los botoncitos de las computadoras. Y además de ingeniero, es negro, poeta y maricón. Un ejemplar único. Ahí lo tienes, gózalo al ciento por ciento.

Entonces, en alta mar, mientras trataba de asir intuitivamente con su mano derecha el timón del barco, Hiram Solar sintió que estaba atrapado en una ciénaga de maleficios, miedos, fríos y soledades, una tela de araña de la que sus sentidos se negaban a salir por mucho que su imaginación y su inteligencia exigieran lo contrario. Miraba hacia las sombras de la noche y veía cada vez más cerca la silueta estática y solitaria de La Habana desde el mar.

Dos

Me dijo que veía La Habana navegando a la deriva en plena oscuridad. Como un nictálope cuya magia le hacía percibir el mapa entero de la ciudad en la que había vivido tantos años. Se fijó en sus perfiles geográficos como un animal que reconoce su territorio doméstico. Sin pararse a pensar en lo que hacía, echó un vistazo a sus límites, husmeó con su instinto de fugitivo las siluetas inmóviles que iba reconociendo mientras su sorpresa crecía hasta descomponerle la visión.

Ahí delante, en la desembocadura del cercano río Almendares, en el interior de la boca de la Chorrera, se erguía suavemente el torreón de Santa Dorotea, y a su derecha flotaba en la penumbra silenciosa y soñolienta todo Miramar, el barrio residencial de las embajadas y las oficinas de las empresas internacionales. La vista se le perdió acercando Siboney a su imaginación, y El Laguito y Cubanacán, como un bosque verde lleno de canales por donde el agua del mar entraba hasta perderse en el horizonte chocolate y ennegrecido de la noche; y estar más cerca, me dijo Hiram Solar, hubiera sido sentir el verdor inapagable de aquellas latitudes del oeste habanero, volver fácilmente a los recuerdos feraces de la residencia del embaja-

dor español Carlos Tabares, la casa que fuera del
pastelero gringo mister Ward, junto a cuya limpí-
sima piscina azul y rodeada de palmas reales, que
se yerguen como una columnata que casi toca el
cielo de la felicidad al fondo del jardín en el que
aparecieron los cadáveres del canciller de la embajada Tobías Baragaño y del mayordomo cubano
Orestes López, el diplomático español acostumbraba
a organizar tenidas y conversadas, con asaderos de
pargos y carnes de res que se hacía traer envasadas
al vacío desde Montreal, regadas todas las fiestas
con largos, generosos e interminables tragos de ron,
whisky y ginebra.

Luego aparecieron recortadas en el aire brumoso las sombras huesudas del Comodoro, el Tri-
tón y el Neptuno, o lo que quedaba de aquellos
hoteles ayer esplendorosos, en primera línea de la
costa, entrándole por los ojos hasta el interior de
su mirada. Como un cohete dispuesto a llegar al
cielo se levantaba en el paisaje nocturno lo que
había sido la embajada de la Unión Soviética hasta
el instante explosivo del desmerengamiento del universo socialista en el mundo, el mismo feo edificio
que ahora se repartían cubículo a cubículo las re-
públicas surgidas de la desmembración soviética.
Recordé entonces la primera vez que crucé en taxi
por Miramar, hacía ya más de diez años, y descu-
brí el impresionante y extemporáneo armatoste que
los rusos habían construido allí como dueños su-
premos, al menos en apariencia, de aquel mundo
tropical que nada tenía que ver con ellos antes de
la llegada de la Revolución.

Puse entonces cara de perplejidad y miré para Tano Sánchez, que esperaba mi pregunta con una sonrisa irónica y silenciosa. La negra Porter se encogió de hombros, ladeó la cabeza desdeñosamente mientras echaba una mirada que se perdió en el exterior y se encerró en un distante mutismo. Hiram Solar iba a mi lado en el taxi y, mientras me hablaba ahora en el Sloppy de su visión nocturna de La Habana desde el mar, recordé con nitidez que se puso entonces a silbar desafinadamente el bolero de Julio Rodríguez *Mar y cielo*, «me tienes pero de nada te vale, soy tuyo porque lo dicta un papel (movía su cuerpo al ritmo de la música, y tocaba con las palmas abiertas de sus manos sus propias rodillas, como si fueran tumbadoras cuya percusión conseguía el tono deseado por el músico diletante), mi vida la controlan las leyes, pero en mi corazón que es el que siente amor, (ladeaba la cabeza, de izquierda a derecha y de arriba abajo, al son del bolero, y en su cuello atlético se dibujaban por un instante los músculos fibrosos), tan sólo mando yo, el mar y el cielo, se ven igual de azules, y en la distancia parece que se unen». Todos tarareaban las notas de la canción y se movían como si fueran una banda de músicos tropicales que no iban a contestar a los gestos impertinentes de un gallego recién llegado a la Isla. Sólo el chófer del taxi, que no había dejado de mirarme desde el fondo de sus gafas por el retrovisor, parecía con ganas de arrancarse a hablar. Sin poderse contener, los ojos le chispearon por un instante, advirtiéndome de su naturaleza imprudentemente locuaz. Sonrió y asintió con la cabeza antes de entrar en liza.

—Fígurate tú, mi hermano, ¿qué carajo tú querías que hiciéramos, darle candela al supositorio gigante ese? —dijo casi a gritos, acallando la voz enlatada de Beny Moré, que llegaba a nosotros cantando *Santa Isabel de Las Lajas* desde un viejo y polvoriento transistor de pilas lleno de interferencias y colgado al cuello del taxista.

—Bueno, dime tú, compañero, ven para acá un momentico, ¿qué hacer? Los cubanos somos bravos, pero no bobos, ¿qué tú te crees? —continuó hablando el taxista, lenguaraz en exceso para aquel momento de la guerra fría, en el mismo tono jocosamente cubano—. La vida te da sorpresas, pero de verdad, chico, sorpresas sorprendentes, valga la resonancia, verdaderas sorpresas, vaya, no sé como decirte, compañero español, porque tú suenas a gallego, ¿no es verdad? Ellos son los que mandan, el mangoneo aquí da miedo, mi hermano, los bisnes que hacen las mujeres de los bolos en las diplotiendas, eso, caballero, óigalo bien, es la cosa más grande del mundo, no tiene nombre ni comparación con nada, lo juro por mis muertos. Llegaron aquí y le dijeron al Hombre, Comandante, coño, coño, coño, dése cuenta, nos va de a pepe levantar ahí delante del mar, en Quinta Avenida que nada menos, una embajada que se cague en todo el que la vea. Sí, sí, sí, como lo oye, mi hermano, una pinga del carajo que toque en las puertas del cielo una canción a ritmo de rumba, venga para acá un minuto, eso es lo que queremos hacer aquí, en Miramar, Comandante, la pinga más grande del mundo, ¿qué más tú quieres que le dijeran?, para que se acojonen los yanquis, que usted sabe que se asustan en cuanto ven una pinga grande, pero grande de verdad, una pinga singona, única y total, Comandante. Bueno, más o menos eso le dijeron, mi hermano, ¿y para que fue eso? Ya tú sabes cómo es Esteban, ¿a qué clase de jodedor se lo fueron a decir? Y ahí ves, ahí está la pinga, ahí la tienes clavada, como un supositorio en el aire, feo con cojones, viejo, pero ahí la tienes, vete y muévela si puedes... oye, es tan feo que lo tiras por la punta del Morro y no hace ni espuma, por tu madre...

Al mirar hacia el oeste, Harry adivinó la silueta ensombrecida de la Marina Hemingway (o eso pensó sin verla, sólo intuyéndola), cuyas latitudes podía recorrer completamente a ciegas Pedro Infinito. Y tal como el viejo pescador navegaba las costas de Cuba, con la misma facilidad con la que podía atravesar los mares del Golfo y los vericuetos sinuosos de los cayos sin perderse en ningún momento, tal como el patrón del *Pilar* se adentraba en las corrientes cercanas hasta alcanzar ya en alta mar el Gran Río Azul de los grandes pejes de septiembre, de esa misma manera recorría Hiram Solar ahora La Habana vacía, como un santuario en ruinas, La Habana ilusión óptica y envuelta en sus sueños de fuga y fatiga.

Siguió con sus ojos reconociendo los lugares de los que creía haber escapado, palpando con anticipación temblorosa los rincones de la ciudad mientras el lanchón se acercaba inexorablemente a La Habana contra su voluntad de fugitivo. Llegó a pensar efectivamente entonces que se había equivocado de rumbo y que el destino había conseguido lo que más temía de esa aventura: convencerlo para que se quedara dormido y terminara por perderse entre las esquinas y el espejismo de la ciudad eternizada en el tiempo por el castrismo, la Estambul del Caribe que chapoteaba flotando petrificada en el pasado, como si por ella no hubieran pasado casi cuatro decenios de escarnio, paciencia, desidia y abandono.

Ahí, junto al Malecón, vio la sombra envejecida del palacete de las hijas de Cocó de Armas, una casita de muñecas que se sostenía a duras penas entre los restos desvencijados de sus techos, dos cucuruchos pintados de musgo verde sobresaliendo del mar en la memoria de Harry. Esas viejas se habían pasado de la edad, invariablemente de espaldas a la Revolución, como estatuas de bronce inmunes a todo, y despreciaron cuanto ocurría en su entorno hasta que las dieron por imposibles. Habían resistido solitarias, sin dar gritos, enfrentándose al tiempo envueltas en una voluntad de hierro, creyendo que vivían una pesadilla a punto de terminar, soñando que pensaban que soñaban que el régimen castrista iba a caer siempre al día siguiente, tan sólo dentro de unas horas, y ése sería el final del mal sueño. Y entonces podrían vender la casa en millones de dólares, por lo menos diez o veinte o veinticinco millones de dólares, va-

ya uno a saber, para jubilarse de aquel pavoroso
encierro que habían sobrellevado tantos años y re-
tirarse de todo, olvidarlo todo, como si no hubieran vivido como todos los que se habían quedado en la Isla más que una pesadilla. Por eso no se
habían ido nunca a Miami, de ninguna manera,
aunque toda su familia estuviera desde hace tiempo en la Yuma, ellas no, ni hablar, en la vida, antes
muertas, ni aunque hubieran intentado sacarlas a
escopetazos, ni aunque les hubieran metido miedo con la cárcel, ni aunque las hubieran amenazado
con los negrazos que iban a abusar de ellas y las
iban a sodomizar antes de esclavizarlas y conde-
narlas a muerte, que eso es lo que se merecían las
viejas cabronas que no habían entendido lo que
ocurría en Cuba, ¿o no veían ahí delante de su casa el cartelón bien claro?, «Patria o Muerte, ¡Ven-
ceremos!», eso decía la Revolución; pero ellas estaban por encima de esas minucias del sufrimiento
de los demás, ellas eran Cuba, embajador Tabares,
a ver si de una vez se daban cuenta de lo que estaba pasando, todas esas cosas ya habían ocurrido
con Weyler, gran hombre, gran español, gran militar, embajador Tabares, y luego otro montón de
veces, con don Gerardo Machado y con el general
que no quería ser las dos únicas cosas que era,
dictador y mulato, don Fulgencio Batista; y todos
habían pasado como un suspiro mientras ellas
seguían allí, en la casa con techos de cucurucho de
musgo verde, por los siglos de los siglos y bajo la
protección de la Virgen de Regla, Santa Bárbara
Bendita y San Lázaro, que siempre están aquí, con

nosotras, que no nos abandonarán jamás en las garras del monstruo enemigo.

Ni por todo el oro del mundo habrían vendido su mansión, invadida de humedades y salitres, y dominada por los ecos de las voces de las tuberías por donde corrían libremente los fantasmas de la casa, las viejas e inútiles tuberías que no funcionaban desde que vino la sequía a La Habana, hace ya muchos años, como usted sabe, embajador Tabares; una casa llena de goteras por donde se colaba el agua de lluvia desde la techumbre y a veces inundaba algunas habitaciones del piso alto y después el agua bajaba en torrenteras hasta el jardín, qué nos importa eso a nosotras, de verdad, le decían las viejas al embajador Tabares, si aquí nada funciona desde que llegó ese diablo de la sierra, eche usted y no derrame, y se soltó por la calle el espíritu del mal, embajador; una casa enchumbada de líquenes, orines, mierdas y gatos malolientes que no dejan de maullar entre las sombras, y parásitos de todo género, un asco lleno de excrementos de animales domésticos y podredumbre por todos lados.

Al fin y al cabo, así se lo habían dicho al embajador español, la vida no es más que eso, embajador, agua, mierda y bobería, aunque la herrumbre y la humedad les hubieran despalillado ya cada uno de los tesoros perdidos para siempre, qué le vamos a hacer, cada vajilla, cada cristalería, todas las cuberterías de oro y de plata, los lujos familiares de los buenos tiempos viejos, cada documento, menos los que están bajo custodia en su casa, ya lo sabe usted, embajador, cada mueble de época, cada artesonado, de los que papá, el señor senador de la República Cocó de Armas, un hombre extraordinario, pura historia de Cuba, mandó fabricar en la década de los veinte, ésos sí eran tiempos, embajador, venían a La Habana las compañías de teatro, las compañías internacionales de ópera, Enrico Carusso, ¡qué voz le dio el Creador, qué maravilla!, Errol Flynn, ése sí que era un hombre, un actor eterno, y el poeta García Lorca, y Margarita Xirgu, y Josephine Baker, ella sí era una negra educada y no otras que nos sabemos, vulgares y chabacanas, un horror, pero aquéllas eran personalidades de todo el mundo, señor, porque La Habana era el mundo y la mejor ciudad del mundo, para que usted lo sepa de una vez; también se habían perdido cada uno de los señoriales camastros castellanos y todas las maderas nobles se habían empobrecido hasta arruinarse carcomidas por la polilla, y las fotografías de la familia primero se llenaron de polvo viejo, luego de moho y más tarde comenzaron a cambiar rápidamente de color, perdiendo la tersura, la naturalidad, los rasgos de las personas fotografiadas fueron entristeciéndose hasta desdibujarse y desaparecer del todo, embajador, y ahora no sabemos dónde las tenemos, por ahí deben estar, perdidas en la mugre, en cualquier rincón de ese desván al que ya no subimos desde hace años y donde hemos ido metiendo todos los recuerdos hasta que la puerta, fíjese como es la cosa, embajador Tabares, hasta que la puerta ya se niega a abrir porque el desván está lleno de todos los cachivaches y se caen por dentro sobre la puerta y no tenemos fuerza para abrirla; y no la hubieran vendido nunca, aunque el comején, los moscones y las termitas cabalgaran implacables hasta la destrucción total de la casa que un día se caería convertida en polvo. A ellas les daba lo mismo, que las dieran por muertas, embajador Tabares, que no contaran con ellas para creerse lo que estaba pasando desde hacía decenios de las puertas para fuera de su casa junto al mar, por nosotras no pasa ese maleficio, eso era un mal sueño del que querían convencerlas, y eso no, embajador Tabares, de aquí no nos saca ni una orden sagrada del Santo Padre, Su Santidad Pío XII, en quien tenemos puestas tantas esperanzas y con quien nos escribimos todos los meses, si no es con los pies por delante y en madera de cedro, majestuosamente maquilladas para el viaje a la eternidad, ellas se las arreglarían solas. Lo hacían por eso las hijas de Cocó de Armas, para despertarse cualquier mañana cuando la pesadilla se hubiera acabado, cualquier día de éstos, allí mismo, embajador, aunque usted esté ahora recién llegado aquí y no se lo crea, junto a La Habana ilusión resucitada desde la ruina a la que la había condenado con razón Dios Todopoderoso que está en los cielos y lo ve todo, que la quemará con el fuego bíblico, como a Sodoma y Gomorra, por haber idolatrado como si no fuera mortal a un solo hombre durante tantos años, semejante sacrilegio necesita del fuego exterminador y del infierno, cuando todo el mundo sabe, embajador, que somos pura agua, mierda y bobería, ¿a qué viene tanta bulla con este hombre, don Carlos?, mejor que nadie sabemos nosotras dónde el jején puso el huevo, le dijeron al embajador de España.

Me lo estaba contando ahora Hiram Solar y lo revivía, sentados los dos alrededor de una mesa de madera color cucaracha en el Sloppy Joe's de Cayo Hueso. Lo recordaba todo, como si no hubiera dejado atrás la Isla, sino que estuviéramos hablando en La Terraza de Cojímar, viendo a través de los ventanales el mismo mar azul, picado de celajes y de vientos, por el que el *Pilar* de Hemingway y Pedro Infinito regresaban de sus correrías pescadoras después de días persiguiendo la sombra submarina del pez aguja, del castero y del merlín.

Recordaba de nuevo algunos pormenores de aquella tarde en la residencia del embajador en Cubanacán, al borde de la piscina de aguas azules y transparentes, mientras caía la noche con la violencia tropical del fogonazo que no da tiempo a captar los cambios de luz al final del día. Carlos Tabares se desternillaba de risa contándole a Tano Sánchez y a Harry Solar la visita que había hecho por razones humanitarias a las hijas de Cocó de Armas, dos figuras encogidas, empequeñecidas, arrugadas como pasas, adelgazadas como fantasmas que se alimentaban del aire contaminado de la casa en la que sobrevivían, idas del mundo que las rodeaba. Las viejas examinaban al embajador español, aquel hombre corpulento y medio calvo, con aspecto de atleta curtido en la lucha canaria, aunque ya retirado de esos afanes, de piel blanca y gestos afables y pacientes. Pero el embajador (no importa que hubiera hecho alusión a un lejano parentesco con ellas, claro, Canarias, pero eso estaba muy lejos de Cuba, le dijeron las viejas De Armas) se dio cuenta de que sospechaban abiertamente del intruso que tal vez venía a convencerlas de que vendieran la casa y se fueran a Miami Beach, a Coral Gables, a Fort Lauderdale, o mejor a Key Biscayne, si quieren ustedes, donde el sol es libre, la brisa suave y el aire limpio, y además no hay maleantes ni asesinos, señoras De Armas, y hay de todo en las tiendas, y las personas de mayor edad son las más respetadas y pueden pasearse por las orillas de las playas a toda hora sin que nadie las moleste, ni las amenace con la cárcel o con los negrazos santiagueros y maleducados que las van a sodomizar antes de matarlas, para luego comerse esos caníbales del demonio durante meses su carne blanca en filetes crudos regados con pimienta y ají, con arroz congrí, yuca, papa y malanga, un banquete de los de verdad, y allí en Miami pueden sentarse a la sombra de los laureles y oler en la primavera las flores del cundeamor mientras descansan en los bancos de los jardines públicos, una delicia, un paraíso, no como aquí que no hay nada que comer y no salen ni a la puerta de la casa a respirar aire fresco del mar y van a morirse de inanición y falta de higiene.

Lo miraron de arriba abajo con irritada incredulidad, con el mismo desprecio de clase que le dispensaban a los segurosos que de tiempo en tiempo venían a convencerlas para que se fueran. Le repitieron que les daba lo mismo, que esta pesadilla no iba a durar eternamente, ellas no estaban sometidas a la misma maldición que los demás cubanos, no faltaba sino eso, lo sabían a ciencia cierta porque se lo había mandado a decir por carta con su bendición expresa Su Santidad Pío XII, un santo que les hablaba por las noches desde el Vaticano, embajador, incluso a veces se les había aparecido clarito, una transparencia flotando sonriente en la pared grande del salón de la casa, para hablar con ellas y saber cómo se encontraban sus hijas predilectas de La Habana, se lo iban a decir a ellas que lo sabían todo sin moverse de allí, nosotros somos la historia de Cuba, y no cae el rayo sobre la verdolaga, embajador, sino sobre la palma real, ¿no se lo han dicho todavía?, no vamos a marcharnos nunca aunque todo se derrumbe, y me miraban con ojos de brujas inquisidoras, contaba el embajador Tabares.

—Usted, embajador —le dijeron las viejas casi a dos voces—, está de paso en Cuba, pero nosotros estamos aquí desde antes de la guerra del 98, nosotros somos la historia de Cuba, tanto o más que el viejo patriota Carlos Manuel de Céspedes, que de los Céspedes aquí en Cuba no quedan más que los dos curas, Carlos Manuel, el Monseñor, y el otro que está en Pinar del Río, bueno, pues mucho más patriotas somos nosotros, que llegamos aquí hace casi quinientos añitos, antes que todos los negros que ahora lo inundan todo, para que usted lo sepa, porque a los negros los trajimos nosotros con permiso del Rey de España, que Dios tenga en su gloria porque hizo lo que tenía que hacer, siguiendo los sabios consejos del santo de Fray Bartolomé de Las Casas, ¿cómo hubiéramos levantado la grandeza de Cuba, las plantaciones y los ingenios, y cómo íbamos a mantener sin esa servidumbre los palacios que levantamos aquí, por Dios, por Dios? Y cuando ese demontre con barba se vaya para Moscú a morirse de frío y a convertirse en una calavera de vejez como se tiene merecido, ya lo verá usted, embajador, dentro de nada, nosotras seguiremos aquí enteritas. Ellos lo saben y ya debe saberlo usted también, a ver si se va a creer ese hombre que es inmortal, estaría bueno, eso se lo han inventado las jarcas de negros salvajes que ha traído desde Oriente a invadir La Habana, para que la destruyan y para que les cojamos miedo y nos vayamos.

—Para ellas no fui más que un aparecido que venía a importunarlas a su propia casa —contó el embajador riéndose. Después echó al aire con satisfacción una bocanada del humo del Lusitania que estaba fumándose con la delectación del entendido en las cosas del tabaco.

Y ahora Hiram Solar oyó de nuevo en su memoria aquella risa jovial de Carlos Tabares, recién llegados los dos a La Habana, él desde África, después del Ogadén y Luanda, y el embajador desde Madrid, a rendir tributo a un destino que había soñado desde muy joven.

Vio más arriba, pero como si lo estuviera tocando con las manos de su imaginación, el cementerio de Colón emblanqueciendo la noche con sus túmulos, esculturas y lápidas de mármol, y sus calles limpias y rectas, un orden urbanístico insólito en medio del silencio de los muertos. Vio el viejo barrio del Vedado flanqueado de lado a lado por la Avenida 23 deslizándose borrosamente ante sus ojos, enfangado en el agua del mar viscosamente espesa, un chocolate de barro pantanoso que inundaba sus hermosos palacetes, hundiéndose en las profundidades del tiempo sus jardines antaño habitados por la voluptuosidad exuberante de la vegetación, las plantas y las flores tropicales, los robles mexicanos y las barias, las matas de plátano cuyas hojas sobresalían hacia el cielo limpio de nubes, la grandeza de los jagüeyes y los laureles que se erguían en los jardines de los palacetes de esa zona de privilegios, hace siglos un bosque cerrado en el que estaba prohibido abrir trocha alguna ni levantar ninguna construcción porque era un obstáculo natural e invencible contra la invasión de los piratas. Ya habían desaparecido bajo las aguas los setos de marpacíficos que embellecían el paseo central de los bulevares, ni sombra de los flamboyanes majestuosos, con sus flores rojas y amarillas brillantes y abiertas entre el verde del aire habanero, ni huella de las ceibas sagradas entre las ruinas y los cascotes invadidos por el mar, todo aquel paraje mimado por sus orgullosos dueños hasta el histerismo yaciendo en la eternidad de la nada, lleno de salitre y olvido, con el esqueleto sombrío del aprendiz de rascacielos llamado Focsa suspendido al fondo de la oscuridad turbia del aire.

Vio más cerca de sus ojos el viejo hotel Havana Riviera penetrado por el agua una vez más, pero mucho más que las otras veces cuando los ciclones y los temporales enfurecían la mar y las aguas saladas entraban a saco en los sótanos, en la cafetería y en el lobby del hotel y se trepaban incluso al primero y segundo pisos que quedaban llenos de salitre e inservibles durante meses, hasta que las brigadas de limpieza y reparación técnica volvían a embellecerlo todo, a normalizarlo como si no hubiera ocurrido allí una desgracia. Tan sólo unos metros más atrás, cubriéndole las espaldas al Riviera, se levantaba la estructura avasalladora de lo que ya unos meses más tarde sería el símbolo del regreso al 58, al turismo, al dólar, al verde, el milagro del capitalismo dentro del castrismo, elegguá que abre los caminos y rompe la miseria sin necesidad de ningún otro ritual de santería, el fula eterno, verde y triunfador. Vio entonces el Meliá Cohiba. Hiram Solar reconocía la ciudad desde el mar en los edificios ensombrecidos que sobresalían de las aguas, porque era la única manera de orientarse en ese instante del sueño, mientras trataba de evitar timoneando por intuición la cercanía demasiado peligrosa del Malecón. Miraba hacia la costa y veía fluir géiseres repentinos desde el fondo del mar. Y entonces vio las espumas blancas que chocaban con el asfalto del Malecón provocando un fulgor explosivo en la oscuridad de la ciudad a la que inundaban toda con su furia gritona y destrozadora.

Me lo contaba ahora en el Sloppy Joe's y me recordaba yo mismo en el piso 20 del Cohiba, desde donde se ve toda la ciudad de La Habana, en sus cuatro puntos cardinales y en todos sus ho-

rizontes, sentado en el Cobijo Real junto a Petra
Porter durante las primeras horas de la noche, tan
sólo un par de meses antes de este encuentro con
Harry en Cayo Hueso. Ahí, en el estallido de esa
espuma blanca que Hiram Solar recordaba a cada
instante, se marcaba el límite entre el mar y La Habana, y más allá, acercándose a sus ojos, tras Paseo,
en G hasta pasado el Hotel Nacional, subía pom-
posa la Rampa desde el Malecón hasta la calle L, y
luego ascendía 23 abriendo en canal la ciudad, hasta
morir en el mismo puente del río Almendares.

En esas arterias centrales de La Habana, muertas a esa hora de la madrugada como toda la ciudad, había apostado muchas veces Hiram Solar
clandestinamente en la ruleta rusa del Number
One, ciclista suicida que, por unos pocos dólares y
por una efímera gloria que no servía para nada, a
toda velocidad y arriesgando su vida cruzaba las
calles, los cruces de aquellas calles anchas y semios-
curas en los anocheceres habaneros, cuando por
23 y hacia la Rampa bajaban tal vez ocho coches y
otros seis o siete entraban calle arriba, para llegar al
Almendares, y más arriba diez o doce corrían ve-
loces junto a las palmas adonidias y las casuarinas
del Parque Coppelia, como si fueran atletas olím-
picos jugándose la medalla de oro de la gloria.
Y entonces el Number One, cuando ya estaban
cerradas las apuestas y con una posibilidad entre
cincuenta de salvar la vida, tiraba a rodar la bicicleta a toda velocidad. Así se inventaba el Number
One la vida una vez por semana, aunque a veces
algunos aficionados del riesgo, adolescentes encen-

didos por la necesidad de la emulación, caían en la carrera para siempre y eran consignados en la morgue como muertos en accidente de automóvil.

—Siempre le aposté a Número Uno, me hizo ganar mis buenos fulas cuando más los necesitaba para fabricar el barco —me dijo Harry—. Era más rápido que nadie con la bicicleta, un verdadero atleta en dos ruedas cruzando las calles entre los autos, caramba, por mi madre, y cuando había apagón todavía arriesgaba más, por eso subían las apuestas. Veía en la oscuridad el hueco por el que tenía que meterse entre los carros para salir del otro lado. Salía desde cualquier esquina zigzagueando en la oscuridad y lo veíamos pasar entre cuatro o cinco carros. Como si fuera un relámpago silencioso al que sigue el barullo del trueno, el ruido de los cláxones y los chirridos de los frenazos. Llevaba puesto siempre el mismo uniforme, unos pantalones azules y una camisa roja, la cara siempre la llevaba cubierta por un pañuelo blanco y la cabeza por una gorra azul de pelotero que ha jugado todas las grandes ligas, vuelta la visera hacia la nuca, era un genio. Nunca supimos quién era en verdad Número Uno, aunque yo mantengo mis sospechas hasta el día de hoy, me imagino quién es. Un día desapareció y yo no volví más por allí. Por La Habana corrió la especie de siempre. Cabeza Pulpo lo investigó porque alguien le sopló a la oreja que yo iba allí de vez en cuando a apostar fulas en ese espectáculo, y a las primeras de cambio el Number One decidió perderse, pero dejó una leyenda del carajo para arriba en esas calles, mi hermano.

Y coronando la visión espectral, sobresaliendo de todas las imágenes que Harry no podía borrarse de los ojos, surgía al fondo el monolito levantado en la Plaza de la Revolución, «Socialismo o Muerte», «¡Hasta la victoria siempre!», los cartelones por doquier otra vez en su memoria, «La Raspadura» en el aire mismo de La Habana, perturbándole el orden estricto de su razón toda la iconografía idolátrica de la que había apostatado al decidir escapar de la Isla.

Después volvió a la costa, vislumbró San Lázaro, desde Universidad hasta morir en Prado, la calle de la que le habían contado que había sido antaño parte de Nueva York durante los años treinta y sin salir de La Habana misma. Vio las ruinas del Ayestarán en Infanta y las del Bar Avenida y la Cafetería Manzanares, y la sombra larga y oscura de la calle yendo a morir en 23. Ya al fondo, desde las sombras de la caleta, reconoció el Hermanos Ameijeiras, dejando en primera línea el Parque Maceo, donde las aguas al chocar con esa parte del Malecón volvían a levantar las blancas espumas de las olas inundándolo todo en el silencio de la ciudad sumergida.

La embarcación seguía hundiendo la quilla en el mar, al borde de la costa habanera, sosegadamente domeñada, obedeciendo a una corriente invisible que ponía ante los ojos de Hiram Solar, mientras los otros huidos dormían profundamente sin darse cuenta de nada, La Habana entera, una ilusión vana de la que no había escapado si llegaba a confirmarse que estaba otra vez entrando en la bocana del puerto. Ahí, a dos pasos, más acá de las sombras de las Playas del Este, aparecía el Morro, esta vez como una acuarela siniestra, y enfrente, antes de la Avenida del Puerto, el palacete bellísimo y en penumbra de la Cancillería española, que fue en origen de los Velasco para pasar a manos de Italia y finalmente recalar en las españolas, donde Harry había conocido al embajador Tabares, isleño como Pedro Infinito y enamorado con pasión de las cosas de Cuba. Vio el Paseo del Prado y el Capitolio, cerrado a cal y canto desde hacía mucho tiempo, y las ruinas descascarilladas de La Habana Vieja, con la Catedral dormida entre las aguas, y el rumor de un silencio especialmente irritante y angustioso, dibujándose al fondo de su mirada y naufragando estériles en la sucia superficie del mar, Beirut en el Caribe, al fin y al cabo y después de los años.

Yo lo pensé entonces, mientras Harry me lo contaba de nuevo, y lo sigo pensando ahora, cuando retengo en mi memoria el paisaje del Malecón en las primeras horas de la madrugada, cuando el salitre se come el aire con la fuerza de una bruma fresca y las aguas oscuras lamen la resistente frontera de la piedra: Alejandría también el Malecón y sus ruinas circundantes, como las que describen Lawrence Durrell y E. M. Forster, al otro lado de las murallas y junto al mar de la Great Harbour, con el templo de Isis on Pharos en el horizonte. Y aquí, en La Habana, en el aire de la madrugada densa que mezcla sus colores negros con el violeta enrojecido del primer amanecer, la sombra pétrea del Castillo del Morro surgiendo del mar.

Como las hijas de Cocó de Armas, también Hiram Solar estaba meciéndose en un sueño lleno de monstruos que activaban una fiebre compulsiva. Lo sabía, pero al mismo tiempo no podía arrancárselo de su cabeza. Estaba allí como una obsesión la ciudad de las columnas, La Habana Vieja, la Catedral, la Plaza de Armas, todos sus vericuetos en ruinas, la calle Reina, derruida, en pura bruma de rumba y derrumbe. Temió que la deriva de la embarcación entrara ciudad arriba por cualquiera de aquellas viejas arterias, llenas de baches, huecos, sordidez y deterioro, y terminara por conducirlo directamente a Villa Marista para caer de bruces en manos de Cabeza Pulpo. Pero antes vio en la lejanía las sombras de Luyanó, Santos Suárez, La Víbora, como si atravesara la Calzada de Jesús del Monte conduciendo el viejo fotingo que nunca tuvo para ir a trabajar todos los días al proyecto inútil al que lo habían destinado los responsables de la hiperactividad improductiva cuando llegó de Luanda de nuevo a la Isla, o en el Chevrolet del 56 de Alcides Morán en el que volvió a Trinidad tras tantos años, en un delirio de ensoñación y espejismo que Hiram Solar no se quitaba tampoco de encima.

Ahí podía volver ahora, si se dejaba arrastrar por la atracción del espejismo, a los mismos escondrijos de los que había partido tan sólo unas horas antes, en un rincón de Lawton, escogido entre San Mariano y Armas porque había muchas salidas en caso de que la Seguridad del Estado hubiera descubierto su cuchitril, hacia Acosta después de correr entre las sombras por Porvenir y atravesar Camilo Cienfuegos. O, desde el otro lado, cruzar por la Calzada de Luyanó hasta perderse en cualquier otro rincón de Barrio Obrero, donde había cómplices secretos a pesar de la presencia constante del CDR. Tanto tiempo estuvo allí que terminó por aprenderse de memoria cada uno de los andurriales y resquicios, mejor incluso que quienes tenían por objetivo fundamental y cotidiano vigilar la más mínima alteración de la rutina en todos aquellos parajes, barrios y repartos.

Petra Porter lo había elegido entre otros muchos rincones que le ofrecían todas las garantías del enclaustramiento clandestino que necesitaba para desaparecer sin dejar rastro. Cuando Hiram Solar le comentó que había decidido huir, que tenía un plan que no podía fallar, la negra se entregó en cuerpo y alma a secundarlo. Todos sus riesgos personales pasaron a segundo plano y se transformó en una sombra silenciosa que obedecía una a una las órdenes de Solar, que cumplía todos sus recados y resolvía a pleno sol todos los problemas que se le iban poniendo por delante. Le quedaban todavía en ese tiempo secretas influencias en las alturas, desde la policía al ejército, y conocía a fodo las fisuras que el régimen iba dejando tras de sí conforme se avejentaba adentrándose en un callejón sin salida. Por ella, Hiram Solar nunca habría salido de la Isla, una vez que venció en las apuestas que había hecho sobre su regreso. Muchos de sus amigos le habían indicado que las autoridades sospechaban que Harry aprovecharía la primera opor-

tunidad, un tránsito de horas en cualquier aeropuerto occidental a su regreso de Angola, un despiste
nimio de los miembros de la Seguridad en esos
traslados internacionales que los agentes de la Revolución tenían que hacer repentinamente. Petra
Porter les contestaba siempre con una sonrisa muda y significativa. Ella sabía que no, que Hiram
Solar no se fugaría de la Isla sin confesárselo antes.

—Harry no, no tiene ningún motivo para
irse —esgrimía la negra en cada ocasión.

Ella había sido la cómplice silenciosa que
nunca pudo Harry imaginar que iba a encontrar.
Lo había amado hasta la renuncia y seguramente
lo seguía amando, incluso después de las relaciones pasionales que tuvo con el embajador Tabares
y que habían comenzado en los alrededores de la
casa Dupont, en Varadero, en una excursión organizada por la Tribu en los tiempos buenos de una
complicidad plena por encima de toda sospecha.
Hiram Solar los había visto caminar por la arena,
al atardecer, alejándose de los demás las siluetas de
los dos cuerpos cada vez más juntos para quedarse
solos, fuera de la vista del mundo. Creyó verlos
traspasar las sombras más allá del umbral, en el
bungaló que el propio Tabares había alquilado
para ese fin de semana en la playa. Los imaginó en
la penumbra, abrazándose bajo el agua fría de la
ducha, con la puerta del cuarto de baño del bungaló abierta de par en par, sin importarles nada a
ninguno de los dos, borrachos del sol del día que
habían pasado juntos mirándose ambos entre todos los demás, buscándose y acariciándose con los

ojos, oliéndose con la mirada y respirándose con el deseo. Los imaginó a los dos, enroscados sus cuerpos, lamiéndose frenéticamente la piel ya limpia del salitre y dejándose llevar hasta el fin del mundo en las contorsiones de un placer que comenzaba en esos mismos momentos a ser un peligro para todos.

Tampoco nunca se fue Hiram Solar de la lengua. Ni siquiera cuando Cabeza Pulpo quiso encontrar tozudamente el ovillo de la conjura en el fondo de la Cancillería de España, volviendo a arrullarle los oídos con los recuerdos mutuos de la niñez durante los interrogatorios, cuando eran «socios» en el banco de la universidad, en los primeros años de la CUJAE. Sus intentos por demostrar que el embajador de España era el jefe secreto de aquella banda de maleantes, que tenía como destino sacar gente clandestinamente de la Isla, se fueron uno a uno al garete. Ni siquiera hubo indicios de que Tabares estuviera involucrado en los planes de Harry. E incluso cuando la persecución, búsqueda y captura de Hiram Solar fue del dominio público y a Cabeza Pulpo se le hizo perentoria su inmediata detención, ni Petra Porter ni ningún otro de los cercanos a su círculo cerrado de amigos le facilitaron un triunfo que finalmente, tras la escapada de Harry por Quiebrahacha, significaba la consumación del destino de Cabeza Pulpo.

Tres

En realidad, el embajador Carlos Tabares siempre estuvo al margen de todos los planes de Hiram Solar. Sólo supo por el propio Harry que su objetivo final era escapar de la Isla en un barco que construiría con el apoyo de los suyos. Tabares trató tímidamente de convencerlo de la desgracia que podía significar la cárcel y la ruina para todos los que se movían alrededor de la Tribu, si llegaba a descubrirse su proyecto. También, y sobre todo, para Petra Porter, a la que durante ese tiempo veía en secreto cada vez que podía, corriendo el riesgo de que finalmente llegaran a conocerse sus amores pasionales con ella.

Aunque intuyera que nada iba a conseguir, Tabares intentó en varias ocasiones convencer a Hiram Solar para que abandonara. No era la primera vez que alguno de los cubanos de su círculo le confesaba su total escepticismo del castrismo después del desmerengamiento, pero en ese momento él ya había cumplido su misión diplomática en La Habana, estaba nada más que esperando el relevo para marchar a Madrid hasta que lo destinaran a otra embajada después de haber permanecido más de cuatro años en Cuba.

Pedro Infinito se lo había dicho como un oráculo, con aquella voz de dueño del mar que parecía emerger de entre sus muchos años como la de un sacerdote siempre dispuesto a interpretar certeramente la confusión del mundo circundante. «En el medio de la vida, embajador, el hombre principia a enfermarse», le dijo. Y en ese momento Carlos Tabares, mientras trasegaba un trago de ron Matusalem después de comerse los filetes de peje perro asados a la brasa de madera por Pedro Infinito, pensó en el amor perdido de la negra Porter. Quizás esa misma noticia, la de los amores con Petra Porter, habían sido un buen detonante, la espoleta retardada que había llegado como un obús escandaloso al Palacio de Santa Cruz para precipitar su caída, pero daba por seguro que el revuelo diplomático y político que se había armado con las muertes de Tobías Baragaño y Orestes López le habían adelantado el final de su estancia en Cuba. Ahora nunca llegaría a saber si con una intervención a tiempo, denunciando las sospechas que los funcionarios de la embajada tenían sobre Orestes López, en lugar de la sigilosa y estéril investigación que había tomado él mismo bajo su mando sin experiencia en esas lides, se habrían evitado esas dos muertes y su salida de la Isla.

—No es que uno vaya a morirse —lo sacó de sus ensimismamientos la voz aguardentosa del viejo pescador—, sino que el cuerpo se llena de raros cosquilleos y de molestias nuevas, las cosas de las enfermedades que uno nunca sintió, como si uno ya no fuera el mismo sino otro, embajador.

Pedro Infinito tenía la costumbre de los sabios. No sólo se tomaba un respiro entre frase y frase, sino que permitía con esos cortos silencios que su expectante interlocutor se recuperara de las cosas que le había dicho y se preparara de nuevo para las que iba a escuchar. Después asentía con la cabeza y en silencio sus propias palabras unos segundos antes de volver a la carga. Ahora también usaba de esa argucia para ganarse la complicidad del embajador.

—Entonces, embajador —siguió Infinito—, aparecen todas las cicatrices de la vida de uno, y hay que contarlas, sí, señor, una a una, sin que se quede ninguna escondida, ni siquiera las que antes no habíamos visto nunca. Papá lo decía siempre —se ayudaba en sus sentencias enarcando las cejas, un gesto entre resignado y sublime, se quitaba la ensalitrada gorra de pelotero con la que se cubría casi siempre la cabeza y se rascaba suavemente con el índice y el dedo del medio de la mano derecha las entradas de sus ralos cabellos canosos—. Ahí es cuando uno tiene que estar preparado para cualquier cosa que llegue. Y tiene uno que reflexionar y mirar palante, para el mismo horizonte, allá lejos, ésa es una manera de cicatrizar los picores que a uno le entran a mediados de la vida, que vienen a joderlo a uno sin que nadie los haya invitado.

Ninguna molestia irremisible le avisaba todavía al embajador Tabares del inicio de la vejez, pero una incómoda inquietud, pegajosa y desconocida, se había ido lentamente agregando a sus cambiantes estados de ánimo hasta que se hizo tan perceptible como innegable. Seguramente esa sensación de orfandad y vacío le nació al embajador repentimamente, cuando lo llamaron a La Habana desde el Palacio de Santa Cruz para comunicarle su relevo oficial. Los cuerpos sin vida del canciller español Tobías Baragaño y del mayordomo cubano Orestes López habían aparecido unos dos meses antes sobre el césped del jardín de su residencia en Cubanacán. El macabro suceso era más que suficiente para que el escándalo corriera por toda La Habana como un reguero de pólvora, se abriera una investigación judicial y, después de un plazo prudencial, Carlos Tabares fuera reemplazado de su cargo de embajador en Cuba. Hasta que no se supiera a ciencia cierta, si eso llegaba a ser posible en La Habana, Tabares se limitó a sugerir en su informe oficial al Palacio de Santa Cruz y a las autoridades cubanas que las muertes de los dos hombres eran una encerrona, pero ya era demasiado tarde para evitar la desgracia. Tampoco sabía decir de quién o quiénes había partido la idea asesina, pero el hecho resultaba insólito a todas luces y lo colocaba en una situación que difícimente podía empeorar.

El eco trasatlántico del teléfono sonó en sus oídos tan ácido e insoslayable como la cicatriz que le había dejado para siempre la condena del TOP que le cayó encima en la época del general Franco, por mor de las arbitrariedades y caprichos dictatoriales de aquella larga y sombría temporada. Guardó silencio durante unos segundos interminables, desprendió la ceniza gris del Bolívar con ligeros y estudiados golpecitos del índice de su mano izquierda y apoyó después el tabaco encendido sobre el cenicero de cristal de roca de su despacho en la Cancillería. Luego se dio la vuelta sin levantarse del sillón, se mesó ligera y mimosamente sus ya escasos cabellos grises y entreabrió los visillos de la ventana hasta dejar que se filtraran unos diminutos hilos de luz exterior. Una vez más, después de cuatro largos años, admiró la sombra del Castillo del Morro restallando de parda luminosidad bajo el sol de la tarde.

—¿Para cuándo? —se oyó decir, mientras escuchaba el eco de su voz llegando a Madrid.

—Todavía tienes tiempo, no te des ninguna prisa. Será dentro de tres o cuatro meses, a lo sumo —le contestaron asépticamente.

Le avisaban ahora para que se fuera haciendo a la idea del regreso. Hiram Solar quería marcharse de la Isla, corriendo riesgos de muerte, y Carlos Tabares, embajador de España en La Habana, se marchaba dentro de muy poco tiempo contra su voluntad. Sintió el eco neutro de aquella voz de autoridad, que le había llegado como una orden a través del hilo telefónico, hurgándole en el interior de su piel, un ruido denso y profundo, irrevocable, una punzada dolorosa en su repentino desnorte, la cuchillada de un látigo que lo había cogido desprevenido a pesar de haberlo estado esperando desde algún tiempo atrás. Todo lo contrario que le ocurría a Hiram Solar o al propio Tano Sánchez.

Cuanto de importante tuvo lugar en la vida del embajador Tabares había sucedido en aquella geografía hermosísima, hipnótica y fulgurante de La Habana, ahora un santuario en ruinas, una ciudad suspendida en el aire, como un castillo de naipes que amenazaba con desmoronarse con el más ligero soplo de viento. Hacía poco más de cuatro años que Carlos Tabares ocupaba el primer cargo diplomático en la Embajada de España en Cuba, y ahora recordaba que había llegado de Madrid con la fe de quien siempre había soñado con ese destino, porque desde que se decidió a estudiar en la Escuela Diplomática, e incluso antes, buscaba ya llegar a Cuba, como si en ese envite secreto le fuera toda su vocación profesional y la más antigua memoria genética de su propia familia.

Como su abuelo materno, su gran arquetipo, Carlos Tabares había nacido en Vegueta, en Las Palmas de Gran Canaria. Pero desde muy joven sintió el alarido interior que lo empujaba a la diáspora, exigiéndole vencer con las mismas armas aventureras de su abuelo, que había emigrado a Cuba durante un tiempo en los primeros años del siglo, después de su independencia de España, la natural desidia del isleño en su propia tierra para embarcarse fuera de la isla y del Archipiélago.

Al fin y al cabo, la historia de sus islas se había levantado a pulso sobre la epopeya del mar, a golpe de emigración y con doloroso tributo de sangre a lo largo de los siglos, hasta el punto de que América había terminado por ser un enclave natural del Archipiélago más allá del océano. De modo que todo cuanto aprendió de pequeño, entre sus familiares y cercanos, en las largas temporadas veraniegas de la finca de sus abuelos, entre mangos, guayabas y aguacates, entre plataneras verdes, cañaverales y añiles horizontes del mar cercano, justo en la costa noroeste de la isla, le abrió el apetito pasional por Cuba, como si el espejismo de la distancia fuera un mero trámite de la leyenda que luego habría de sucederle en el tiempo y en el espacio.

Tampoco podía quejarse de su suerte. Había permanecido en Cuba como embajador por un largo período de tiempo, mucho mayor que la norma de un cargo diplomático de primer rango, hasta enraizarse a su manera e identificarse con la Isla, y adaptarse a la ciudad de La Habana como si hubiera nacido en ella. La amaba con toda su alma y, hasta el momento de la llamada desde el Palacio de Santa Cruz, Carlos Tabares se consideraba un extraño privilegiado, un intocable de *la carrera* que gozaba de una bula especial de residencia en La Habana, a pesar de las muchas situaciones conflictivas que había vivido en Cuba.

Aspiró fuertemente la fragancia aromática del Bolívar y se emborrachó durante unos instantes con el humo denso del habano de lujo tras colgar el teléfono. Un sabor agrio y melancólico le raspó la garganta hasta añurgarlo durante unos segundos. Regresó mentalmente a su otra isla, a la finca de sus abuelos, en su niñez dorada. Después, con los ojos entornados volando por encima del mar, recorrió de nuevo aquel Madrid donde estaban ahora residiendo y estudiando sus hijos, el Madrid de su próximo destino, la ciudad a la que había marchado su mujer hacía ya más de dos años abandonándolo delante de todo el mundo. No podía soportar a los negros, «a los naturales», decía ella quejándose, y mucho menos sospechar que su marido la engañaba con una negra de la que se conocía incluso el nombre, Petra Porter, una antigua modelo procaz e ineducada que le había robado descaradamente la vida del hombre. Ésa al menos fue la excusa para huir de su lado y dejarlo en evidencia delante de la gente de *la carrera* y de todo el cuerpo diplomático de La Habana, que también acabó por conocer los pormenores del caso hasta exagerarlos y darles todo género de variantes. Un instante después de esos recuerdos volvió a la opacidad silenciosa y voluntaria de su despacho en La Habana, tratando de controlar la creciente violencia de las pulsaciones en su pecho, el intenso y agobiante calor que despedía su cuerpo, la transpiración fría y repentina que inundaba sus sentidos.

Buscó sin encontrarla una estratagema que, al menos en su imaginación, lograra dilatar su marcha de La Habana durante otra temporada. Lo que Castro no había ni siquiera intentado, lo lograba una mera llamada rutinaria desde el Palacio de Santa Cruz, en Madrid. ¿Y Petra Porter? Todo se había terminado entre ellos cuando estaba a punto de comenzar, desde hacía tiempo, pero ahora se preguntaba tembloroso qué pasaría con ella, cómo iba a comunicarle la noticia de su marcha. Pensó también en Tano, y en la secreta promesa que le había hecho para ayudarlo a salir de Cuba. Pensó en Pedro Infinito, el sabio del mar que lo había llevado en el *Coral Negro* hasta la misma puerta del Gran Río Azul. Pensó en todos los que habían convivido con él en la Isla y que se quedarían allí cuando él se marchara dentro de cinco o seis meses. Reflejó en su memoria las callejuelas de La Habana Vieja, las fachadas de las casas desconchadas por la incuria, la dejación, la penuria y la sordidez. Abrazó mentalmente la manigua, el campo, el interior de la Isla lleno de bohíos y guajiros cuyo origen estaba también en la emigración de las islas Canarias, todos los paisajes rurales que había ido conociendo a lo largo de sus años como embajador de España, todos los parajes cuya exuberancia se agolpaba ahora en su mente hasta alterar los órdenes naturales y geográficos, como vertiginosas secuencias de una noria dislocada e imparable. Y en ese mareo de sudor y orfandad, el embajador Carlos Tabares volvió a sentirse extranjero en una tierra que amaba hasta la desesperación. Ahí quizá comenzó a enfermarse de vejez, tal como le había profetizado el viejo Infinito sin que apenas él se diera cuenta del aviso.

Dentro de nada, la noticia de su inminente traslado a Madrid sería en la práctica una realidad social, y el rumor se extendería con su reguero de imprecisiones creciendo asmático en las tertulias diplomáticas y en las tenidas de las élites, y naturalmente en el bisbiseo florentino de la nomenklatura castrista, la oligarquía consultiva (eso decía entre risas Tano Sánchez), que lo sabía todo de antemano, antes incluso de que ocurrieran las cosas, porque gobernaban la Isla con un día de antelación a lo que señalaran los calendarios y previendo incluso el más mínimo accidente.

—Cuando te levanten de aquí, embajador —le había dicho Tano recién regresado de Angola—, nos enteraremos antes que tú de para dónde y cuándo te vas, por tu madre.

Todavía no había sucedido el juicio a muerte del general Ochoa y el coronel De la Guardia, pero la profecía de Tano Sánchez se cumpliría primero en él mismo, en Harry y en otros muchos. El esplendor de la influencia del escritor comenzó a difuminarse al hundirse en el ostracismo después del fusilamiento sumarísimo de los jefes africanos. Se acabaron las fiestas en El Laguito, la libertad para andar en el Lada beis de parranda y relajo por cualquier parte de la Isla, las invitaciones gloriosas para dar conferencias en universidades y en instituciones del exterior. Se acabaron los tragos al lado de Raúl Castro y los chistes de la calle contados entre la élite en plena madrugada, al frescor selvático de las casas de protocolo que la misma nomenklatura guardaba para sí. Se acabaron las confianzas, las bullas, los jueguitos, los empates gratis aquí y allá, las complicidades, y Tano Sánchez supo entonces el precio de un calvario que había eludido hasta el instante en que Ochoa cayó en desgracia y sirvió de pasto y coartada al terror que la Seguridad del Estado inspiraba en todos los cubanos.

—Me tronaron a mí también. Por amigo de Arnaldo y Tony —le confesó a Tabares el mismo Tano Sánchez, refugiado momentáneamente en Cojímar, en el patio de la casa del viejo pescador Infinito—. Tienes que ayudarme a salir como sea. A mí, a mi mujer y a mis hijos.

Desde entonces, su humor expansivo y sarcástico, de irresponsable histórico, se disolvió sombríamente en el silencio. Tano Sánchez se volvió temeroso de cualquiera de sus gestos, rompió muchas de sus cercanías y complicidades, huyó de secretas e íntimas relaciones, que habían sido sus condecoraciones vitales durante años, y se refugió en la obsesiva tarea de escaparse de la Isla, con los mismos métodos suicidas si fuera preciso que cualquiera de los utilizados por los balseros a los que despreciaba tan sólo unos meses antes de decidirse a huir.

—Trataré de hacerlo —le contestó el embajador Tabares—, te lo prometo. Pero no hagas ninguna locura. Intentaré hablar arriba en la primera ocasión.

La mirada de desconfianza de Tano Sánchez no fue gratuita. Sabía que Tabares no conseguiría nada con un gesto de amistad. En el fondo también él había sido un *raulito,* uno más de la mimosa oligarquía crecida al socaire de la guerra de Angola, al lado de los generales africanos del Ejército cubano y del Ministerio de las Fuerzas Armadas, vicaria y eternamente regentado por el general Raúl Castro. Sus pupilas se afilaron buscando en el fondo de los ojos de Carlos Tabares el resquicio en el que descubrir la complicidad de siempre del embajador español. Después sonrió con un tenue dibujo de tristeza en su rostro y movió ligeramente la cabeza expresando su desazón. Era simplemente la certeza de que todo había cambiado lo que le hacía mostrarse taciturno, al borde de la desesperación.

—Saturno es insaciable, lo devora todo —musitó Sánchez entonces, apenas sin aliento, mirando al horizonte de Cojímar, frente por frente de Cayo Hueso, Miami, la Yuma, invisibles pero imaginados, cercanos pero inalcanzables, olvidados durante décadas por Tano Sánchez y deseados repentinamente como geografías urgentes y necesarias.

El embajador Tabares recordaría siempre aquella conversación entre confidentes, mientras el viejo Infinito apagaba los últimos reductos del fuego artesano donde habían asado las rodajas de cherna fresca, recién sacadas del mar, al estilo isleño del Confital que formaba parte intocable de la memoria genética del pescador, un fuego lento mantenido con matojos y leñas secas sobre las que el viejo colocaba la tela metálica que servía de lecho al pescado, hasta que las rodajas blancas de la cherna adquirían con la brasa el color dorado que invitaba a degustarlas. Y ahora, con ese mismo recuerdo sobándole la conciencia, lo tronaban a él.

—¿Qué tú te crees, chico? —cubaneaba Tano Sánchez en pleno fulgor angoleño—, ésta es la isla más rara del Caribe, los que quieren salir no pueden y los que quieren entrar, tampoco. Pero óyeme un momentico lo que te digo, si el de la barba se va o se lo raspan, se acaba todo, no existimos ya más para el resto del mundo, ni primeras planas en los periódicos, ni viajes, ni festejos, ni galardones, ni invitaciones ni cojones, ni nada de nada, carajo —y se reía con una carcajada contagiosa e impúdica que llenaba su rostro de muecas hasta distorsionarlo en una convulsión de loco, una carcajada con resonancias histéricas que le había ganado el calificativo de insolente en las cercanías de la nomenklatura más integrista de Saturno.

Ahora Tano Sánchez quería marcharse; ahora Hiram Solar, alias Harry, estaba escondido en un solar o en uno de los pocos sótanos del último reparto de La Habana, perseguida su sombra por la insaciabilidad profesional de Cabeza Pulpo, el Implacable, a punto siempre de echarle la zarpa encima y romperle la médula de su mitología personal. Ahora al embajador Tabares le parecía imposible que lo obligaran a abandonar Cuba, que lo obligaran a dejar atrás, por ejemplo, todos los secretos que había aprendido de la mano y la palabra de Pedro Infinito; que abandonara, por ejemplo, la memoria del Gran Río Azul que Pedro Infinito le había descubierto en una de sus últimas salidas a la mar; el Gran Río Azul que navegaba dentro del mar, abriendo su propio surco en el verde esmeralda y en las tonalidades malaquitas de las aguas del Golfo, el Gran Río Azul gobernándose a sí mismo, siguiendo la corriente su propio cauce mar adentro hasta perderse en el horizonte del este, marcando como un brujo sabelotodo su exclusivo rumbo frente a las leyes del océano, sin que su estela equilibrada que no hacía caso a los vientos ni a las mareas figurara en las cartas de marear ni en los cuadernos de navegación, sólo en la cabeza de los que conocían los secretos del mar y sus profundidades, el código tenebroso de su lenguaje y el tumulto que se originaba en el fondo de sus abismos al paso de las tribus de los grandes pejes;

el Gran Río Azul, por donde enfilaban los merlines, los enormes pejes de septiembre refulgiendo dentro del mar; el Gran Río Azul bajo el sol, en el espejo insólito del estrecho de la Florida. El viejo Infinito conocía esa gran corriente y todos esos parajes desde setenta años atrás, cuando comenzó a trabajar para el diputado y empresario cubano Raúl Mediavilla, su primer benefactor en Cuba, un hombre poderoso que tenía muchos negocios en la mar y que le hizo el favor de iniciar los trámites burocráticos para que se naturalizara cubano. Y, a lo lejos, la otra infinitud, la de los cayos, la soledad y el abandono marinos, un cementerio silencioso de islotes y túmulos que el viejo Pedro Infinito se conocía de memoria precisamente porque los frecuentó lustros y lustros hasta saber de sus escarpaduras más peligrosas y de sus radas de mayor confianza para los barcos.

Tendría que dejar atrás, archivado en sus recuerdos encendidos por el miedo, la visión única de una repentina tormenta tropical, desencadenada en el cielo en sólo unos segundos, un manto de agua desplomándose desde el infinito en plena noche, mientras las luces cegadoras de los rayos culminaban su labor fantasmagórica encendiendo las lejitudes del paisaje, la manigua habitada por los orishas incomprensibles para un occidental como él, Cuba, en fin, de rumba y derrumbe en el instante mismo en que le comunicaban la necesidad de cambiar de aires y regresar a Madrid.

El embajador Tabares volvió, cerrando sus ojos, al despacho de La Habana para imaginar de

cerca el rostro renegrido de Pedro Infinito, su piel
cuarteada por el sol, los años, la sal del alta mar, entre la humareda ondulante de su Bolívar y su mirada fija, ensimismada hasta la hipnosis en la sombra del Castillo del Morro, mientras un estallido
de luz vespertina le nublaba por momentos la nitidez sobrecogedora de la bahía de La Habana,
plateada a lo lejos durante las primeras horas de la
tarde como una pared limpiamente dibujada entre
el cielo del Caribe y la corriente del Golfo.

—Cuando llegó aquí —se rió Harry al con-
tármelo—, fue la bomba, chico, una conmoción
de las de verdad. ¡Taaano Sáncheeez, nada menos,
qué clase de balsero, un balsero de nivel, chico!
¡Por tu maaadre!, ja,ja,ja, fíjate tú, la gente aquí no
daba crédito, y él venía como si tal cosa, como si
hubiera pasado toda la vida en la gusanera, desde
los sesenta, y no era más que un recién llegado,
asere, ¿qué te parece? Que si Fidel Castro estaba a
punto de venderle la Isla a los norteamericanos,
que si la nacionalidad cubana estaba ahora más en
peligro que hacía un siglo, caramba, caramba con
el joven Sánchez, no se le podía negar que seguía
siendo él mismo a pesar del miedo que había pasado, no me digas que no daba pánico lo del asal-
to a su casa de Miramar, qué quieres que te diga,
tú ya me entiendes, así es cómo se organiza el
terror, chico, con un golpe de efecto de los de siempre, y después déjalo correr para que se entere toda La Habana. Coño, claro, imagínate los cuchi-

cheos, los bisbiseos, Virgen de la Caridad del Cobre, caramba, caramba, si a este Tano Sánchez le hacen esta vaina horrible y me lo descojonan de arriba para abajo, ¿qué cojones no me harán a mí?, así funciona la cosa. Y encima le quitaron el Lam y el Portocarrero. Eso era más que un aviso, mi hermano...

Hiram Solar miraba el vaso de ron, lo hacía girar entre sus dedos. Luego levantaba la cabeza, se pasaba la palma de la mano por la frente y dirigía sus ojos a la puerta más cercana del bar, como si quisiera huir de nuevo hacia ninguna parte, incluso sabiéndose ya a salvo de Cabeza Pulpo. Temía quizá que su fracasado perseguidor entrara de un momento a otro por la puerta grande del Sloppy, pero no para detenerlo y llevárselo preso hasta las celdas oscuras de Villa Marista, sino para agregarse a la legión de fugitivos del castrismo que habían decidido pasarse al bando de los exiliados después de colaborar durante decenios con el Comandante en Jefe, aplaudir apasionadamente cada uno de sus interminables discursos sobre cualquier cosa (porque en todas era un verdadero vendedor de humo desde muy joven) y universalizar de paso al exilio cubano con el nombre de la gusanera hasta alcanzar el objetivo de desacreditarlo ante el mundo entero.

A pesar del gesto de su cara, desde el fondo de la tez mulata de Hiram Solar se adivinaba el pálpito de un sentimiento contradictorio, nostálgico del universo que había dejado atrás obligatoriamente, por sentido de la supervivencia personal, a la vez que convencido de la necesidad de la escapada, y contenidamente eufórico por el estado de libertad del que ahora parecía gozar en la Yuma. Volvió a sonreír antes de carcajearse y hablar a borbotones, con la alegría que yo le había conocido en tiempos mejores durante mi primera estancia en La Habana.

—Es un loco, viejo, no se le pudo ocurrir más que a Tano —me dijo mirándome de frente—. Cuando llegó, con toda la expectación y la controversia a sus espaldas, llevaba siempre atrás cincuenta o sesenta fotógrafos y, yo qué sé, no menos de quince camarógrafos cargando la máquina para grabar cualquier cosa que se le ocurriera, ja, ja, ja. Para su egolatría no había nada mejor, ni para la gran vanidoteca personal, eso es lo qué más le gusta todavía, que estén pendientes de él, que se le dé la importancia que él cree que tiene, y ahí estaban todos parados, a la expectativa, coño, ¿tú sabes, chico?, parecía que fuera Gloria Stefan o el padre de Tarzán, por tu madre, una popularidad del carajo el Tano Sánchez, se le notaba que gozaba del cuarto de hora de fama con el que había soñado siempre. Y, claro, atrás la CIA, diez o quince agentes, y él encantado, lo seguían a todas partes como si fuera el último rey del mambo. Le dijo a uno de ellos, de los de la CIA, que antes de hablar de más nada tenía que hacer una cosa muy importante, más importante que nada en el mundo entero, que su propia vida, porque prácticamente se había fugado para eso, ja, ja, ja, ¿tú te imaginas, Marcelo?, más importante que todo. Pero bueno, chico listo, comemierda del carajo, oye, tú, ¿y qué es eso tan importante?, le preguntaban asombrados, yo qué sé. Nada menos que una peregrinación, que tenía que hacer un viaje él solo, sin que nadie lo molestara porque si no el asunto no tenía validez, no iba a salir bien, vaya, para cumplir una promesa que había hecho en La Habana. Eso le dijo a los ciáticos, por tu madre, sin ese viaje, nada de nada, no podía decir ni cojones, como si le hubieran cortado la lengua, vaya, así mismo era, como si le hubiera dado un ataque de amnesia y se le hubiera fundido el disco duro. Habían venido de Washington para interrogarlo, claro, chico, amistosa, amablemente, porque él se había escapado de Cuba sin que nadie se lo propusiera. Acuérdate que Tano era muy importante, había estado en Angola, había sido amigo de Arnaldo Ochoa nada menos, del pintor Tony de la Guardia, de Raúl Castro, ¿qué más tú quieres, mi hermano?, la joya de la corona, oro en polvo, un tesoro del carajo. Hombre, no era un general de división, de gran rango ni mucho menos, como Del Pino, por ejemplo, pero como civil Tano Sánchez era importante para ellos, aunque fuera para armar bulla, quizá había secretos que él supiera y que estaba dispuesto a cantar. Eso sí, mucho trago, mucha risa, mucho choteo con Arnaldo Ochoa, con los De la Guardia y con Raúl, hasta que el Chino recibió la orden de raspárselos a todos y se acabó la vaina, ya tú sabes, llegó otra vez el Comandante, zas, zas, y mandó a raspar. Debieron pensar que Tano Sánchez arrastraba en la memoria mucha vianda que vender, ¿verdad?, aunque no te vayas a creer, no se fiaban mucho de él. Coño, ¿cómo se iban a fiar de Tano si hasta nosotros mismos todavía pensamos, aunque sea sólo a veces, nunca es malo desconfiar, ya tú sabes como es la cosa en Cuba, que lo dejaron escapar para que se viniera para acá a contar los embustes que se había aprendido de memoria? Porque, no, chico, ya se pasa para acá cualquiera, hasta los grandes se pasan cualquier día, si no se pasa el Hombre es porque debe darle vergüenza y miedo a que lo descuarticen, cualquiera sabe cuáles son sus planes y sus próximos jueguitos, que no se ven hasta que él quiere y cuando ya tiene el trasmallo echado sobre los demás para que no se escape ni un peje de los que a él le interesan de verdad. Bueno, le preguntaron los gringos a Tano, está bien, está bien, chico, pero mira, ven acá, haz el favorcito, dinos de una vez, ¿y qué es eso tan importante que tienes que hacer, cuál era el viaje, qué carajo se esconde en tanto secreto y tanta mierda enigmática?, ¿a ver, qué era, Marcelo, qué tú te imaginas?

Me miraba burlón, interrogativo, cercano. A veces, a la mitad de una frase de su largo monólogo, bebía pequeños sorbos de ron para coger aire y seguir hablándome de la llegada de Tano Sánchez a Miami. Yo imaginaba que Hiram buscaba con ese juego la complicidad con el cuento que estaba a punto de desvelarme, alargándolo y demorando el final con circunloquios que sólo buscaban situarme al borde de la hilaridad cuando él mismo estallara en carcajadas. Intenté seguirlo al ritmo que tácitamente me pedía su propio discurso, y él me miraba curioso, tratando de adivinar si mi intuición era capaz de resolver el enigma del peregrinaje de Tano Sánchez antes de que él mismo me lo descubriera. Me vio la intención por anticipado, intuyó lo que iba a decirle interrumpiendo sus interrogativas encabalgadas y no me dejó hablar...

—No, no no, chico, no seas bobo, Marcelo, eso hubiera sido muy simple con un hembrero como él. Sólo le faltaba llegar aquí, y zas, una hembra. No, hombre, no, una mujer, ¡qué cosas se te ocurren, viejo! Hubiera sido una vulgaridad de Tano, no, no, qué va, qué va. Eso sí, antes de que fuera a esa cita que decía, estuvimos en un *all nude*, no me digas cómo, pero acabamos ahí, a las cuatro y pico de la tarde, por la Calle Ocho adelante, en una de esas transversales que no se sabe ni dónde te van a llevar, y yo no sé bien si Tano lo conocía de antes, pues, claro, claro que había estado antes en Miami. Bueno, y se armó una vaina horrible, un salpafuera del carajo para arriba. Se embulló con una jamaiquina recién llegada a Miami, sin permiso de trabajo ni nada. Ella, ya tú sabes, estaba bailando desnuda encima del mostrador, sobre la barra del bar, una cueva oscura, con una iluminación muy pobre que resaltaba la figura de la muchacha, que tenía un cuerpo que ni te lo cuento, ni un defecto, hermano, no le encontramos ni un defecto, hicimos un barrido visual en profundidad, a mí, te lo juro, me recordó a Petra, aunque no se pareciera nada, la nostalgia tal vez, eso fue quizá, no le di muchas vueltas. Había una pila de muchachas blancas, gringas, imagínate, nos mira-

ban con una cara de ira las jodedoras, y yo se lo
advertí a Tano, oye, hermano, le dije, Tano, coño,
¿qué te importa?, pídele a una de las otras, de las
gringas blancas, que baile ahí encima, con ella, pero coño, no la armes nada más llegar, jodedor del
carajo, que no tienes ni permiso para andar aquí.
Y él, emperrado, que no, Harry, que no, deja a la
jamaiquina sola, que es una belleza de las de verdad, a ti lo que te pasa es que te gustan las blancas,
negro de mierda, no se daba cuenta de que la estaba armando o quería de verdad que todo se jodiera
pa' la pinga. Muchacho, Marcelo, no sabes lo que
pasó allí, las gringas se pusieron a vociferar, a dar
alaridos desde la esquina, y a todas estas la música
de Elvis Presley que había pedido, a ver de quién
iba ser la cosa si no, por ahí le entra el agua al coco, ya lo verás, a todo volumen. Coño, coño, coño,
y las mujeres chillando como enfermitas de la cabeza, tremenda bulla, maldiciendo a la jamaiquina, esta cabrona que acaba de llegar de la mierda
misma y ahí la tienen, montada en el estrellato
porque estos dos maricones pendejos cubanos se
empeñan en darle un premio, eso decían las cabronas, a gritos, en inglés y medio en español. Y va
Tano y les dice, bueno, muchachas, gringuitas, nosotros también acabamos de venir de la mierda y
ahora estamos aquí enseñándoles a ustedes como es la cosa, aprendan de la jamaiquina, carajo,
aprendan cómo se mueve un cuerpo sano y no lo
que tienen ustedes ahí, blancurrias de mierda, que
parecen enfermas, eso les dijo el comermierda, muerto de la risa, le roncan los cojones al Premio Nobel de

La Habana. Y ahí mismo se acabó la rumba, Marcelo, nos tiraron los vasos, se venían hacia nosotros dos, y yo lo agarré y salimos de allí a toda velocidad, escapamos de la quema como pudimos, es un insensato, eso es lo que es Tano Sánchez. Bueno, oye, te contaba, les dijo a los de Washington que le dieran un par de días, sólo un par de días, vaya, que lo dejaran solo, y más nada, ya, ¿y tú sabes dónde se fue, hasta dónde viajó como un peregrino poseído por las urgencias de su religión escondida?, ja, ja, ja, chico, no te lo vas a creer. Se fue hasta Memphis, Tennessee, ¿qué te parece el caballero? Todo el mundo esperándolo para que hablara y largara todos los secretos para joder a Castro de una vez y él, qué tipo, mi hermano, le zumban los cojones, se va a Memphis, Tennessee.

Con mi gesto de sorpresa le hice ver a Solar que no entendía nada de lo que me estaba contando. Como si me estuviera insinuando al relatarme la historia que Tano no estuviera en su sano juicio cuando llegó a Cayo Hueso o como si hubiera perdido el tino al llegar a los Estados Unidos.

—No, hoombre, nooo, completamente sano y cuerdo, aunque se comportara como un pepillo, sólo le faltaba estar loco, ni que lo maten —se reía sin parar mientras hablaba, batía las palmas de sus manos y se contorsionaba a punto de resbalarse y caerse de la silla. La piel le brillaba como en los mejores tiempos habaneros y su juventud, perdida en tantos años de ilusiones vanas, resurgía en cada una de sus carcajadas como un fulgor bajo su propia melancolía.

—Llegó allí, te lo puedes imaginar —siguió contándome Harry—, llegó allí, al lugar de la peregrinación y delante de la casa, ja,ja,ja, la gente de la CIA no se lo podía ni creer, palabra, se puso de rodillas y empezó a gritar como un loco, «¡ Elvis, The King, The King, tú eres el más grande, tú eres el único rey, Elvis, el único dios verdadero, The King, The King!». Como si fuera un musulmán y estuviera adorando a Alá, igualito. Como si estuviera en La Meca, no paraba de dar gritos como si fueran jaculatorias, chico, eso hizo Tano. Los comemierdas que lo venían siguiendo se quedaron asombrados, no salían del pasmo, como preguntándose, claro, ay, mi madre, y este cubano mamón, ¿éste es el sabelotodo?, ¿qué mierda va a contarnos éste de nada, un tipo que se escapa de Cuba para venir a rezar a la casa de Elvis? Llegaron a pensar que era otro juguetico envenenado del Comandante, ja, ja, ja. Carajo, carajo, ¡qué clase de comemierdas son estos americanos, jamás van a entenderlo! ¿Qué tú piensas, Marcelo?, no era para menos, qué loco, qué loco Tano, carajo, qué cabronazo es ese comemierda, mi hermano.

Me reí con ganas. Me imaginé a Tano Sánchez en Memphis. Lo vi en una película de colores que yo mismo grababa ahora en mi cabeza, de rodillas Tano Sánchez como si estuviera ante Cachita. Y mientras me reía, pensé en aquel desplante grosero, infantil y cómico de Arnaldo Ochoa en la casa del embajador cubano en Chile. Y caí en la cuenta de que eran gestos similares, despliegues de soberbia suicida, surgidos de un modo de ser cuya comprensión en su justa medida fuera de la Isla y fuera del Caribe resultaba prácticamente imposible.

Después supe por el mismo Hiram Solar que Tano Sánchez había sido el primero en escribir un reportaje afirmando la tesis de la falsa muerte de Elvis Presley. Sostenía que él había hablado en repetidas ocasiones con Elvis Presley en su casa de Texas, donde ahora vivía el Rey del Rock camuflado en un anonimato que había sabido orquestar para escaparse del mundo sin tener que morirse. De modo que Elvis Presley (ésa era la tesis de Tano Sánchez) no había muerto sino que la tragedia de su fallecimiento había sido una estratagema en la que lo habían ayudado sus dos enfermeras y el ama de llaves.

—Ya tú sabes que los yanquis, chico —me dijo Hiram irónico como siempre— son fanáticos de la eternidad. Lo mismo que hizo Tano Sánchez con Elvis, hicieron hace años con John F. Kennedy. Primero lo matan y luego se arrepienten y quieren resucitarlo. Vete a saber si Tano cree de verdad en lo que dice y escribe de Presley. Ahí está todavía recogiendo material para escribir el libro de su vida, lo puedes creer, ahí anda recorriendo todos los Estados Unidos dando conferencias, ¡hasta en las universidades, chico, hasta en las universidades! Sobre la falsa muerte de Elvis, es un jodedor del carajo, ¿no es verdad, mi hermano, no te parece?

Cuatro

Con todo el sigilo del mundo, sin que lo supiera ninguno de los conjurados antes del momento preciso, Hiram Solar decidió en silencio el día de la fuga. Me dijo que no dejó nada al albur, que había ultimado los detalles más absurdos de la huida imaginando los más inesperados obstáculos, porque una vez que hubieran iniciado la singladura que los sacaría de la Isla intuía que los imponderables que se presentaran sólo podían ser resueltos en alta mar, sobre la marcha, a golpe de milagro y utilizando el olfato de fugitivo que había desarrollado durante su larga etapa de clandestina invisibilidad.

—Todo ese tiempo —me dijo Harry— viví escondido, como si no existiera. Tuve que acostumbrarme a trabajar por la noche, a no moverme, a no despertar sospechas, ni hacer ruido alguno durante el día, estuviera pudriéndome en un solar de Lawton, ¿te imaginas tú, Marcelo?, o escondido en una cuartería llena de mierda en las afueras de Guanabacoa. ¿Tú sabes, esos cangrejos moros tan sabrosos que sirven en el Joe's Stone Crab de Miami Beach, a los que se les arranca una de sus dos muelas y se les vuelve a echar al agua para que sobrevivan con la que les queda?

—Deliciosos —le contesté, afirmando con la cabeza.

—Chico, yo los he visto chapoteando desesperadamente en el agua fangosa de los canales, recuperándose de la herida con una furia atroz, ¡como si fueran boxeadores mochos que se defienden con la cabeza, a golpetazo limpio! —continuó hablando Hiram—. Se revuelven contra las sombras de la ciénaga, escudriñando siempre por dónde puede venir la pendencia, huyen del peligro a zarpazos, constantemente en guardia. Tienen que sobrevivir defendiéndose, nadando con una sola pinza y escapando de todos los enemigos que vayan surgiéndoles en esa travesía singular. Hasta que pasa el tiempo y vuelve a reproducirse la pata manca, asómbrate. Y entonces resucitan, viejo, vuelven a la confianza que les otorga su fuerza enteriza. Para ese entonces el cangrejo moro habrá desarrollado ya una musculatura descomunal en la muela que le quedó como única arma, con la que vivió nadando entre sus enemigos, la que le salvó la vida. Y ésa precisamente, carajo, es la que le arrancan para que tú te la comas «deliciosamente». Y otra vez mocho, al agua, a nadar con una sola pinza, a morder al enemigo en la penumbra del agua, y a no dejarse tronar por nada ni por nadie. Yo fui un cangrejo manco durante ese año de clandestinidad, puedo jurártelo, Marcelo.

—Un suplicio exquisito el de este Tántalo del mar que convierte en un manjar único la carne del cangrejo —ironicé para provocarlo.

—Exacto. Una condena a la que sigue un largo proceso de depuración del que sólo escapan los mejores. Pero no olvides que el instinto de supervivencia es un ejercicio gimnástico, compadre, no te quepa la menor duda en eso —contestó Hiram Solar—. La voluntad para escapar del suplicio se alimenta de modo parecido, y para que el fracaso no te caiga arriba inventa y engorda programas nuevos, astucias inéditas, talentos atléticos muy convincentes, intuiciones que ni podía yo imaginar que tuviera dentro, ¿tú me entiendes?

A esa hora de la mañana, el sol ya derrengaba todas las tierras del cayo, el asfalto de las calles ardía hasta licuarse, como si fuera chocolate negro derretido bajo el solajero, y la gente se escapaba lánguidamente hasta las playas cercanas para encontrar la frescura del tacto marino. En el interior del Sloppy el calor resultaba insoportable por instantes. Transpirábamos inevitablemente, hasta empaparnos de sudor. A nuestras espaldas, sobre un escenario de madera situado al fondo del local y a la derecha de la barra, un cantante de largo cabello color calabaza, vestido de tejano en plena faena, comenzaba a desgranar una melancólica balada country al son de su guitarra eléctrica. Pero Solar no le prestaba atención a nada en ese momento, porque estaba completamente embebido en el relato de su aventura. Bebía su ron sin dejar de hablar, mojando los labios con impúdica delectación en los bordes aguados del vaso. En la pared de enfrente, casi entre sombras, la iconografía sacral de Hemingway se extendía por todos los rincones entre los recuerdos del local: fotografías de Papá junto a algunas de sus capturas del Golfo, dibujos del escritor, homenajes poco recomendables artísticamente colgados allí por pintores anónimos, caparazones de langostas gigantescas y cangrejos moros, inmóviles como esculturas arrebatadas al mar de la Florida, otra fotografía de un merlín inmenso en una báscula, en el momento exacto del pesaje para la historia; otra vez más Hemingway, sentado sobre un taburete y con las manos en la barra de madera negra del Sloppy, fotografiado en color sepia con su gorra de marinero avezado y su media sonrisa de viejo dejándose querer por el objetivo, la barba cana y descuidada, los ojos ocultos tras las gafas de cristales redondos, ligeramente ahumados.

Sería definitivamente un día de descanso (de entre los ecos del Sloppy, surgió de nuevo la voz de Harry), el domingo próximo. Después de medianoche y antes de que comenzara a clarear por Oriente saldrían de La Habana, tal como él mismo había vivido en la ciudad durante el último año: con el sigilo de los desaparecidos en cada movimiento, sin levantar sospechas, como un hombre invisible al que no pudo encontrársele ni rastro de sus huellas. No podía arriesgarse a ningún error, a ningún descuido que pudiera dar al traste con la escapada

Nunca había estado en Cayo Hueso, aunque Pedro Infinito le había hablado tantas veces y con tanto detalle de aquel islote gringo que llegó a creer que lo conocía en su imaginación y se sabía de memoria cada una de sus pequeñas radas, sus playas, los recovecos y escondrijos, sus pequeñas ensenadas, invisibles desde el mar, y sus muelles ocultos. Dibujaba

con precisión el cambio que se había producido
en el cayo desde que Infinito dejó de visitarlo con
asiduidad, hacía ya más de treinta años, antes incluso de la ruptura entre la Yuma y Cuba; las calles
con el jolgorio turístico de las tiendas y los lugares de diversión, los hoteles y los bares de la calle
Duval abarrotados ahora de gente joven, los restos
del naufragio hippy que se refugiaban allí como
antaño los bucaneros buscados por la ley; las mo-
dernas dársenas, los puertos deportivos, las bases
del Comando Sur de los Estados Unidos de América,
Boca Chica, de donde los negros aparatos a reac-
ción despegaban a toda hora del día y volaban hacia
el Caribe, las dependencias de Hermanos al Rescate
volcadas sobre el mar de los alrededores, siempre
al quite y a la búsqueda de balseros perdidos en el
Golfo.

—Harry, muchachote, yo conozco el cayo
hasta con los ojos cerrados —le dijo Infinito—,
¿pero tú sabes lo que son más de veinte años pescando y traficando con tabaco y whisky entre la
Isla y ellos, compadre? Desde que trabajé con Mediavilla hasta que me retiré después de que se llevaran a Papá Ernesto de La Vigía con la excusa de
que estaba muy enfermo y tenían que curarlo en
una clínica de Nueva Yol. Eso no se olvida nunca
más, me lo sé de memoria. Con los ojos cerrados,
con el tacto nada más sé yo donde estoy en Cayo
Hueso, sin ver nada de nada.

Hiram Solar cerraba los ojos y veía el cielo
raso de Cayo Hueso en su interior, las nubes de algodón gris se caían del nublado impulsadas por el

viento hacia el horizonte; auscultaba sin cesar esa geografía entrevista en sus ensueños que paulatinamente, a lo largo del año que había pasado en la clandestinidad, siempre escondido en cuatro o cinco solares deshabitados de Lawton y Guanabacoa, había ido familiarizándose con su proyecto de huida de Cuba, hasta el punto de que más de una vez llegó a soñar que Quiebrahacha y el cayo gringo estaban unidos por una carretera que se elevaba sobre el mar y cobraba la magnitud de la realidad en su interminable proyecto de escaparse de Cuba.

—Si ese puente existiera, mi hermano, tardaría más en cruzarlo desde La Habana a Cayo Hueso que en una travesía por mar. El tiempo que me llevaría en apartar a la pila de gente que huye de la Isla para llegar aquí, me hubiera demorado meses —bromeó Solar con el chiste—. Sabía que soñaba, pero no quería dejar de hacerlo. En ese subterfugio mentiroso se amparaban mis ilusiones.

Key West, el último islote yanqui del Estado de la Florida, flotaba en el horizonte del Golfo como un espejismo inalcanzable para los cubanos que ansiaban tirarse fuera y escapar de la Isla. Distaba 400 quilómetros de Miami City, el primer destino con el que Hiram Solar soñó cuando se le pasó por la cabeza que tenía que huir de Cuba. Estaba unido al continente por una carretera sobre el mar, el Overseas Highway, que los gringos habían construido en 1938, después de que el Overseas Railroad, una obra de ingeniería faraónica de

1912 que conectó Cayo Hueso por primera vez con las tierras entonces pantanosas de esa parte del continente, fuera destruido por un huracán veintitrés años más tarde de su fundación, dejando a la vista una rectilínea serpiente de hierro y hormigón armado anclada encima del mar. Más tarde montaron una carretera sobre cerca de 40 puentes, cuya armadura esta vez asentaba en la arena del fondo sus cimientos a prueba de ciclones y huracanes, hasta el punto de que ni siquiera la cola frenética del *Andrews* había removido ni uno solo de sus pilares enterrados en el agua, que servían de basamento a los puentes que llegaban hasta Cayo Hueso.

Ese promontorio de tierra sobre el mar, caluroso y húmedo, un paraíso escondido que ahora aparecía como el mascarón de proa de la Yuma navegando desde el horizonte hacia los sueños de Cuba, fue en realidad un antiguo y socorrido refugio de corsarios de bandera negra, piratas que habían perdido su destino en el mar y maleantes que escapaban a sus propias penas desapareciendo en un rincón del cayo hasta que se olvidaran de su sombra, de sus huellas y de sus hazañas. Allí varó Hemingway durante años su angustia irrefrenable de aventuras, en la mansión esplendorosa de estilo español que le había regalado a Pauline uno de sus tíos millonarios el día en que contrajo matrimonio con el escritor, un acre de terreno protegido por un muro suficientemente disuasorio y en cuyo interior florecía la pequeña selva ajardinada que llenaba de sombra verde las horas íntimas del novelista, en la calle Whitehead, exactamente en el número 907, la misma casa que años más tarde intentó reproducir en San Francisco de Paula bajo el nombre de Finca Vigía.

Infinito le contó a Harry en más de una ocasión que, aunque lo conocía de anteriores correrías de traficante por el Golfo bajo las órdenes de Mediavilla, llegó al cayo timoneando por primera vez el *Pilar* de Hemingway y allí largó el ancla hasta que mordiera fondo, porque el viejo escritor quería revolver parte de su memoria durante unos días de pesca en sus alrededores. Allí recalaba su humanidad cansada, recorriendo la calle Duval hasta entrar en el Sloppy Joe's, un inmenso bar que hacía esquina con la Greene, lleno de curiosos personajes que habían escogido Cayo Hueso para esconder su propio destino, desde el legendario pelotero Willy Gates, que llegó en alguna ocasión a jugar de tercera base nada menos que con los Dodgers (contando incansablemente y sin parar de beber ginebra con tónica el accidente nefasto que lo había dejado manco para siempre, como si fuera un cangrejo moro de los del Stone Crab), hasta el joven negro que se decía vieja y retirada gloria de la lucha libre y que se ganaba el trago de todos los días levantando un piano sobre sus hombros hercúleos. Eso era (y todavía es) Cayo Hueso, una suerte de circo lleno de sombras chinescas, jubiladas de la farándula universal y aquietadas por el cansancio y los errores de la vida, cuya fama llegó a dar la vuelta al mundo porque allí se aposentaba para sus borracheras el escritor norteamericano. Además, en ese mismo rincón de la Yuma, terminó por conocer a la periodista Martha Gelhorn, que sería su cuarta e intempestiva esposa. Nunca llegarían a saber, sin embargo, ni él ni Pedro Infinito, que a muy pocas millas de aquella casa de Cayo Hueso y en ese mismo territorio, viviría retirada durante más de quince años la enfermera que le inspiró la protagonista de *Adiós a las armas,* Agnes von Kurowsky, la primera mujer de la que Hemingway se enamoró a lo largo de toda su vida.

La última latitud norteamericana dentro de las aguas esmeraldas y azules del golfo de la Florida no tiene más que cuatro millas de largo por una de ancho. Allí conviven pacíficamente gentes de toda laya y condición, desde cubanos que recalaron hace generaciones en este territorio hasta gringos jubilados que quieren pasar los últimos años de su existencia tendidos como lagartos avejentados al sol tropical que profetiza la cercanía de la isla de Cuba. Ahora lo cubren también con su presencia los restos familiares de los hippys, que han ido adocenándose hasta aplatanarse en las playas de la nada, y aventureros que prefieren olvidarse de sus sueños contando las batallas marinas a las que han sobrevivido, tras enfrentarse a monstruos imaginarios que salvo ellos nunca nadie ha visto ni en la superficie ni en las profundidades abisales de los mares. Pero constantemente esos corazones cansados ven alterado su reposo ante la llegada tumultuosa de los balseros que escapan de Cuba para alcanzar las playas de la Yuma.

Mucho antes de que ese paraíso fuera encontrado por los bucaneros que huían de sus imperiales perseguidores y de sí mismos, estaba habitado por indios aborígenes de Norteamérica, que libraban entre sí innumerables y sangrientas guerras, la más famosa de las cuales fue la de los semínolas y los calusas, cuyo resultado final sembró de cementerios al aire libre todo el islote. Por eso quedó nombrado así, Cayo Hueso, cuando los españoles llegaron a esa tierra hace cuatro siglos y encontraron diseminados por toda la isla los restos carcomidos por el sol y el tiempo de aquella guerra terrible de indios contra indios. Después y durante más de ciento cincuenta años llegaron las oleadas de piratas. Fueron los norteamericanos quienes utilizaron con habilidad una deformación fonética del nombre originario del islote, lo cambiaron y bautizaron en inglés, Key West, Cayo Oeste, como el islote más occidental de la Yuma en el mar, hasta convertirlo tal vez sin proponérselo en la avanzadilla del Imperio que invitaba como un espejismo a que los cubanos escaparan de Castro y de Cuba, y llegaran como fugitivos a aquellas playas abiertas que les brindaban los Estados Unidos de América.

Durante el siglo XVIII, Cayo Hueso pasó a ser un importante puerto pesquero de los españoles y algún tiempo después tuvo el prestigio internacional que le daban los fondos de su mar, visibles desde la cara del agua, arenosos y coralinos, que escondían en sus abismos, al decir de las leyendas y mitos, infinidad de buques hundidos y repletos de tesoros robados por los corsarios al Imperio español en la época de la conquista, o hurtados a los ingleses que se confiaban demasiado en los piratas que habían amamantado a sus pechos durante tanto tiempo.

Con alcanzar ese punto fijo flotando en el mar, abrazarlo, pisotearlo, vitorearlo, besar sus arenas y bañarse libremente en sus aguas verdes, soñó Hiram Solar en el espejismo de su soledad todo el tiempo que estuvo enterrado en los escondrijos de Lawton que la astucia de Petra Porter le fue encontrando hasta que pudiera terminar el proyecto de la fuga.

Hiram Solar decidió que algunos de los fugitivos se reunieran con él unas horas antes de la partida para atar los últimos cabos sueltos. Sólo con Efraín Rivero, maestro de obras, y Jorge Luis Camacho, que por tiempos había ejercido de profesor de música en uno de los conservatorios de La Habana, repasaría en casa del primero el plan de huida, paso a paso y cuidadosamente. Comenzarían con la carga y traslado de cada una de las valiosas piezas de la embarcación desmontable, a la que Harry había bautizado *Progreso* en homenaje a Pedro Infinito, hasta el lugar por donde habrían de zarpar para abandonar Cuba con el mínimo de riesgos. Llevaba consigo las cartas de marear, la brújula y todos los instrumentos necesarios para no perderse durante la noche en la travesía hasta Cayo Hueso. Todo estaba ya consumado: no podían volverse atrás y un paso en falso equivaldría a entregarse a Cabeza Pulpo. El proyecto estaba milimétricamente estudiado y, una vez tomadas las últimas determinaciones, era imposible anularlas.

Como la muerte, con una obstinación invisible pero tan paciente como obsesiva, a dos pasos de su salud y de su libertad, Cabeza Pulpo husmeaba sus huellas escondidas y caminaba lenta, pero perceptiblemente hacia su víctima. Hiram Solar estaba seguro de que si no se echaban al mar ese domingo, Cabeza Pulpo terminaría por detenerlos a todos. Sabía que había convertido en su destino tenaz aquella persecución y era verdad que le pisaba los talones, a pesar de la astucia de Petra Porter, pero ella misma le había aconsejado acabar cuanto antes con los preparativos y zarpar hacia la Yuma dejando atrás la memoria de los malos humores, las penurias, los miedos y la locura de un mundo que Harry había bautizado con el ingenio que todos le reconocíamos.

—Cuba, Marcelo, ¿no te das cuenta?, es la hiperactividad improductiva —me dijo carcajeándose en La Habana, después de llegar de Angola—. Aquí, todo el mundo se mueve de atrás palante, de alante patrás, de arriba pabajo, y de abajo para el mismísimo carajo, compañero pacá, compañero pallá, y todo eso, claro, viejo, ése es el ritmo del guaguancó frenético que hay que llevar aquí, mi hermano, haciendo mucha bulla sobre la madera. Eso sí, se marcha hasta la victoria siempre, cualquiera va a decirle ahora al Hombre que dónde carajo es siempre y de qué victoria está colgado. Se baila y se canta, se tocan de cojones las tumbadoras y los metales, se singa que da miedo, todo el mundo se empata con todo el mundo, todo el mundo se enrala y embulla, lo mismo da mango, gua-

yaba que mamey, y ésa es la vaina más jodida, nos
da lo mismo un dios que un caballo, no hay otro
mambo con el que soñar ni otra letra que rascar,
aquí todo el que quiere cazabe tiene que rayar la
yuca, Marcelo, ése es el gran secreto de la gran papaya musical, la tierra más hermosa del mundo.

Me lo decía convencido del fracaso de Cuba
en todos estos años. Me lo confesaba en medio de
su propia tormenta interior porque desde entonces, desde mi primera visita a La Habana a mitad
de los años ochenta, sabía que la vida en Cuba era
ya pura falsedad, la doble moral, mano (decía Harry), está instalada como una puta vieja y soplona
en cada cubano, hay que resolver, sobrevivir, ven-
derse y comprarse cada día, escapar con chivate-
rías y traiciones para que el Hombre esté contento
con el culto que le rendimos y con la administración
cotidiana de nuestras miserias. Ahí está él, en Siboney, todito entero, y nosotros sin movernos de
aquí, de esta Isla que es lo más grande del mundo,
prohibidito todo para que nadie se crea que aquí
la vaina es otra distinta a su santísima y cojonudí-
sima voluntad.

Para entonces le habían crecido las dificultades
en su entorno, porque a nadie se le podía ocurrir llegar a La Habana y empezar a ponerle reparo a todo
cuanto la nomenklatura le ordenaba. Bueno, reco-
ño, ¿pero qué va a creerse este negro de Trinidad,
tú te lo imaginas, nada de mulato, negro como el
teléfono y de Trinidad?, para el carajo, compréndе-
lo, Marcelo (me contaba Harry que eso le decía de
primeras Cabeza Pulpo, casi al llegar de África a La

Habana). Se le había hecho el encontradizo en una fiesta de antiguos condiscípulos, universitarios de la CUJAE, a la que el ingeniero no se había atrevido a faltar. Se le había arrimado suavemente cuando la música de Juan Formell y los Van Van atacaba *La Habana no aguanta más*, con sonrisas que desfiguraban los gestos de su rostro, sin que dejara además de notársele la tensión en las venas del cuello cuyos músculos tenía completamente paralizados desde el accidente de la pedrada, en el Valle de Viñales.

—Tú, negrito, siempre me has apestado, hueles a gusano estreñido y tienes pinta de ahogado. Yo lo sé, te lo veo en los ojos, estás soñando con mandarte a mudar —le dijo sarcástico Cabeza Pulpo en plena juerga. Lo había sacado del baile y se lo había llevado a un rincón de la terraza desde donde se veía entre las sombras el mar cercano—. No sé por qué me da que tenías que haberte quedado para siempre en África, haberte perdido en el Ogadén con los héroes muertos por la Revolución. O, mira tú, haber desertado allí mismo, quedarte escondido en Luanda y hacerte después un próspero bisnero hasta recalar en Miami, como todos los gusanos, y no venir aquí a cagarla de esta manera, a demostrarnos a todos que no eres más que un malagradecido.

—Le puse —me dijo Harry— una cara de asombro que ni paqué. Abrí los ojos, enarqué las cejas, me puse a hacer aspavientos sin decirle una palabra. Buscaba terminar cuanto antes y con esas muecas le preguntaba qué estaba diciéndome, como si yo no entendiera nada.

—Me va de a pepe tronarte, Harry —le dijo Cabeza Pulpo amenazante—, ya estás en el borde mismo del diversionismo ideológico. Y de ahí a la contrarrevolución hay un pasito nada más. Atrévete a darlo, coño, y te parto la vida. ¿Tú sabes nadar bien?, porque lo del río siberiano ese, Hiram, lo del Angará no es nada en comparación con el mar del Estrecho, viejo, ahí se joden todititos los que se tiran, una pila de dientusos de este tamaño, una pila de ciclones en un par de horas, y unas olas del carajo, hay que ser muy bravo. Ni el médico chino te salva. Como te agarre no te va a dar ni el sol, te lo juro por mi padre.

Entendió que aquellas palabras especiales eran más que un aviso. Todavía no había pensado en fugarse de la Isla y ya estaba Cabeza Pulpo allí, cayéndole atrás, encima de él, atenazándolo, esperando que cometiera un error para destazarlo como si fuera un marrajo, obligándolo casi a marcharse clandestinamente. Sus dificultades habían comenzado unos meses después de llegar de Luanda, en el proyecto al que lo habían incorporado en la misma Habana, fíjate tú (me dijo Harry), había que inventarse unos chips cubanos de tecnología punta en unos cuantos meses cuando no teníamos nada para fabricarlos, ni aspirinas para el dolor de cabeza teníamos, maestro, maestro, pero, carajo, se creían que todo era el PPG5 y la vaina esa del colesterol, venga palante, que eso está matao, cuando en realidad se veía que aquel trabajo era imposible, estaba destinado al fracaso.

—Todos mis intentos por demostrarles la imposibilidad del proyecto —me dijo Harry— no sirvieron de nada. Al contrario. Los encabronaba cada vez más, los calentaba más de la cuenta. Este cabrón negro es un desagradecido, decían, me acusaban de eso, de ser un saboteador contrarrevolucionario. Se la está ganando a pulso, compañero, decían, encima que lo sacamos del infierno, le quitamos la argolla de la nariz, lo traemos a La Habana, lo bañamos, le quitamos el churre y los ariques de los pies, lo adecentamos, lo vestimos, lo educamos, decían los jodedores, bam, bam, decían, ¡y lo hacemos ingeniero por Moscú, mi amigo, casi nada la vaina! ¿Y cuál es su actitud con la Revolución, cuál es su conducta con los que nos quedamos aquí para que él se haga una personalidad internacional, compañeros?, eso decían, Marcelo. Bueno, pues se caga de la risa en todos nosotros, que somos unos comemierdas que no sabemos hacer las cosas, nos tilda de ignorantes y burócratas destrozadores y manirrotos, ¿qué les parece a ustedes el compañero Hiram Solar?, ¿eh, eh, caballeros, qué les parece el sabio ingeniero? Yo, Marcelo, sólo trataba de hacerles ver que aquellos planes estaban equivocados desde el principio, desde la primera orden de arriba, pero ¿quién cojones era yo para llevarle la contraria a la Revolución a la que se lo debía todo?, ¿a ver, quién cojones era Hiram Solar? Ésa exactamente es la hiperactividad improductiva, Marcelo, muchísimo antes de que se viniera abajo el muro de Berlín.

Intuía que estaba fichado como un hipotético e inmediato antisocial, a pesar de que nadie le demostraba claramente esas sospechas. Sabía además que todo el clan de la Candonga estaba sometido a una sutil pero constante presión hasta que finalmente saltaran por los aires los abalorios y féferes de los héroes de guerra y quedaran al descubierto sus planes. Le pregunté a Harry en ese momento de Cayo Hueso si efectivamente el general Ochoa era un perestroiko, un gorbachoviano...

—Chico —contestó—, yo no sé muy bien, para mí que era más que eso, ¿comprendes tú?, era el único héroe que nos quedaba en medio de la descomposición. Muchos excombatientes africanos veían en Ochoa la última salida al callejón ese de patria o muerte. No sé si se hubiera atrevido, era un hombre con cojones, nadie lo duda, un héroe, viejo, eso es lo que era Ochoa, un militar, porque los de arriba mucho blablablá, mucho chauchauchau, mucha verborrea, pero de verdad de verdad años y años sin ver una trinchera de cerca, metidos ahí, en sus despachos con aire acondicionado, dando órdenes sin correr riesgos. Además, estaba la vaina esa del choteo continuo, la jodedera total y completa, un mangoneo de nivel, ¿tú te figuras a De la Guardia en tragos, con los ojos brillándole y a saltársele de los hoyos, viejo, gritando, en plena juerga? No, chico, ni te lo imaginas, De la Guardia nada menos, el *Pintor* ¿eh?, ya no más patria o muerte, viejo, gritando De la Guardia, patria y heriditas leves, y todo lo demás es mierda. Eso Tony de la Guardia, viejo, y todo el mundo, Tano Sánchez incluido, le reían las bromas.

Unas horas antes del viaje, discreta y sigilosamente salió del último cuarto que le había servido de guarida secreta, donde había dormido con Odette, tal vez postreramente, quizá como un homenaje a su propia juventud perdida y porque su exmujer se había empeñado en aquella imposible resurrección de sus amores. Quería demostrarle a Petra Porter que aunque el mundo entero creyera que entre ellos todo se había acabado con los papeles del divorcio, había tiempos comunes que los ataban tanto que sería imposible separarlos. Quería demostrarle a todo el que quisiera enterarse que ella, Odette Tejera, sabía guardar un secreto como en los viejos tiempos, cuando estaban casados y vivieron más de un año su luna de miel en las nieves y los fríos de Moscú. «Donde tanto hubo, mi hermano», me dijo Hiram excusándose, «es difícil que no quede algo». No le importaba que Odette se hubiera empatado primero y más tarde casado con un cualquiera, un comemierda cualquiera del Partido, un grisáceo hueleculos de los jefes, me decía Harry. «Coño, viejo», me dijo, «nada une más que la separación y el tiempo».

La incomodidad que las últimas, intempestivas y urgentes apariciones de Odette provocaban en Petra Porter llegaron a preocuparle más que el peligro que corría si su exmujer terminaba por delatarlo, pero yo sabía que entre la negra y él ya no quedaban más que las cenizas de la complicidad que ahora los hermanaba sin la pasión amorosa de años atrás. Supo que había estado jugando con fuego porque alguna vez, aunque de manera imprecisa, había intuido una trampa semejante, como si Cabeza Pulpo fuera el rey de ese laberinto funesto y perverso en que se veía de nuevo envuelto con Odette, como si la enviaran a ella, a Odette, por delante de los policías que lo detendrían minutos más tarde. Pero nunca ocurrió nada que pusiera en entredicho ni bajo sospecha la palabra de silencio que su exmujer le había jurado, ni Petra Porter le avisó de otra cosa más que de los riesgos que estaba corriendo con aquellos encuentros amorosos y llenos de peligro.

—La madre de tu hijo, cabrón —le dijo Odette, cuando Hiram le comentó sus sospechas incipientes—, nunca haría eso, te estás volviendo paranoico y loco. Primero te traiciona la modelo de París esa, métetelo en la cabeza.

Y me contó que recordaba esas mismas angustias, que esas dudas le alteraban la respiración al montar en su destartalada bicicleta para iniciar el último tramo del proyecto, el más peligroso, el traslado del barco desmontable desde la casa de cada uno de los conjurados que guardaban las piezas hasta la playa de Quiebrahacha, de donde habrían de salir horas más tarde. Pedaleó con fuerza hasta que la bicicleta tomara la velocidad de crucero a la que ya se había acostumbrado en todo aquel tiempo de penuria. Advirtió que no despertaba sospechas de ningún género. Su instinto le aconsejaba seguir paso a paso el plan de la evasión, sin saltarse ninguno de los detalles ni cautelas que se había aprendido de memoria. Pero cada uno de esos trazos, cada subterfugio, cada uno de esos dibujos físicos los añadía la incertidumbre intangible del trabajo sin red y a doscientos metros de altura, un triple salto mortal a cada minuto, mientras llevaba el plan de evasión hacia adelante. Tenía que contener los nervios, aunque transpirara por todos los poros de su cuerpo. Debía aparentar la tranquilidad de siempre, una quietud laxa y muelle que tradujera una apariencia falsa, una imagen de resignación asumida personalmente desde muchos años atrás, la vida en Cuba era la resistencia frente a un enemigo visible e invisible simultánea y permanentemente, aunque la tensión fuera a cada paso comiéndole la flexibilidad de los músculos y restándole fuerzas. Tenía que escapar de su propia obsesión y ejecutar el plan sin fallo alguno.

Llegó a la parte baja de Santos Suárez, a casa del profesor de música Jorge Luis Camacho, uno de los cabecillas del proyecto, con todo sigilo, sin ningún contratiempo. Como estaba previsto, allí lo esperaba ya Vladimir Rodríguez, más conocido por el alias de Marxlenin en los círculos de Tropas Especiales, el chófer del camión donde transportarían la embarcación, desmontada pieza a pieza. Los rostros de Jorge Luis y del chófer, contratado a cambio de que también se lo llevaran a él en el *Progreso*, mostraban ostensibles signos de nerviosismo, a pesar de los esfuerzos que hacían para contenerse, y el tono de sus voces a veces entrecortadas delataba un estado de ánimo un tanto errático y dubitativo. Hiram Solar se acordó de la cara de los siberianos que presenciaron su bautismo helado en las aguas del Angará, la perplejidad en los rictus achinados de sus rostros, el susto inevitablemente clavado en sus gestos un segundo antes de verlo desaparecer bajo las aguas oscuras del río. «No había tiempo que perder», me dijo, «y yo era el amo de la fiesta, el capitán del buque fantasma, tenía que hacer de tripas corazón, mi hermano, no fueran a ver mis ojos cansandos y sintieran mi respiración asmática destrozándome el pecho del miedo que sentía». Les rogó que se calmaran, mucha calma, les dijo. «Todo está saliendo muy bien, no hay ni rastro de los segurosos ni del ejército», les dijo Hiram. Y con la misma calma, con idéntica prudencia, se acercaron a Arroyo Naranjo, al patio interior de la casa en la que desde hacía más de cinco semanas Harry Solar mantenía escondido el motor del barco y el combustible necesario para llegar a su destino. El resto de la embarcación, también escondido como si se tratara de un alijo de oro y brillantes, los estaba esperando en la zona de Marianao, desde donde los fugitivos saldrían de La Habana por la frontera oeste de la ciudad.

Ahí, cuando ya estaban dispuestos a echarse a la carretera, Solar volvió a mirar al reloj. Eran las seis y media de la mañana y habían empleado más o menos noventa minutos en aquellos preparativos de la marcha. A esa hora dio la orden de entrar en la autopista que llegaba hasta las tierras de Pinar del Río, aunque su destino estaba a muy poca distancia, exactamente en la zona costera de Quiebrahacha. Significaba que pasarían rozando el puerto del Mariel, donde sabían que en esos mismos momentos más de mil personas intentaban secuestrar un barco de bandera maltesa que estaba allí fondeado para salir del país. «¡Fíjate tú!, como el *Éxodo* de los judíos desde el puerto del Pireo hasta Israel, chico ¿qué te parece?», me dijo sonriendo. Toda cautela era poca, porque la cantidad de patrulleros que estarían montando guardia en aquella geografía en esos instantes añadía un inconveniente para lograr escapar sin ser vistos.

Hiram y su tripulación de fugitivos estaban decididos a cualquier cosa con tal de iniciar el viaje como habían previsto durante meses. «Esta vez sí era verdad el eslogan del Hombre: un paso atrás, ni para coger impulso, mi amigo», ironizó Hiram riéndose. Todos estaban firmemente convencidos del triunfo si tiraban de la embarcación hasta arrastrarla mar adentro en ese mismo día, sin detenerse en otro punto que no estuviera dibujado en el mapa final de sus objetivos. Hasta Quiebrahacha pasaron inadvertidos, y al llegar al poblado se desviaron de la carretera por un terraplén que a lo largo de ocho quilómetros los llevaría directamente al punto elegido de la costa de donde debían zarpar hacia Cayo Hueso.

Hiram volvió a mirar su reloj. Eran las ocho de la mañana del domingo. Estaban en Quiebrahacha, el tiempo lucía espléndido para la navegación sin que se hubiera sufrido ni el más mínimo contratiempo. Pasaron por la carretera que parte en dos el pueblo, todavía entumecidas por la noche las casas del lugar, y alcanzaron en unos minutos las cercanías de la playa sin que nadie se apercibiera de sus pasos y sin que tampoco encontraran vigilancia alguna, seguramente porque todo el interés estaba puesto en esos instantes en el barco maltés que había sido tomado en el Mariel por cientos de cubanos ansiosos por escapar de la Isla. Las pocas personas que se tropezaron los miraban con lánguida fugacidad, sin que en su indiferencia matutina se despertara ninguna curiosidad sospechosa. Nadie reparó en el viejo camión militar ni en la carga preciosa que llevaba escondida y bien sujeta en sus lomos. Adormilados todavía, los lugareños caminaban por los bordes de la carretera sin prestar atención al convoy. Además (me recordó Harry), era domingo, por eso también había escogido ese día para huir, porque estaba seguro de que despertarían menos sospechas y correrían por tanto menos riesgos en la escapada.

Respiró hondo al bajarse del camión y sintió que el aire del mar le entraba en los pulmones regenerando sus nervios y su confianza. En la playa, agazapados entre los matorrales de ramas grisáceas y hojas lustrosas que se movían al aire de la brisa de la mañana con la lentitud de las alas de las gaviotas, reconfortados por la soledad del lugar escogido, estaba el resto de la tripulación del *Progreso,* incluido Florindo García, alias Cachopenco, guardafrontera del lugar con gran experiencia, y toda su familia, su mujer Delia Camín, y sus dos hijos pequeños, Lisardo, de ocho años de edad, y Florito, de cinco, que no paraban de jugar y reírse en medio del nerviosismo del resto de los fugitivos. En ese mismo lugar de la playa, que dista de la orilla del mar unos 600 metros, a resguardo de miradas indiscretas, sorpresivas y policiales por la vegetación mediana del jabí, tarajales y yerbajos que crecían en las arenas toscas, en las semanas previas a la huida Hiram Solar había mandado armar y desarmar la embarcación en más de diez ocasiones, como entrenamiento necesario antes de tirarla al mar en ese mismo día del viaje, porque el más nimio percance a la hora de la verdad seguramente daría al traste con toda la operación.

Ahora veía el paisaje cercano con creciente complicidad, y ya no le parecía que las sombras enemigas estaban a punto de caerle encima y de acabar con sus ensueños de huida. Miraba los arbustos de quiebrahacha que daban nombre a aquel territorio ya doméstico para él y se acordaba a ráfagas de las sabias lecciones de Pedro Infinito. «Lo mejor para una embarcación es la madera de jabí, muchacho», recordaba la voz ronca, de fumador impenitente, aconsejándole como si intuyera por anticipado sus proyectos. «Yo tuve un lanchón de quiebrahacha, de los primeros que tuve, carajo, un barco marinero de verdad, de los de antes, para el contrabando de Mediavilla en los cayos, hace ya un siglo por lo menos, entonces yo era un muchacho sin miedo. En la vida no hubo quien lo partiera, ni marrajo ni ciclón, ni temporal ni golpe de marejada», oía desde lejos al viejo Infinito, «no le entraban ni las balas. Al final ya no sabía si era de hierro o de piedra el lanchón, para que tú sepas lo que es el caguarán en la mar». Veía el rostro del viejo Infinito flotando entre la humareda del Partagás del 4 que fumaba sin parar esa tarde, en el patio de su casa de Cojímar. Los ojos del pescador auscultando sus intenciones ocultas, como si olisqueara su determinación de escaparse de la Isla. «Es de una seguridad única, Harry, y tienes toda la madera que quieras desparramada por ahí, sólo tienes que echarle mano y saberla guardar, esconderla bien», le dijo. Y ahora, en ese mismo instante, estaban a punto de bajar del camión la plataforma de la balsa, construida de sólidas y compactas tablas de jabí o caguarán que Cachopenco se había encargado de ir cortando y de trasladar durante meses a los lugares que Harry y Efraín le ordenaban, sin levantar sospechas en los alrededores de aquella misma playa.

Entonces dio la orden de bajar a tierra el barco, desmontado pieza a pieza, y los pequeños equipajes y la logística que servirían de avituallamiento necesario y mínimo en la travesía del Estrecho. Se pusieron a organizarlo todo esperando el momento indicado en que comenzarían a montar la embarcación. La destreza de Efraín Rivero para armar y desarmar el barco parecía de consumado prestidigitador y resultó un hallazgo pleno de garantías a la hora de ensamblar con certeza absoluta y con suma rapidez y seguridad cada una de las piezas del *Progreso*. Después Hiram y el mismo Efraín se fueron a inspeccionar la zona y sus alrededores. Situaron a tres vigías: Yudelkis Solar, pariente cercano de Harry, médico cirujano que llevaba años esperando un destino clínico que nunca le llegó; Cleva Suárez, la mujer de Efraín, maestra alfabetizadora durante años en la provincia de Las Villas, al oriente del país, e Iván Luis Bermúdez, un tipo atlético, singular, reservado, cuya mirada se encontraba con la de Hiram y los dos se quedaban parados, buscándose alguna fijación común olvidada en la memoria, como si se reconocieran de alguna vieja aventura y quisieran decirse algo. Había sido socorrista de playas y piscinas para turistas y nadador seleccionado en las dos anteriores tenidas panamericanas, y algunos de sus gestos siempre le sonaron a Hiram Solar familiares y conocidos, aunque una timidez probablemente originada en la cautela convertía a Iván Luis en un hombre silencioso, muy poco dado a la euforia. Nadie hubiera dicho que un día abandonaría la Isla como un fugitivo, pero había tomado esa determinación sin darle explicaciones a nadie y sin que nadie supiera que se escapaba para siempre. Ya habían eliminado algunas de las prevenciones que mantenían en sus cabezas cuando iniciaron el viaje desde La Habana. Ya no era necesario estar al acecho de posibles interferencias. Ahora había que dedicar todos los esfuerzos al siguiente paso. Así, cumpliendo con disciplina marcial cada tramo del proyecto, se había evitado hasta ese mismo instante cualquier inconveniente que pudiera surgir incluso más tarde, en plena singladura.

—Funcionábamos como una máquina perfecta, chico, como un reloj suizo nuevecico —me dijo Harry, ufano de su aventura.

Una camarera rubianca y culialta se acercó a la mesa en torno a la que los dos estábamos sentados. La música continuaba animando la mañana en el Sloppy. Los clientes, casi todos turistas gringos que se habían acercado hasta allí tentados por la fama del local, desmelenaban su desgana matutina observando sin mucho interés al vaquero de pelo color calabaza que tocaba la guitarra eléctrica convencido de su epifánica maestría. La camarera sonrió sin apenas mirarnos y pronunció tres o cuatro palabras en inglés. No sólo no se daba cuenta de que estaba interrumpiéndonos, sino que cumplía su servicio elemental de una manera mecánica, sin reparar en los rituales de los demás. Se movía como una muñequita teatral, sonreía sin esfuerzos, y sin ninguna otra intención, y protocolariamente preguntó algo que no llegué a entender bien. Vestía una falda azul muy corta que dejaba ver sus muslos albos y tersos, atléticos, casi de niña recién salida del colegio, y calzaba unas botas de piel de ternera, de caña alta y tacón, que le otorgaban una mayor estatura y le cubrían las piernas hasta las rodillas. La cintura de su cuerpo era de avispa, ceñida además por un cinturón ancho, a juego de piel con las botas y el sombrero vaquero bajo el que se escondía su cabello rubio y largo. Sus ojos claros, de un gris de porcelana a punto de resquebrajarse, parpadeaban sin cesar mientras sus mejillas sonrosadas se teñían ahora de rojo subido, como si se avergonzara de modo inconsciente del honesto trabajo que ejercía en el Joe's. Un ligerísimo tic aniñaba aún más la punta respingona de su nariz cuyas aletas se dilataban sobre los orificios de la respiración como si alguna ansiedad escondida estuviera a punto de estallar en todos los gestos de su cara. Sus pechos pequeños, suavemente enhiestos y tan juveniles como el resto de su cuerpo, dejaban ver sus formas a través del tejido blanco de su camisa de cuello, abierta hasta el principio mismo del canalillo que Harry miraba ahora con verdadero descaro cubano, con la boca abierta, dejando caer sus ojos negros sobre el cuerpo de la azorada muchacha. Entonces desvió su mirada hacia mí, sonrió y volvió a mirar a la chica sin abandonar su habitual impudicia. No dijo nada. Sólo asintió con un gesto de su cabeza. Comprendí que la muchacha había preguntado si queríamos más ron, un par de tragos más para cada uno.

—Viejo —me dijo entonces Harry, juguetón y distendido—, estos americanos no pierden ni un minuto. Terminas de chupar, no pasa un segundo y ya están encima obligándote a más. El consumismo, carajo, ¡qué bueno este disparate!

El viento soplaba suavemente desde el mar cuando decidieron volver al lugar exacto donde habían dejado todos los elementos de la lancha y donde se había quedado vigilando Marxlenin Rodríguez, el chófer del camión, hasta que ellos regresaran al mismo sitio.

—El motor soviético del viejo bicho —me dijo Hiram—, se había enredado en los hoyos cenagosos que había provocado el diluvio caído en días anteriores en aquella zona.

Por eso Marxlenin no había podido aguantar la tensión y había ido a buscarlos a pie, angustiado, nervioso por el inconveniente y sin que se le ocurriera la manera de resolverlo sobre la marcha. Pero Hiram Solar había previsto esa contingencia meteorológica porque sabía que había estado lloviendo en aquel lugar durante una semana, e incluso en esa misma madrugada habían caído aguaceros verdaderamente torrenciales sobre Quiebrahacha, hasta el punto de que grandes espacios de la zona de la playa estaban enlodados, llenos de barro y arenas sucias, y con agua de lluvia empozada en enormes charcos por todos los alrededores.

El aire olía a limpio y a mojado, y la humedad flotaba en la atmósfera abierta con la cercanía del mar. A pesar del buen tiempo, a lo lejos el cielo seguía rumiando la lluvia desde unas nubes que sombríamente amorataban la superficie plateada del mar, límpida y quieta a esa hora temprana de la mañana, y no se terminaba de despejar el horizonte porque allí, frente a ellos, estaba la borrascosa depresión tropical que daba vueltas en esos días incansablemente entre el noreste de la Isla, la Península, los cayos y el estrecho de la Florida.

Hubo que sacar el camión del barro donde se había enterrado y eso demoró los planes de los fugitivos un par de horas. Fue Marxlenin quien aconsejó que se desistiera del intento, que abandonaran allí al viejo dinosaurio cuya gangrena hacía que el motor renqueara por todos los resquicios.

—Éste ya se acabó del todo, se jodió pa' la pinga, mi vida —dijo con pesar, como si se le estuviera muriendo un caballo de gran valor sentimental y de gran valía económica. Con gestos de experimentada suficiencia acalló las muecas de protesta de Efraín asegurando que ya inventaría algo para sacarlo de allí, con la gente suya que se quedara en la Isla.

—No te preocupes, chico, déjalo ahí mismo —añadió Marxlenin magnificando cada una de sus palabras—, nadie va a ver más este trasto, aunque tenga que hacerle aquí un enterramiento de los caros.

El peso excesivo del viejo cacharro ruso y las condiciones del lugar, lleno de fango y barro, sugerían una pérdida de tiempo que podía volverse peligrosa para el éxito del plan. Hiram Solar volvió a mirar el Rolex que le había regalado Tano Sánchez, el mismo que había llevado en la muñeca de su mano izquierda el general Ochoa durante la guerra de Angola. Ya eran las once y media de la mañana y no podían perder más tiempo. El sol comenzaba a agrietar la arena de Quiebrahacha, sus rayos abrían la superficie de la mar a un juego de colores y empezaban a bailar sobre las olas que llegaban a la orilla. Crecía la visibilidad conforme el disco enorme del sol perdía tonalidades rojas y comenzaba a ascender rápidamente hasta su cenit convertido en una luz amarilla, de modo que el peligro de ser descubiertos comenzó a atosigarlos cuando el sol se levantaba del todo sobre ellos. Había llegado el momento de comenzar a montar la embarcación y ensamblarla sin perder un segundo más.

Media hora más tarde, Hiram Solar daba las órdenes para que se comenzara a montar con tino y mucho cuidado cada una de las piezas del barco. Allí estaban las baterías de los tanques pares soldados entre sí, dos a dos, de color negruzco, y una estructura central en forma de rectángulo, construida con tubos galvanizados de dos pulgadas y media, que sería el elemento fundamental de la resistencia del *Progreso,* además de la plataforma de madera de jabí, mientras los tanques eran el elemento de flotación y el motor Pegaso de 38 caballos y 4.200 r.p.m. el de propulsión.

Ninguno de los conjurados se acordaba ahora de qué manera, con qué riesgos aparentemente insalvables, con qué métodos y por qué medios se había conseguido que el *Progreso* existiera de verdad y dejara de ser un simple sueño entre sus ilusiones más ocultas. Cuando cada uno de ellos admitió que Harry Solar era el capitán del proyecto, todas las voluntades individuales quedaron supeditadas a las órdenes del ingeniero cuya sombra inasible perseguía asmáticamente Cabeza Pulpo por toda La Habana. Cuando algún confidente del CDR comentaba en voz baja que en Guanabacoa se había oído decir que Harry se escondía en un sótano de Lawton, Cabeza Pulpo estallaba en una sarta de improperios que se reducían siempre al mismo callejón: esconderse en un sótano, en una ciudad en la que precisamente esos lugares —los sótanos— escasean, o era un suicidio torpísimo que Harry no podía permitirse cometer, o estaba jugando con él y con toda la policía al despiste de hacerse ver donde no estaba. Y si nada había sido dejado al albur por Harry en el juego del escondite, nada tampoco había sido dejado al azar en la construcción del barco, de modo que ahora todo iba encajándose en su lugar exacto, como si el milagro que Hiram Solar había soñado hace más de un año se realizara en ese momento, a la vista de todos los conjurados para escaparse.

El sudor multiplicaba las fuerzas de Cachopenco, que se agigantaba ante sus compañeros. Marxlenin era sin duda de los más activos, ni siquiera pensaba en la posibilidad de que fueran a descubrirlos en un instante de desconcierto, sino que traslucía certidumbres en cada uno de sus actos, desde atornillar los bidones de gasolina que había robado en uno de los almacenes de Tropas Especiales, hasta animar a las mujeres que miraban dubitativas los trabajos apresurados de sus compañeros. Harry apenas musitaba las órdenes, como un mecanismo repetitivo que se sabe de memoria cada gesto y cada movimiento de la música que la orquesta ejecuta a la perfección en el escenario, cada instrumento entrando en su lugar, cada nota situándose en la oportunidad para la que había sido escrita algunos meses antes. El concierto era total, según Harry, y en ese momento de su relato, le hice señas con mi mano para que su velocidad de crucero verbal amainara unos instantes. Había pasado por alto cómo pudo conseguir aquellos materiales de primera calidad y me atreví a interrumpirlo para preguntárselo. Se lo dije con la secreta intención de provocarlo, para que me contara algunos detalles que quizá iba dejando atrás en el cuento y que de repente tenían para mí más importancia de lo que él podía pensar.

—Pero, chico, Marcelo, ¿qué clase de bobo tú eres? En Cuba encuentras tú de todo —me dijo sarcástico—, sólo que tienes que ir a lo concreto, no la vayas a joder. Si tú quieres un elefante blanco con una faldita de colores tropicales que cante

azúcar como Celia Cruz, bueno, tú haces el dibuji-
to, tocas en la puerta, lo resuelves con el talento
que tú tienes y ya está, azúcar. Que tú quieres una
reina mora de las mil y una noches, con nariz de
Cleopatra y cuerpo de Elizabeth Taylor, pues tú te
haces pasar por Julio César, mi hermano, y la cosa
camina como en el teatro. Que tú quieres un par
de motores Volvo o de la marca que sea, Pegaso, como el nuestro, bueno, si tú tienes contactos pacá y
pallá, aquí todo se resuelve, como dice el salsero
René, el del Charangón. Billete y complicidad, mi
hermano, ésa es la piedra filosofal del bloqueo, la
base de la filosofía del embargo, lo demás es palabrerío, musiquita, comedia, mierda pura, chico. Verdes y talento, viejo, no te olvides tú de que Cuba
es la isla más corrupta del Caribe —dijo riéndose y batiendo palmas como un niño contento con
sus ocurrencias.

En esa labor de ensamblaje sólo estuvieron
una hora, y a la 1 p. m. llegaban a la misma costa,
al lugar de donde debían echar la barca al mar, después de haberla subido completamente montada
en una carreta tirada por bueyes. Entonces fijaron
el motor Pegaso al lanchón, pusieron las propelas, el
motor y el timón. El rostro de Efraín delataba la
ansiedad del viaje inmediato. Marxlenin temblaba
de emoción, como si fuera a despegar en un cohete
espacial directamente hacia la luna. El viejo doctor
Salazar, un cardiólogo eminente que había sopor-
tado todo tipo de vejaciones sin agachar la cabeza,
achicaba ahora los ojos para contener las lágrimas
al dejar atrás la memoria de tantos episodios y resis-

tencias. Cachopenco, que de joven había sido un pé-
simo actor que remedaba al hombre orquesta ante
el público de algunos barrios negros de La Habana, ejecutaba de nuevo en esos instantes aquella
euforia juvenil recordada por los extraños mecanismos analógicos de su memoria y ensayaba a media
voz la marcha triunfal de *Aída* moviendo todo su
cuerpo de impotente director musical y como si
todo él fuera en sí mismo una orquesta, imitando
cada uno de los instrumentos que iba imaginando como necesarios para que la música fluyera hacia afuera con el mismo jolgorio que estaba exactamente removiendo su interior. Las mujeres y los
niños seguían las órdenes sin perder la disciplina,
mientras se reían de las gracias repentinas de Cachopenco. Y, al final, Marxlenin Rodríguez, el mismo
Cachopenco, Iván Luis Bermúdez, el guardaplacha-
yas, y Yudelkis Solar fueron los encargados de meter los bueyes hasta la orilla del mar para que tiraran
de la barca hasta que flotara sobre el agua, después de
haber situado a todos los prófugos con sus mínimos
enseres en el lugar exacto que Hiram Solar les había destinado a cada uno dentro del lanchón.

Quince minutos después, el *Progreso* arran-
caba el motor. No era el *Pilar*, desde luego, pero
Harry había soñado con ese instante de su vida
desde la primera vez que vio el yate color caoba de
Hemingway en su museo final, varado en el aire
de la mansión de San Francisco de Paula, rodeado de
las palmas reales y de las cañas de bambú que Papá
había plantado en los caminos que se abrían dentro
de los jardines tropicales de la casa y flotando en

la leyenda de Finca Vigía, en un galpón de madera abierto a la intemperie que habían levantado para reabrir de nuevo la memoria del escritor al mundo exterior, y para que los turistas españoles e italianos abismados en esa misma leyenda lo acribillaran a golpe de fotografías, tan sólo unos meses más tarde de la huida de Tano Sánchez a la Yuma y del paso a la clandestinidad de Hiram Solar en los cuartos del barrio de Lawton.

Sabían que tenían que alejarse rápidamente de la costa, dejar atrás las aguas de la bahía de Cabañas y seguir el rumbo adecuado para ello: exactamente 6° NO. «No hay que desviarse ni un pelo, si quieres entrar en el Gran Río Azul exactamente por el punto en que la corriente arrastra hasta el cayo», le había advertido Pedro Infinito. En ese mismo instante pensó con emoción en todos los seres que había amado profundamente en su vida, en todos los que le habían inflamado el corazón más allá de lo resistible.

—Sobre todo, fíjate tú —dijo—, me acordé de Odette y de Petra, las eché de menos a las dos en cuanto el viento del mar me sopló de frente acariciándome la cara, como si fuera el tacto de ellas dos reconciliándose en mi recuerdo en esos momentos.

Pasó revista a los nombres de cuantos lo habían ayudado a salir de aquel laberinto sin fondo en el que se metió tras llegar a La Habana después de la guerra de África, y se acordó de todos a los que había estrujado durante el año de su clandestinidad, como si fueran ciruelas pasas. Tuvo una memoria especial para Carlos Tabares, que se había tenido que marchar a España sin poder despedirse más que a través de la negra Porter; y vio en sus recuerdos a Cabeza Pulpo, que al final no había podido con él.

—Le tuve compasión o algo muy parecido —me dijo Harry—, pero mucho más le tuve a la Botellita de Licor. ¿Cómo pudo casarse con él, cómo pudo aguantarlo ni siquiera un solo día, viejo, una muchacha tan bella?

Pensó en Cuba, en aquella temporada de rumba y derrumbe que amenazaba con hundir la Isla en el fondo del mar, sin que de ella quedaran más indicios que sus muchas leyendas de tiranías y autodestrucción. Siempre había sido así la historia de Cuba, entre la alegría de la rumba, el contoneo de la esperanza y la cercanía terrible del derrumbe inminente. Siempre había tenido Cuba la suerte de la música, entreverada de tradición hispánica y enriquecida por la eternidad africana que los españoles habían llevado al Caribe como esclava. Siempre había sufrido la Isla la misma existencia surrealista, sobrecargada y barroca, plantada de caña y tabaco, verde como un lagarto inmenso recortando su silueta dormida sobre el mar azul, entre ruinosa y arruinada, desde que José Martí buscó el destino de su muerte en un suicidio inconsciente hasta el exilio colectivo que escapaba como podía de la Isla.

—Harry, chico, ¿tú no ves que llevamos muchos años adorando a un solo hombre?, por tu madre, mi negro, desde que la paloma blanca se le posó en el hombro no hay quien lo aguante. Le cogimos mucho miedo y ahí lo tienes, envejeciendo como el dueño de la finca, el que lo jode a él, ya está, jode a Cuba y asunto resuelto, mi hermano, ¿qué te parece la broma, eh, cómo te cayó el cuento? —le había reprochado Petra Porter en La Habana, y Harry Solar lo recordó cuando el ruido del motor del *Progreso* se metía en sus oídos junto al eco de sus propios recuerdos y el golpe seco del agua del mar chocaba contra los bordes de la embarcación.

—Tremenda barbaridad la que tenemos con este hombre, mi hermano —oía lejana la voz de la Porter, después de moyugbar y echar los caracoles—, y eso, Harry, viejo, eso se paga con intereses altísimos, de usura, mi vida, lo que nos queda después de tantos años. Fíjate cómo se caen todos los mangos de la mata.

Hiram Solar seguía creyéndose el último suicida sobre todo el planeta. Nunca se habría quitado la vida, ni siquiera si lo hubieran inducido a esa fatalidad y no le hubieran dejado ninguna otra salida. Fugazmente apareció entre sus recuerdos el instante en que Cabeza Pulpo fue a buscarlo para llevarlo a Villa Marista. Entrevió su rostro brumoso y los ojos turbios, sus labios iniciando perennemente el gesto de una sonrisa cínica. Miró entonces al horizonte y volvió después la vista hacia la tierra de la que se alejaba en el *Progreso*. Era una tierra de suicidas y rebeldes, de rumberos y boleristas, de gritones, buscavidas, indolentes y vividores, de esclavos y cimarrones, una Isla que en su día fue uno de los centros azucareros más importantes del mundo, una tierra de blancos y negros

que habían llegado allí a sobrevivir los unos sobre
los otros, y a descubrir la inapelable belleza de un
paisaje que seducía en sus colores naturales, una
tierra levantada sobre aluviones sucesivos e impa-
rables que llegaban de todos los lados del planeta
y se afincaban allí, en el trópico hipnótico y abra-
sador que los domeñaba en poco tiempo y los
transformaba en cubanos completos, gentes que
se empataban sin escrúpulos los unos con los otros
a las primeras de cambio, al ritmo de la música y
los metales, en las ciudades o en la realidad guajira
del interior, en los pueblos de la sierra o en el
llano de Cuba, en la costa lejana de Oriente o en
Pinar del Río, al otro lado de la Isla. Pero el suicidio como actitud y plenitud de destino hostigaba
sin parar la inquietud de las mejores gentes como
una constante cultural que no acababa de cicatrizar. Y ahora había llegado a serlo mucho más porque la desesperación se había convertido en una
costumbre tan cotidiana como el discurso del miedo o el fomento de las supersticiones.

    —El demonio, Harry —oyó el eco de la voz
de Pedro Infinito sobre su propia mente—, se escapa, se suelta, caballero, y se echa a correr por
donde le da, entra en las casas de quien menos se
lo imagina, camina por las habitaciones, se come todo lo que hay en la cocina y en la despensa, y se queda allí, parado, quieto, refunfuñando hasta que te
amarra, y si eso ocurre lo mejor es estar fuera de su
alcance. Hay que ponerse lejos de él, irse para las
Quimbambas, donde no llegue su olor de azufre
podrido, porque te duerme hasta impedirte huir

de cualquier manera. Es como los ciclones, chico. Si te cogen sin resguardo, a la intemperie, en alta mar, te parten el espinazo, te crujen, te truenan para siempre y no queda ni el rastro de tu sombra, muchacho.

Es lo que estaba Harry haciendo ahora, huyendo del diablo con barba. Cruzaba el vacío del mar hacia la línea del horizonte sin ninguna posibilidad de volver atrás, salvo que en el peor de los casos fueran descubiertos por los guardacostas cubanos y obligados a regresar al puerto del Mariel bajo amenaza de hundirles el lanchón a tiros para que todos se ahogaran en las aguas de la costa. Incluso si eso ocurría, Hiram Solar estaba dispuesto a hacerles frente, a no obedecerles. Y esa actitud era un pacto tácito entre todos los conjurados del *Progreso*, una decisión que también delataba una cierta voluntad de suicidio. ¿Qué más daba la patraña de patria o muerte que la otra, libertad o muerte, o que la otra, dignidad o muerte? Siempre estaba la muerte como alternativa final, incluso en la letra del himno nacional cubano, *«no temáis una muerte gloriosa, que morir por la patria es vivir...»*.

Si los encontraban ahora, seguramente dispararían contra el *Progreso* hasta hundirlo y todos sus pasajeros y tripulantes perecerían ahogados sin que nadie se enterara del suceso. Ésa era una de las profecías que Harry había soñado durante el año que se dedicó a dibujar el barco entre silencios y sigilos. No sería la primera vez ni la última. Había sido así en la isla de Cuba desde que se soltaron sobre ella los diablos y acabaron por dominarla, por esclavizarla con el mismo método que durante siglos lo hicieron los españoles del Imperio, con el miedo, con el terror, con la humillación y el sometimiento absolutos. Que los diablos estaban sueltos sobre la Isla lo comentaban los santeros y los babalaos en sus conversadas, bembés y rituales secretos desde Guanabacoa a Holguin pasando por Camagüey, siempre con visajes y muecas incomprensibles para los extraños y sospechosos, o hablando en jergas intraducibles, en baja voz, incluso con los familiares de los que no había más remedio que fiarse, aunque siempre quedara en la recámara un resabio de desconfianza; había que hacerlo todo en voz baja, con medias palabras y gestos interminados, remoloneando el tono y cambiando constantemente el sentido de las frases hasta esconder finalmente en el alma de cada uno las verdaderas intenciones de cuanto se decía, no fueran a despertarlo los malos humores y llegara hasta el Hombre el cuento que echaban, porque en toda la Isla las paredes habían terminado por tener oídos y alma segurosas; lo hablaban los sacerdotes abakkuás en cada una de sus ceremonias y plegarias secretas, ya no importaba nada, todos los años que quedaban por vivir serían desgraciados, años todos de mucho mango cayéndose de las matas sin que nadie los tocara ni los arrancara, desde que condenaron a muerte al Líder Máximo porque el Hombre había incumplido todas las leyes hacía cinco o seis años, según le confesó Petra Porter. Hiram Solar recordó en medio del mar que en ese momento había tenido que contener una carcajada.

—Pero, vieja —Harry le contestaba a la negra—, los yanquis lo condenaron hace más de treinta años y no han podido con él, sino todo lo contrario. Para él son como su propia vida, les chupa la sangre, se alimenta de la torpeza de ellos, vieja, tres por cuatro, doce, fíjate, para el diablo con barbas son como los niños: lo aprietan aquí y allí, pero no lo ahogan, mi amor, él es quien mueve las fichas del ajedrez. El hombre ése tiene corcho en todos lados, hasta los cojones los tiene de corcho, flota todo el tiempo y si lo hunden es capaz hasta de respirar bajo el agua...

—Deja ese choteo, ese tonito de tonto, Harry, mi hermano —dijo Petra—, lo que te cuento es verdad. En la regla no está permitido matar a un jimagua, es un sacrilegio que condena a muerte al asesino. Ahora las cosas irán a peor para siempre.

Hiram la miró interrogándola con el gesto y ella no se resistió. Dijo sólo un nombre, casi prohibido, olvidado por decreto, silenciado por órdenes que nunca habían sido dadas explícitamente.

—Tu amigo, Tony de la Guardia, que no te das cuenta de nada, viejo, ¿lo mandó matar o no?

El *Progreso* era mucho más que una balsa. Para eso se había partido Hiram Solar la cabeza durante más de un año lleno de riesgos y escondites, para que ahora no tuviera lugar ningún imprevisto. Los balseros eran otra cosa, eran suicidas a la deriva, locos desesperados que se echaban al mar a ciegas, siete u ocho juntos en un par de llantas de tractor, dejándose llevar por la corriente hasta perderse en el Golfo, como los héroes que se perdieron para siempre en los desiertos etíopes durante la campaña africana del Ejército cubano. Eso pensaba Hiram Solar tratando de convencerse. Se van sin alimentos ni bebidas, se juegan la vida a una carta que tampoco tienen, les falta de todo, porque los tiburones sobre todo los insaciables dientusos, los pinta roja y las cornúas, que son los más carnívoros y feroces, el sol del día y el frío oscuro de la noche, el miedo y la soledad les roban el sosiego necesario para cruzar el estrecho de la Florida, por muy bravos y arrostrados que sean.

Me contó, interrumpiendo el relato a carcajadas, que una pareja de balseros del interior de la Isla, no eran de la costa ni conocedores de la mar, porque eso no se le hubiera ocurrido a alguien de la costa ni muerto, yo qué sé de dónde (me dijo Harry), de Sancti Spíritus o de Santa Clara, de por ahí más o menos, descendientes de isleños seguramente, que son unos arriesgados con la mar, lo llevan en la sangre y en la genética, Iván Ruiz, de cincuenta años de edad, blanco de piel y de mirada errática y larga, y su mujer Regla Ansóategui, de cuarenta años de edad, mulata con arrestos sobrados para cualquier arrojo, en cuyos ojos refulgía constantemente la brillantez de la osadía, los dos campesinos locos y hartos ya de aguantar la nada en el infierno, habían colocado su cama de amor sobre colchones de aire, ahí mismo donde desde hacía más de veinte años venían consumándose sus ilusiones, avejentando y renovando sus promesas de eternidad

—¿Qué tú te imaginas? —me dijo riéndose Harry—. ¡Se tiraron al mar, mi hermano!, lo mismo les daba un infierno que otro, pero el cansancio, el agotamiento y el miedo los liquidaron y se quedaron dormidos flotando encima del agua. Total, fíjate tú que se salvaron del suicidio, porque habían pensado ahorcarse en medio del monte, en el oscuro interior de su bohío miserable, pero aguantaron la tentación y se tiraron al mar, y cuando despertaron ya estaban en la Yuma, ¿te lo crees tú o no? —me preguntaba Harry golpeándome las espaldas con la palma de su mano derecha.

Se acordó también de repente de la leyenda de aquel guajiro, Eulogio García Grey, un prieto achinado y fortachón, con cara de nunca entender nada, me dijo Harry, que pudo marcharse en los primeros años de la Revolución, como lo hicieron su mujer y todos sus hijos, tres hombres y una muchacha, todavía muy jóvenes, pero él se había quedado allá dentro, casi en pleno monte, a defender Cuba de los invasores, y ahora, ya mayor de edad, había comenzado a comprender el fraude, y por eso es que se había lanzado al mar montado en un espléndido caballo negro azabache que García Grey había cuidado con especial dedicación durante todos esos años de penuria. Y ahora era el único amigo en que podía confiar todavía en toda la isla de Cuba, no hablaba ni lo miraba mal, sino que el animal asentía con su cabeza bellísima y charol al empecinado y diario soliloquio del guajiro, con el machete cortando el aire el viejo y su sombrero mambí de paja clara, como si fuera a atravesar de un golpe de voluntad el desierto del Ogadén.

—¡Qué bravo el viejo, un hombre del carajo, vaya cojones! —me dijo Harry—. Se tiró al mar como al combate después de rodear de flotadores el cuerpo del animal para que cabalgara nadando por encima del agua. Ya estaba a punto de ahogarse cuando los descubrieron los guardafronteras y lo hicieron regresar. Sólo había recorrido media milla, ni llegaba a eso —me dijo entre carcajadas.

Recordaba repentinamente esos casos de suicidas grotescos, desesperados y patéticos, que intentaron cruzar el mar del Estrecho sin conseguirlo, sino que se habían perdido para siempre en los abismos del golfo de la Florida. Los había recordado sonriéndose para sus adentros mientras el *Progreso* avanzaba majestuosamente en el mar, hendiendo con suavidad la cara del agua y dejando tras la popa una espuma blanquecina para adentrarse a creciente deriva en zonas de mayor profundidad, como si sorteara sin esfuerzo los obstáculos invisibles con los que el ingeniero Solar había soñado en todas las pesadillas de su clandestinidad.

Ni el más mínimo percance se había producido desde que echaron al mar la embarcación con ayuda de los bueyes. La Isla iba quedando atrás, perfilándose entre los rastros brillantes del sol como una silueta inmóvil en el tiempo, en una latitud geográfica inexistente, llena de sombras y raros dibujos que iban perdiendo la nitidez física mientras se alejaban mar adentro. Hiram respiró hondo. Le entraron hasta el fondo del pecho la humedad, el salitre, el viento fresco del mar abierto y todos sus recuerdos. Respiró una vez más profundamente, hasta que los pulmones se le llenaran de aquella sensación de angustia que sin embargo preludiaba paradójicamente la libertad. Lo estaban consiguiendo. «Palante y palante», se animó Solar mientras empuñaba el timón con fuerza. «Hasta la victoria siempre», se dijo haciendo rechinar sus dientes.

Ahora lo veía emocionarse de nuevo contándome cada segundo, cada instante, cada nimiedad, cada pequeño o gran episodio de su huida a bordo del *Progreso,* y recordaba cuando lo conocí con la Tribu en el lobby del Habana Libre, cuando entré en Cuba por primera vez.

Por esas cosas raras de la vida, las autoridades españolas no me expidieron el pasaporte para salir del país hasta que murió el general Franco y felizmente todo cambió de lugar y de color en España. El argumento falaz de mi mala conducta política gracias a un proceso que la jurisdicción militar de la dictadura incoó contra mí, acusándome de injurias al ejército español hasta condenarme a la cárcel, les sirvió para negarme la documentación necesaria e impedirme así viajar por el mundo. Arguyeron oficialmente mis sospechosas y secretas vinculaciones con la Revolución Cubana, el comunismo fidelista, y sostuvieron (eso me lo dijeron en los prolegómenos del juicio que dio con mi nombre en el anatema y conmigo en el ostracismo durante años) la certidumbre de mis ocultas y verdaderas intenciones en cuanto saliera de España:

alistarme en la guerrilla castrista de América Central. «Exactamente», me dijo el juez instructor del proceso, un tal comandante Heraclio Ferrera, «en Nicaragua, en El Salvador o Guatemala. Por ahí», añadió con vanidosa seriedad mientras señalaba con un puntero largo en el mapamundi la vaga geografía de mis apetencias secretas.

—Usted, querido amigo Rocha —mientras hablaba el juez Ferrera me miró con fijeza profesional, fulminando mis gestos de estupor—, ya es un guerrillero frustrado, un héroe imposible. Agradézcanoslo, Marcelo, le estamos salvando la vida. No tiene usted ni idea de lo que es la guerra. Nosotros, los militares, conocemos bien esas entretelas, nos las enseñan en la Academia y no jugamos con fuego como ustedes, los intelectuales, los periodistas, tigres de papel, al fin y al cabo, animalitos de corral, una recua de idiotas que son unos corredores sin fondo alguno a los que se les abren las carnes al primer contratiempo, los cogen y les dan dos gritos de nada en una comisaría y lo largan todo, y encima muchos piden perdón, Señor, Señor. En todo caso —dijo convencido de que su arenga estaba demoliendo mis últimos reductos de resistencia—, son ustedes, los subversivos, los que nos obligan a salvaguardar el orden y a quemar con fuego todo cuanto huele a revolución y a comunismo, antes de que el mismo comunismo se los coma a ustedes nada más llegar al poder, ésa es la historia del mundo y la historia del comunismo, ¿no le parece?

La verdad es que entre todas mis veladas ambiciones no estuvo jamás la de convertirme en gue-

rrillero pero, por esas mismas caprichosas sinrazo-
nes, llegué a temer que nunca me dejarían entrar
en Cuba. Hoy mismo, cuando viajo hasta la Isla
para escribir y rodar algún reportaje, intuyo que
me van a detener en la Inmigración del José Martí, me van a poner todos los inconvenientes del
mundo, me van a hacer los interrogatorios riguro-
sos en los que uno cae en contradicciones sin apenas darse cuenta y me van a obligar a partir de regreso en el mismo avión que hace tan sólo unos
minutos me ha dejado en el aeropuerto de Rancho
Boyeros. Los castristas tenían ya suficientes datos,
pasados tantos años de rechazo y desapego, para
argumentar tal como se les pudiera ocurrir que después de tantas críticas públicas también yo, Marcelo
Rocha, me había transformado en un gusano, un
tipo siniestro, un contrarrevolucionario, un agente
de la CIA al servicio del imperialismo de los Estados Unidos de América y todos los tópicos feli-
ces que han hecho fortuna durante muchos años,
aunque en realidad nunca había estado de verdad
en ninguno de los dos bandos, ni en el de los gringos, ni en el del comunismo castrista.

De todos modos, con los cubanos me equivocaba en lo del pasaporte. Sin ninguna reticencia
aparente, el consulado de Castro en Madrid me
extendió un visado oficial para entrar en Cuba por
primera vez junto a un equipo de televisión. En
esa misma época, a mediados de los ochenta, nadie podía imaginarse que el muro de Berlín caería pocos años más tarde estruendosamente; que
la Unión Soviética se desmerengaría y se vendría

abajo como si fuera un imperio de cartón piedra, un rascacielos de arena, y el Kremlin un castillo de naipes que se hubiera construido artificialmente, sin cimientos de ningún tipo; y que los Estados Unidos de América junto a las potencias europeas ganarían la guerra fría tras medio siglo de enfrentamientos, guerras y millones de muertos en todas las latitudes del mundo. En Nicaragua, El Salvador y Guatemala, también, naturalmente.

—Chico, lo tuyo es mucho peor que lo de ninguno de nosotros —me dijo el negro Solar carcajeándose a mi llegada a La Habana—, tú eres un agente objetivo, una mascarita pacá y otra pallá, y como si tal cosa te puedes virar para donde te convenga y nadie podrá decirte nada, un agente doble es lo que tú eres, un peligro verdadero, chico, una locura.

Estaba allí, por primera vez en La Habana, para hacer un reportaje sobre Pedro Infinito, el dueño del mar de Cuba, el sabio del Gran Río Azul, para eso había hecho el viaje, que tenía un objetivo profesional tal como confesé al oficial de Inmigración y confirmaron los funcionarios del ICAIC que habían ido a recibirnos a Rancho Boyeros. Todavía no habían convertido a Infinito en un reclamo turístico, con unas horas diarias de permanencia en La Terraza, en Cojímar, su vejez tan altiva durante años ahora en escaparate para dólares, a la vista de cuanto turista curioso se acercaba a aquella parte del Este de La Habana de la mano de un guía cualquiera buscando los restos de la leyenda de Hemingway. Por entonces mantenía la

soberbia de su memoria para desparramarla sólo
en conversadas con sus amigos y fieles, en las tardes largas del patio de su casa, atendidos por Lola,
su mujer, oriunda como Infinito de las islas Canarias. Los visitantes, entonces, tenían que pasar por
alcabalas institucionales, que facilitaban la operación
de acercamiento, o conocer a alguien muy cercano
al viejo Infinito que resolviera la entrada en confianza con la memoria cubana de Hemingway. De
modo que para llegar hasta el viejo pescador no
tuve más remedio que seguir por los intrincados
canales oficiales, sin los cuales era imposible penetrar en la maraña burocrática del castrismo, uno de
cuyos eslóganes sacrales contravenía sarcásticamente
la dudosa nobleza de todos los demás. Sobre todo
porque en las calles, llenas de carteles gigantescos
que recordaban a cada momento las hazañas y los
logros de la Revolución, la gente tenía un talante
muy distinto al de la marcialidad disciplinada,
cuartelera y eficiente que los comunistas de Castro vendían al exterior, mientras en toda la Isla
reprimían el más mínimo movimiento de relajo
y libertad.

Supe de esas dificultades burocráticas y arbitrarias por boca de Hiram Solar, alias Harry, el
negro Solar, ingeniero electrónico de la CUJAE y
doctorado por la Patricio Lumumba, de Moscú,
a quien conocí en el lobby del Hotel Habana Libre unas horas más tarde de mi llegada a La Habana. Llegó hasta allí con Petra Porter, con Amalio
Punzón López, con la Botellita de Licor y con Tano Sánchez.

Me quejé de las trabas pueriles y del tiempo
que me habían retenido arbitrariamente en la adua-
na (más de dos horas), del minucioso examen que
hicieron de mi equipaje los oficiales del Ministerio del Interior en las dependencias del aeropuerto José Martí y de la voluntaria y caprichosa lentitud con la que se habían solventado los trámites
del hospedaje. Tano se sonreía burlón, cubaneaba,
bostezaba (abría la boca levemente y me miraba
con falsa perplejidad) como respuesta a mi sofla-
ma contra la burocracia. Miraba después de reojo
a Hiram Solar, desde el fondo de sus gafas Rayban
oscuras, y contenía con notable esfuerzo una carcajada que finalmente terminó por doblar su cuerpo sobre sí mismo, bufando para contener la hilaridad que le provocaba mi estado de ánimo de
recién llegado. Petra Porter procuraba en ese momento no intervenir ni siquiera gestualmente en
mi diatriba contra las costumbres ridículas impues-
tas por el castrismo. Observaba el espectáculo como ausente del escenario, con un gesto desvergon-
zado de superioridad y como si estuviera sentada
en un cómodo patio de butacas al que sólo llegaban, amortiguadas por las otras voces y ecos del
vestíbulo del Habana Libre, las palabras de aquel
periodista español que (ahora estoy seguro de que
ella lo supo desde entonces) trataba por todos los
medios de llamar su atención, e intentaba tal vez
una conquista a corto plazo y a través de la palabra bien expresada, del discurso de la queja y la
fragilidad, precisamente el mecanismo de auto-
defensa y seducción en el que los habaneros eran

consumados expertos, la verborrea florida, adjetiva y brillante. Vi de soslayo que Amalio Cabeza Pulpo tensaba las mandíbulas al oírme hablar del castrismo y su burocracia de aquella manera tan irreverente. Aunque procuraba disimular sus ínfulas policíacas, se le salían por los ojos las urgencias de contestarme como lo que de verdad se escondía desde siempre bajo su máscara sonriente, un defensor del castrismo que para él (como para algunos millones más de cubanos, al menos en apariencia) era la verdadera libertad de Cuba.

—Para cada solución, un problema —dijo entonces Hiram Solar, pervirtiendo irónicamente el sentido de uno de los eslóganes más contradictorios, al menos en la práctica, de la Revolución Cubana: «Para cada problema, una solución».

Tano Sánchez volvió a desternillarse de risa. Inicié repentinamente un simulacro de displicencia para entrar en el juego de los cubanos con las mismas cartas con las que ellos jugaban a entretener mi mal humor, como si me importara mucho más el atrezzo del escenario que la obra cómica que los personajes estaban en ese momento representando para mí, en el lobby del Habana Libre, una comedia teatral del más burdo estilo, un esperpento surrealista y caribeño donde cada uno se disfrazaba con su figuración y todos cumplían así el papel de farsantes que se habían encomendado oficialmente para darle la bienvenida al periodista español Marcelo Rocha, un tipo cuando menos ambiguo que venía desde Madrid para hacer un reportaje de televisión sobre Pedro Infinito, patrón del *Pilar* de

Hemingway, español de origen que había emigrado clandestinamente como polizón desde Canarias a Cuba en la década de los veinte.

Me negué a traducir allí mismo, ingenuamente y para mis adentros, que esas actitudes eran la norma legal y el obligado cumplimiento de las élites revolucionarias en La Habana y en toda la isla de Cuba. Pero luego supe de esa estrategia personal y colectiva para sobrevivir y resolver la miseria cotidiana en medio de un marasmo de mezquindades que poco a poco había desenmascarado el pecado original del castrismo hasta hacerlo evidente incluso para el más ciego de los visitantes a la Isla.

Todavía podía decirse que aquella latitud de La Habana era magnífica y se había convertido en un punto de encuentro de becarios y residentes, de alevines revolucionarios y comunistas de todos los países del Tercer Mundo, de simpatizantes de todos los colores y nacionalidades. Se respiraban, en cada rincón del inmenso salón del hotel envejecido por los años, el descuido, la despreocupación y hasta el desprecio por la estética burguesa que lo había edificado esplendorosamente algunas décadas atrás, y reinaba alegremente entre tanto transeúnte seguro de sí mismo una euforia cargada de religión ciega e irracional que no quería ver cuanto estaba ocurriendo en el mundo sino mantenerse en la aparente pureza de los revolucionarios, nacidos para humillar por fin al Imperio hasta acabar con el Cíclope del capitalismo. Atletas africanos, becarios latinoamericanos de cualquier cosa, disciplina o arte, y de todos los rincones; militares de distinta graduación entrando y saliendo del hotel, subiendo y bajando de los ascensores atestados de visitantes; turistas y curiosos, agentes y catecúmenos atraídos por el comunismo caribe de Castro, un trasiego humano que componía el gran escaparate de la Revolución, la obra del gran hombre que había puesto la isla de Cuba patas arriba y en pie de guerra, como un pájaro altivo frente al peligro constante de la invasión, el gran hombre que había mandado liberar África de los restos del colonialismo, el gran hombre que se mantenía en la eternidad del poder por encima del tiempo, como si los años no fueran con él.

Pero yo no estaba allí para aquellas reflexiones, ni para discutir los logros o los errores de la Revolución. Había ido a La Habana para conocer a Pedro Infinito, escribir su historia plagada de mitología marinera y filmarla para una serie de televisión. Para eso estaba en Cuba y para ninguna otra cosa más. Todavía, recién llegado de Madrid, no me hacía cargo del ambiente opresivo que podía alcanzarse a respirar en cualquier barrio de la ciudad, donde el miedo había embadurnado de sordidez incluso el aire del paisaje, porque la vigilancia de los miembros de los CDR era esencialmente respiratoria: no sólo no se podía dar un paso sin que se enteraran, sino que ni siquiera se podía intentar un gesto mínimamente individual sin que los policías y los que en cada casa de cada barrio ejercían ese papel en el tétrico teatro cotidiano notaran en el sospechoso el efecto venenoso y nefasto de la contrarrevolución y la gusanera.

—Chico, carajo, ven acá, ven acá —dijo Tano en ese momento, dirigiéndose a Rocha—, oye, tú, que estás en el Caribe, no vengas a joder ahora, esto es Cuba, no hay prisas, el tiempo aquí no es lo mismo, no tiene vértices ni medidas, todo se resolverá a su debido momento. Tómate un par de *mentiritas* y no te vuelvas loco, ¿tú no bebes *mentiritas,* mi hermano? —y volvía a carcajearse mirando a Hiram Solar, su cómplice.

A mí siempre me gustó más el mojito que la *mentirita* y se lo dije a Tano Sánchez sin pararme a entender lo que me estaba diciendo.

—Yo las *mentiritas* las digo, no me las bebo —contesté también de broma.

—¿Pero tú sabes acaso qué es una *mentirita* de verdad, gallego de mierda? —preguntó Tano socarrón, sin dejarme apenas respirar.

No lo sabía. Y la Tribu entera sabía que yo no lo sabía, que era un auténtico analfabeto en medio de aquel marasmo pantanoso, aquel vaivén de palabras casi siempre nuevas y a medio pronunciar, un extranjero completo que trataba de traducir no sólo la conversación sino la doble intención que se escondía en cada término, en cada frase pronunciada por aquellos consumados jugadores de su propio lenguaje.

—Chico, una *mentirira*, pues está bien claro, no jodas —contestó riéndose Tano Sánchez—, una *mentirira* es un cubalibre, ron y Coca-Cola, carajo, ¿o acaso Cuba es libre?

Los dos cayeron un poco más tarde en desgracia. Los tronaron sin compasión alguna. Ninguno de los dos está ya en La Habana. Ni en Cuba. Se fueron a Miami, cada uno con su propia aventura personal. Hiram con la solvencia del ingeniero electrónico en el que latía interiormente una ferocidad individualista que se hizo insoportable y conflictiva en aquel ambiente de agobio y totalitarismo; Tano con el alarido furibundo del poeta siempre inconcluso, revoltoso e incorrecto, que se vio obligado a escribir y publicar el libro sobre los héroes de Angola después que detuvieran al coronel De la Guardia y al general Ochoa, y fusilaran a ambos, a pesar de las peticiones de indulto que le hicieron personalmente a Castro dignatarios de todo el mundo e, incluso, algunos de sus amigos más cercanos. La Revolución no podía consentirse perdón alguno con los traidores en pleno desmerengamiento soviético, y menos si habían pasado por héroes con el pecho lleno de medallas y condecoraciones por sus campañas militares hasta que se descubrieron sus felonías. Y Tano e Hiram, uno primero y después el otro, como tantos que estuvieron años bailando en el solajero eufórico del castrismo, no pudieron consentirse aguantar por más tiempo a la Revolución. Se fueron a Miami por separado, y cada uno trató de escoger su destino en los Estados Unidos de América, el vientre del monstruo, el cielo que habían odiado —siempre contradictoriamente, como todos los cubanos— mientras fueron revolucionarios, hasta que decidieron pasarse de bando. Después, cada uno se marchó de Miami, uno a Atlanta hasta recalar en Princeton, y el otro, Hiram Solar, a Los Ángeles, Las Vegas y, más tarde, a *Neo Yol*, la cima de la vida, el fondo del cielo, lo más celestial que puede encontrarse en el mundo entero, la última Babel, la gloria de la Yuma, la cueva mágica del gran Cíclope.

En La Habana, resistente y sola, se quedó ella, Petra Porter, educándose para un futuro en el que ya no sería nunca más, ni siquiera fortuitamente, una de las intérpretes circunstanciales de Fidel Castro al ruso, como lo fue cuando el cielo oficial cubano era Moscú, ni la modelo cuya piel brillante, suavemente áspera, miel y ébano, enloqueció durante más de un año al actor Jean-Paul Belmondo, tras empatarse con el exboxeador durante su triunfal estancia en París, luego de aprender en La Maison de Miramar todas las maneras, los venenos vivaces y secretos de la seducción sobre la pasarela.

Tampoco había abandonado del todo el campo la Botellita de Licor, la flor negra a quien yo conocí cuando era casi una niña llena de ambición artística, en la plenitud de su esplendorosa y lúbrica adolescencia. Buscaba llegar a ser como Alicia Alonso, pero sin petulancias, mi amor, ¿verdad? (decía la Botellita defendiéndose de las bromas de la Tribu), ya sabemos que ella es la mejor, pero en su especie, yo soy de otra clase, más negra, mucho más negra, mi amor, y más a lo Josephine Baker, tú me entiendes, ¿verdad, mi amor, que tú me entiendes?, enloquecida bailarina a la que nunca permitieron del todo que terminara por demostrar el talento que llevaba dentro y que acabó por dimitir de sus ambiciones de artista cuando se casó con

Amalio Punzón. Allí sigue, empantanada y sola, con un cuerpo dotado para sobrevivir, para luchar contra la certidumbre inminente de la vejez, tratando de mantenerse joven y pactando su presencia en cualquier escenario de bailarinas para turistas españoles e italianos, de esos que se enamoran de la piel color miel y cuando queman petróleo se quedan pegados al olor de la hembra mulata como mariposas frenética y enloquecidamente ensimismadas en el éxtasis.

Tampoco Amalio Cabeza Pulpo, seco, frío y teatral, se había marchado de la Isla. Seguía en La Habana, enfundado siempre en su guayabera color crudo, envejecido en los últimos años pero siempre sobreviviendo en su agónico fracaso, desde que el negro Solar se le escapara de las manos y huyera de su persecución con una habilidad que lo hundió en el desprestigio profesional. Allí, en La Habana, seguía rumiando sus frustraciones y su creciente descrédito.

Nadie había podido convencerlo de que la pedrada que había recibido en Viñales había sido un accidente, sino que culpaba de aquel episodio a Hiram Solar, como siempre y desde siempre. Pero ya no mantenía todas las paredes de su habitáculo de privilegiado inquisidor en el Nuevo Vedado cubiertas completamente de grabados, fotografías, afiches, notas de prensa, portadas de revistas norteamericanas, discos, casettes y todos los fetiches del cantante Harry Belafonte que iba encontrando por cualquier lugar que pasaba. Toda esa colección la había ido reuniendo profesionalmente durante el tiempo en que buscó, con la obsesión fanática de la fe religiosa, a Harry Solar en todos los rincones de La Habana. «Se parecen tanto», había comentado en una reunión de trabajo en Villa Marista, convencido del influjo positivo que aquellos objetos ejercían sobre su tarea policial, «que si tengo a uno colgado de las paredes de mi casa, amarro al otro por los cojones en poco rato, ya lo verán». Después de un tiempo, Zeida Olivar tan sólo había logrado convencerlo de que por mucho que se llegara a conocer a un fantasma el peor horror de un perseguidor era vivir con el enemigo, respirar obsesionado por él hasta encerrarse con esa manía en las paredes de su propia casa.

Y en Cojímar, a pocos quilómetros de La Habana, seguía Pedro Infinito, la cara arrugada por los miles de recuerdos y los años que comenzaban a interferir su memoria. Supe después por Petra Porter que Lola López, su mujer, había muerto un tiempo antes y decidí no verlo más después de que, en la barra de La Terraza, no llegara a reconocerme en una de las últimas visitas que hice a la Isla, cuando el mundo reprodujo en noticias de telediarios veraniegos la crisis de los balseros de agosto, una argucia más surgida de la política del Comandante en Jefe y de su estrategia de ajedrez frente a los norteamericanos, sin que esos mismos gringos llegaran a percatarse de ella hasta que cayeron en la cuenta de la trampa, demasiado tarde, como siempre que le echaban un pulso a Fidel Castro.

Años después no quería tampoco que el viejo pescador se me fuera cayendo de mi propia mitología personal, sino que busqué mantener viva la imagen legendaria del invencible lobo de mar que yo había conocido en el principio de su declive físico, la primera vez que vine a Cuba. Quería recordarlo tal como era en los ochenta, un viejo lúcido y fuerte, que no daba su brazo a torcer en lo que consideraba sus principios y su memoria de las cosas. Lo veía en mi recuerdo asando las sardinas a su manera, sardinas asadas a «lo Confital», decía sonriéndose mientras prendía la candela en la hoguera minúscula de papeles y leña que había encendido la tarde de nuestro primer encuentro en el patio trasero de su casa de Cojímar. Ahora lo habían convertido en un desleído suvenir turístico, reminiscencia de otra época y de esta temporada aparentemente paradójica en la que parecía que Cuba regresaba a toda prisa a los vicios del 58 y a ninguna de sus virtudes, al turismo sexual de las jineteras y al abuso contra el que los cubanos siguieron las pautas de la Revolución sin querer darse cuenta de que en realidad caían en la trampa de la dictadura.

En cuanto al embajador español, Carlos Tabares, todavía no había sido destinado a La Habana en mi primera visita a Cuba. Lo conocí después, algunos años más tarde, cuando volví de nuevo a la Isla luego de casi una década sin visitarla para filmar un reportaje sobre los balseros. Aunque llevaba ya casi treinta meses en el cargo, seguía atado al síndrome de Estocolmo que la Isla genera en todo el que la ve por primera vez, mucho más en el caso de un personaje que había estado soñando con llegar a La Habana desde que era un niño. Tiempo después ocurrieron en el jardín de su residencia de Cubanacán las muertes de Tobías Baragaño y Orestes López.

En ese momento de la Revolución, renqueante y cerrada, todo el paisaje urbano de la hermosa y única ciudad de La Habana se venía cadenciosa y lentamente abajo. Se había producido además un deterioro ostensible en cada rincón de la ciudad, que pugnaba por seguir respirando como si fuera un gran escaparate lleno de triunfos y regalos para las generaciones del futuro. Aunque había subido el tráfico rodado, prueba de que el turismo extranjero iba y venía de La Habana con ciego y alegre desparpajo, las guaguas habían dejado de serlo para pasar a llamarse *camellos,* viejos motores de camiones militares tras los que literalmente se colgaban los restos de los autobuses públicos de antaño, viejos y sofocados motores de dinosaurios soviéticos que echaban humo por todos los huecos de su cuerpo maltrecho para atravesar, renqueantes como la Revolución, las marchitas calles de la ciudad de La Habana. Pero, aunque por momentos parecía que se hundía en sus propias catástrofes, el castrismo resistía agónico —hasta la victoria siempre— los embates del mundo entero, Fidel Castro jugaba a los dados con los gringos y les ganaba en cada mano un tiempo precioso. Y la situación parecía a primera vista desesperada para la mayoría de los cubanos que no habían podido marcharse de su país o no habían querido abandonarlo (a pesar de las insalvables dificultades que sufrían cotidianamente) en algunas de las oleadas temporales que el Líder Máximo abría en la férrea cerrazón de su propio aparato represivo para descargar la tensión que en contadas ocasiones amenazaba con romper su estrategia de resistencia numantina.

Cinco

Me contó que la tarde entera en la que el *Progreso* había partido de la playa de Quiebrahacha con todo el sigilo del mundo la pasaron navegando sin tropiezos de ninguna clase. El mar era solamente un desierto interminable sobre el que se deslizaba con facilidad asombrosa aquel bicho fantástico y sin experiencia que parecía sin embargo conocer el camino exacto de la escapada que Solar había imaginado durante su voluntaria clandestinidad. El cielo continuó nublado durante todo el día, aunque a veces la timidez del sol se reflejaba sobre el mar hasta oscurecerlo, filtraba rayos de luz directa que alcanzaban la cara del agua y se fundía a lo lejos con el horizonte turbio, como en un espejo inalcanzable en que la lluvia caía incansablemente. Entonces la brisa se volvía más violenta y revoltosa, levantaba las olas y el salitre golpeaba con la avidez de una virulencia incipiente los rostros de los evadidos. Como si les reprochara su marcha de la Isla, la brisa salada azotaba las caras de los huidos que tenían que guarecerse como podían del agua que los salpicaba en cubierta. Se levantaban las olas y se encrespaba peligrosamente el mar, picado de pequeñas espumas y aguajes que desaparecían al instante de surgir para volver unos metros más allá a salpicar la superficie del mar del Estrecho. Pero en esas circunstancias climáticas, el sol no castigaba con la severidad tropical la intemperie marina de los que huían en la embarcación.

De vez en cuando el oleaje crecía repentinamente. Los pequeños golpes del mar contra el *Progreso* lo zarandeaban por sorpresa de un lado a otro, pero la embarcación de Hiram Solar parecía haber nacido desde el fondo abisal del mismo mar con una sabiduría genética fuera de dudas, la de mecerse en la superficie y entre las olas como si estuviera bailando al ritmo de una música conocida, como si fuera un elemento natural del agua y sin que los evadidos sintieran en ningún momento la extrañeza de alta mar, el mareo físico y la pérdida de la orientación, esa suerte de terror que se clava en el alma de quienes no conocen realmente los peligros de la mar abierta, la navegación y sus supersticiones, pero que los hace intuir pesadillas y monstruos submarinos, espejismos y alucinaciones que no son más que productos de las leyendas que les escucharon en tierra durante años a los marinos y pescadores que podían contarlo con los ojos de la verdad desorbitados por el recuerdo.

Me dijo que se entretuvo observando con un interés inusitado cómo el mar iba cambiando de color, de qué manera —conforme avanzaban hacia el centro del Estrecho, y sin que al mirar atrás sintiera ningún tipo de nostalgia ni angustia alguna— el mar rebasaba todas las tonalidades del azul que se podían imaginar; cómo aparecían en lontananza las sombras de las nubes pintando de tonos ocres, sienas y finalmente morados espacios de la superficie marina que contrastaban con las cercanías de otros azules; de qué modo a veces aparecían verdes amarillentos, que variaban desde el esmeralda al manzana para pasar más adelante al jade y al malaquita, hasta confundirse con las oscuridades de otro azul sólo entrevisto en los sueños de la escapada, durante los meses de agobio silencioso en Lawton. Por mucho que el viejo Infinito había intentado alguna vez describirle esos asombrosos cambios de color de la costa cubana en sus franjas marinas, nunca hubiera imaginado que la magia del mar fuera tan superior a las otras químicas sorprendentes de los elementos naturales del Caribe. Lo recordaba con nitidez mientras veía la degradación del verde lentamente perderse en la lejanía hasta llegar a la frontera misma del negro y el gris de la costa. Entonces, me dijo Harry, el horizonte se desdibujó hasta casi desaparecer y terminó por perder interés a sus ojos, porque el cielo y el mar eran una sola línea que se tornó circular, monótona y amenazante sobre las cuatro horas de navegación, mientras echaba un vistazo a las cartas de marear que el embajador Tabares le había hecho llegar en secreto con Petra Porter.

—Fue lo único que pudo hacer por nosotros —me dijo.

Ésa fue la primera vez que Hiram Solar entendió las sentencias del viejo Infinito, cuando le enseñó que la única certidumbre que acompañaba a la gente de la mar en esas circunstancias circulares era la de encontrarse perdido. En ese mismo instante, Solar tuvo una certeza añadida: el *Progreso* había recorrido ya 16 millas desde que salieron de Quiebrahacha a una velocidad aproximada de 4 nudos por hora, ayudado por la corriente que los alejaba de Cuba. Era así la tarde en alta mar, me dijo, que no es como la tarde en tierra, que casi no te das cuenta de que la noche se viene encima, y se va apagando el sol poco a poco, como avisándonos de que se está acabando la luz.

—En tierra —me dijo mirándome a los ojos—, la noche cae sobre nosotros. Estamos acostumbrados a ese fenómeno hasta tal punto que lo aceptamos de forma natural, consuetudinaria, biológicamente, sin sobresaltos ni desasosiegos. La noche es lo normal después del día, cuando se apaga el crepúsculo de la tarde. La oscuridad se abate sobre nosotros con una majestuosidad y una parsimonia cuidadosas, como para no hacernos daño en nuestras costumbres cotidianas y por eso no le prestamos apenas atención a ese fenómeno, repetitivo y hermoso. Cae sobre todo y sobre todos.

Pero en el mar es al revés, me dijo Solar, el proceso invertía sus vértices y sus confluencias, y lo revolvía todo.

—Es como estar entre el público en un teatro, sentado en el patio de butacas, tan campante, ¿me entiendes tú? —me dijo—, y de repente miras hacia abajo y ves desde el escenario todo el público mirándote, a ver lo que haces, Harry, eso te dicen con los ojos, cómo te desenvuelves, cómo relatas tu papel, cómo interpretas tu propio personaje,

Hiram Solar, el mundo es tuyo, ahí tienes el mar, ¿no lo querías, no lo habías buscado tanto?, y no puedes pedir nada, ni un momento de descanso, ni un instante de reflexión, que bajen el telón para rehacer la figura, para organizar los gestos y darle a tu voz el tono exacto que demanda la obra en ese mismo momento.

Lo dejé hablar. Se estaba desahogando, le brillaban los ojos y lo contaba todo como si el mar se le hubiera metido para siempre en el alma.

—Ahí, sin más, uno penetra la noche —me dijo con ímpetu en la voz, movía los brazos musculosos como si fueran aspas en el viento, como si hiciera un corte en el aire con un machete imaginario—, uno irrumpe en ella repentinamente, como si rasgara una cortina invisible más allá de la cual la oscuridad manda sobre el desorden al que te someten repentinamente los nervios de punta. Está uno en el día y casi instantáneamente, luego de atravesar por breves instantes un espacio vacío como si fuera el mar de nadie, bueno, te encuentras ya en otro mundo del que no puedes escaparte, una gran laguna llena de susurros y silencios al mismo tiempo, en la que no valen nada los códigos que te has aprendido de memoria para cuando pudiera ocurrir algo parecido. Ahí estás, viejo, suspendido en la nada, perdido en la eternidad y sin poder agarrarte ni a las plegarias de los orishas protectores, tratando de mirar al cielo negro sin querer echar los ojos ni por un momento a la negra superficie del agua.

¿Con luna?, le pregunté para espolearlo en ese instante del relato.

—Bueno, la noche con luna puede ser muy hermosa, de un plateado que se mueve sobre la oscuridad e ilumina de azul la superficie del mar —me dijo inmediatamente, sin desviarse mucho de sus obsesiones—, hasta romántica puede ser esa visión, chico. La claridad acompaña y las estrellas aparentan que están junto a quien las mira con una devoción que aleja la soledad, como esos retratos de personas que parecen que están vivas, que devuelven la mirada, que clavan los ojos en el espectador que a su vez siente esa mirada entrándole por el alma y dejándolo paralizado. Bueno, se pregunta el hombre, pero, carajo, si es una naturaleza sin vida, un cuadro nada más, ¿qué cojones me mira este comemierda que no es más que un retrato de un tipo que tal vez lleva muerto más de cien años? Y se desplaza hasta un rincón del salón para ver si ya, bueno, si los ojos del retrato se han olvidado de él, y nada, ¡qué cojones!, ahí sigue, buscándole el miedo, acabando con la paciencia, escudriñándole cada uno de sus pasos, incluso cada una de sus muecas y de sus gestos. Las estrellas son así en una noche clara, como mil ojos que te siguen, te acompañan, no te persiguen, ni te vigilan, sino que tú tienes la sensación de que te están cuidando, como ángeles buenos, elegguás de las oscuridades que te abren el camino y te dirigen sin que te des cuenta, Babalú llenando de señales el cielo, sin que notes que te llevan la mano al timón y te marcan el rumbo para que no te pierdas. Aparecen muchas crestas de olas que platean la oscuridad del mar, ¿me entiendes?, como relámpa-

gos repentinos que se acercan a los ojos de los navegantes y hacen titilar las cercanías y el horizonte
velado por la negrura.

Las estrellas titilando en el cielo como luciérnagas que no se apagan nunca, como si te estuvieran
acompañando y siguiendo miles de ojos. Recuerdo
perfectamente la imagen de la que hablaba Harry
Solar. En alguno de los primeros reportajes que le
hice en Cojímar, Pedro Infinito me contó la travesía que había hecho en el *Pilar* junto a Hemingway, y al escuchar con atención a Harry la descripción de la noche en el mar me acordé de ese relato
del isleño, cuya realidad constaté aunque ese episodio había sido poco divulgado incluso por los conocedores de las andanzas de Hemingway por el
mar Caribe. Era verdad que el paraje al que se refería el viejo pescador existía al sur de la isla de Puerto Rico, algunos quilómetros de carretera más allá
de la ciudad de Ponce.

Se llamaba La Parguera. No me dijo cómo
había surgido la idea de ese viaje, Hemingway era
imprevisible, me dijo en voz baja.

—Me llamaba —dijo Infinito—, me miraba
a los ojos para ganarme la voluntad, y me decía,
Petrusko, prepara el barco que nos vamos. Yo hubiera ido con él hasta más allá de las Quimbambas, te lo juro, gallego, por mi santa madre, me
daba lo mismo que fuéramos a pescar casteros que
a la guerra contra los submarinos alemanes que llegaban aquí, que hasta en Aruba quisieron pren-

derle candela a la refinería de petróleo los asesinos de mierda y hundieron un barco que salvó a toda la gente de la isla de una catástrofe, el *Pedernales* se llamaba el barco, me recuerdo bien de ese asunto que me contó Papá en ese viaje largo, cuando fuimos de pesca hasta Puerto Rico.

Zarparon casi con la madrugada desde la pequeña dársena del puerto de Cojímar, bien aprovisionados, con la bodega llena de víveres, pero sobre todo de trago, de botellas de ron, whisky y cervezas, porque al escritor le gustaba beber durante la travesía. Se pasaba los días en el puente de mando, oteando el horizonte, pescando y bebiendo, empecinado en sus manías y embebido con sus fantasmas y las sombras a las que a veces hablaba a gritos, como si estuvieran en el barco y los estuviera viendo, sin dejar de mirar a la cara del agua por donde habría de surgir el castero que había ido a buscar desde sus sueños de la noche anterior.

—A veces, oiga usted, compañero, días y días —me dijo Infinito, mirándome, con el cabo del Partagás apagado en la comisura de sus labios—, y ni un coño, nada, ni la sombra, ni un siguato siquiera al que pudiéramos echarle el anzuelo. Y eso que llevábamos de todo. Íbamos a la guerra, oiga usted, fíjate, a la rabirrubia la pescábamos al vuelo, tú ya sabes lo que es eso, dejando la pita que caminara sola, sin plomada alguna, que corriera a favor de la corriente y entre dos aguas. Llevábamos chambel para los pargos y las cabrillas y arpones para los dientusos que aparecieran en lugar de las agujas, ¿verdad?, y claro que sí, el curricán siempre iba escoltando la popa del *Pilar*, porque nunca se sabe lo que puede ocurrir en la mar, ¿sabes tú?, las cosas más raras suceden aunque no ocurran con frecuencia, pero pasan, mi palabra de honor. Y otras veces, no había que esperar ni siquiera un par de horas, sobre la marcha, carajo, ahí delante, sin apenas salir de puerto, se aparecían en manada, haciéndose los encontradizos, como si nos estuvieran esperando allí mismo para hacer una fiesta, un tenderete, un asadero con aguardiente, se levantaban desde el fondo y era una maravilla milagrosa verlos ahí, saltando, bailando, revolcándose casi en nuestra cara, siguiendo la barca con una obediencia que nadie les había pedido, siempre he sabido que es asunto de magia, no puede ser otra cosa...

Ese día el *Pilar* no enfiló el rumbo noroeste que los llevaría a pasar a cinco o seis millas de distancia aproximadamente por delante de La Habana después del amanecer, dejando la ciudad a babor, todavía envuelta en las brumas de la resaca y los humos de las primeras horas del día, coloreada de resplandores que surgían desde el horizonte y tornaban siluetas ligeramente malvas, por momentos violáceas y amarillentas, las sombras de los altos edificios recortadas sobre el gris del firmamento.

Entonces, en aquellos años de Hemingway en Cuba, todavía la ciudad de La Habana vivía la noche entera para ella sola, respiraba de noche como un pez gigantesco que nada a sus anchas por latitudes de festejo y bullicio. Todo el día no era más que un preparativo incesante y gimnástico para cuando llegara la noche, para vivir la juerga y el relajo de la noche, las luces de La Habana como luciérnagas bailando en la oscuridad. La Habana era una ciudad bailonga que no paraba de moverse en el vaivén interminable de la noche, era la Ciudad de la Noche por antonomasia. No era como ahora, que dormita de día y enmudece en la pequeña muerte de cada noche, cansada de la nada y mascando la inminencia de la nada de mañana mismo, el vacío de unas horas más tarde. Pero entonces era una ciudad coqueta, sensual, rumbera, putona hasta más allá de la luna, y gritona y excelsa, incluso podía ser vulgar en sus formas de diversión pero hipnótica en esas mismas maneras. Al amanecer se desperezaba lentamente de la noche y se desvaía el manto del cansancio divertido al que había estado duramente sometida a lo largo de las horas del regocijo lleno de luz de la noche.

Con las primeras albas de ese día el *Pilar* enrumbó una deriva distinta a la acostumbrada, porque Hemingway e Infinito se habían echado a la mar para una travesía de una semana que los llevaría hasta La Parguera, al sur de Puerto Rico, a muy pocas millas de la bahía de Guánica, por donde las tropas norteamericanas al mando de Nelson Miles habían entrado en la Isla el 25 de julio de 1898 para quedarse en ella con la coartada de librarla del colonialismo español.

—A mí me daba lo mismo, fíjate tú, mi amigo —Infinito hablaba riéndose, con la melancolía del recuerdo alumbrándole los ojos y dándole una fuerza esencial al tono de su voz, levemente emocionada—, si fui con el hombre hasta Japón en la guerra, bueno, pues, lo que él dijera, ¿cómo decirte, chico?, era difícil llevarle la contraria. Me miraba, decía, Petrusko, por ahí, y ya estaba matao, yo palante sin más, por donde él me mandara. Otra cosa es que preguntara, que me dijera, entonces Petrusko, ¿qué hacemos hoy?, y claro, yo le proponía mi ocurrencia, vamos pallá, Papá, o vamos paquí cerquita, míralo ahí mismito, que parece que se huele el pescado y el agua está más fría y oscura.

Rumbo SO, con un viento suave soplando desde el sur contra la proa del *Pilar*, dejaron atrás, a estribor, la costa arenosa de Varadero, surcada de pequeños cayos que le servían de trincheras y flotaban en el mar como dunas surgidas del fondo. Más adelante, siempre a estribor, las arenas blanquecinas de Cayo Coco barridas por el sol brillante del mediodía que azuló tibiamente la mar durante toda esa mañana. A lo largo de la tarde, sin parar en su deriva, dejaron atrás la costa de Nuevitas, Puerto Padre y Gibara, y ya de noche cerrada el *Pilar* entró en Guardalavaca donde echó el ancla a pocos metros de la orilla, en la playa de Don Lino, una pequeñísima extensión de arena blanca y limpia en casi media luna protegida por dos salientes coralinos que ofrecían la máxima confianza para hacer noche a los navegantes avezados.

Infinito conocía de sobra aquellos parajes para él tan familiares, porque a esas alturas podía sentir con el olfato cada latitud de la costa de Cuba. «Cada lugar huele distinto, la sal no es la misma, el mar tampoco es el mismo siempre, ni la costa ni los acantilados, eso hay que conocerlo bien, cada sitio tiene su color, eso hay que saberlo y será por algo, no tenga dudas de eso, mi amigo. Yo cierro los ojos, huelo y lo veo», decía el viejo Infinito en las conversadas de Cojímar, mientras Carlos Tabares lo provocaba para que contara su historia isleña, la del otro lado del Atlántico, la de Canarias y la otra costa, la africana. El viejo sonreía, echaba una larga bocanada del Partagás y se refugiaba sentencioso en viejos dichos del otro lado del mar. «Digo lo que mi padre, embajador don Carlos: yo, a la costa, ni amarrado.» Pero en esta parte del mundo Infinito era el amo de sus sentidos largos y profundos. Llevaba decenios dibujando mentalmente el mapa marino de Cuba en el interior de sus recuerdos y cuando el error se producía apenas nadie llegaba a notarlo, sino que pasaba inadvertido y tan sólo lo detectaba la brújula dubitativa de los ojos de Infinito.

Allí, en la playa de Don Lino, hicieron noche sin ningún contratiempo. Como siempre, el patrón preparó primero unos tragos con hielo para Hemingway (aunque Infinito se sirviera el ron seco y se lo tragara de un golpe, un giro de su muñeca derecha, seco y rápido, manía de pescador isleño que se le había quedado en su costumbre de calentar la garganta y el estómago de un solo trago), para luego entregarse a las labores de la cena. Limpió y asó hasta que se doró a su manera isleña un pargo de notables dimensiones y aliñó las papas, después de sancocharlas sin mondarles la piel, con un mojo verde hecho con vinagre, ajo, cilantro y perejil, cosecha gastronómica de su origen isleño que había traído consigo a Cuba desde Canarias, como un secreto al mismo tiempo sacral y doméstico que no compartía con nadie.

Aunque Hemingway no lo probaba, Infinito llevaba siempre en esas expediciones marinas un cartucho con un par de quilos de gofio, harina de millo tostado, que el viejo pescador mezclaba con todo lo que se pudiera comer. En esa ocasión había amasado su pella para el pescado: un puñado de gofio mojado con agua de mar y domado como barro con sus propias manos hasta que adquiría la consistencia deseada. «Cuando Papá me veía comiendo gofio», me dijo Infinito, «se quedaba mirándome unos segundos, con una socarronería del carajo parriba, y luego me decía levantando la voz embromada para joderme: ¡Petrusko, cómo te gusta el cemento, date prisa no vaya a hacérsete en el estómago una fragua y te vayas a morir! Pero yo no le hacía caso, ya lo conocía echando bromas y me daba lo mismo». Después de comer, Hemingway volvía a echarse otro par de tragos, ración doble de ron, con hielo picado y limón pero sin un grano de azúcar.

—Se quedaba dormido como un niño bueno e inocente, el hombre, aunque no estuviera borracho. Fíjate tú, él que siempre fue viejo nunca perdió el sueño, ni siquiera cuando se lo llevaron de Cuba con la excusa de esa enfermedad de la cabeza que yo nunca me creía, ésa fue su muerte, carajo, lo mataron. Yo se lo vi en los ojos, la tristeza con la que se despidió de mí, me estaba diciendo con los ojos, coño, coño, Petrusko, no me dejes salir de aquí, coño, ayúdame, que me van a matar, pero ¡qué cojones iba a ser yo si la señora se lo llevaba para Nueva Yol, a operarlo de no sé qué me dijo —me contó Infinito lamentándose.

Antes de que amaneciera reiniciaron la marcha. Después de levar anclas, los motores del *Pilar* hacían cabalgar el barco a toda máquina por encima de unas aguas que parecían una patena reluciente y calma, sin que la brisa levantara todavía la fuerza de las olas dormidas bajo la primera superficie del agua. A pocas millas de la costa cubana, que alternaba su paisaje verdoso con el amarillo de las pequeñas playas del litoral oriental y los acantilados color rata, entre pardo y verdoso, que se subían hasta la tierra firme de la Isla, como si vadeara un río del que la memoria de la embarcación conocía cada palmo escondido, el *Pilar* voló hasta Baracoa para alcanzar poco tiempo después la Punta del Fraile y enfilar rumbo noreste la deriva que los llevaría durante todo el día a ver a estribor la costa norte, terrosa y verde, de Haití y República Dominicana. Hasta llegar al atardecer de un día, en el que sólo se habían detenido a repostar durante unas horas en Puerto Plata, a las aguas mansas del interior de la península de Samaná, un paraíso salvaje y solitario cuyo magnetismo embriagó a Hemingway, que mandó a Infinito que largara el ancla para ver el fondo y allí mismo hacer noche. Con la fresca de la madrugada siguiente alcanzaron el Canal de la Mona, el brazo de mar que separa la costa oeste de República Dominicana de la isla de

Puerto Rico. Dejaron a babor la bahía de Cabo Rojo, ya en Puerto Rico, una inmensa playa en la punta suroeste de Borinquen a muy pocas millas de su destino, y finalmente llegaron a La Parguera.

—Chico, las cosas del hombre —me contestó Infinito cuando le pregunté por las razones de esa excursión tan exótica—, ya tú sabes que él era escritor y siempre andaba buscando para escribir, la pesca, claro, la mar. Coooñooo, si ése era su mundo, ¿qué cosa querían? Si salía de La Vigía era para ir a Nueva Yol, a veces solo, a veces con miss Mary, porque todo eso de la caza en África y de los toreros, bueno, seguía pensando en esos vicios, le gustaban de verdad, pero ya los ejercía poco. Los negocios, sus cosas de la escritura y las revistas, eso era otra cosa distinta. El hombre no paraba ni un momento. Cuando estaba en Cuba, ahí en La Vigía, se mandaba horas y horas todos los días, de pie, escribiendo, se movía por la habitación y de vez en cuando se tendía en la cama como si quisiera dormirse un rato, después de quitar los papeles, los libros y las cartas de encima de la cama. Porque siempre tenía la cama llena de cosas, palabra de honor, como te lo estoy contando, pero lo único que hacía era descansar unos minutos y más nada. Se levantaba, se estiraba y otra vez de pie, a escribir, claro, dicen que tenía almorranas ahí, ya sabes, y por eso no podía estar sentado mucho tiempo, inventos digo yo, la gente que es muy requetecabrona y comemierda, ahora ya puedo hablar así, y contar cosas de Papá sin que nadie me mande callar, ni siquiera miss Mary, tremenda mujer, carajo, que lo vigilaba todo el día para que no se le escapara. Yo lo veía trabajando como un burro, doblado el espinazo de gigante sobre los papeles, ahí está la máquina negra todavía, primero con la mano, escribía con la mano, pero además él mismo me lo contaba, yo, Petrusko, hasta que no escribo tres mil palabras, nada, para mí no ha empezado el día, ¿no es verdad?, ni quería ver a nadie ni recibía a nadie hasta que escribía tres mil palabras al día, y entonces ya era otro, le entraba un regocijo por todo el cuerpo y se mandaba los dos primeros tragos helados del día. Cuando se iba a los Estados Unidos era otro mundo, allí no podía estar, ni siquiera podía escribir, mi amigo, eso te lo juro yo. Se enfermaba, se enloquecía, se llenaba de tristeza, le importaban tres cojones los Estados Unidos, él no era un americano normal. Una vez fue a Nueva Yol a pegarle una mano de guantazos a un periodista que había dicho que Papá era un mal escritor, tremendo atrevimiento el del tipo, ¿verdad? Se levantó enfurecido aquella mañana, estaba aciclonado y no había quien lo metiera a viaje, lo recuerdo muy bien. Me mandó llamar. Petrusko, me dijo, vamos a Nueva Yol, acompáñame, que le voy a dar dos tiros a ese gran cabrón, le voy a hacer un favor al resto del mundo. ¿Yo a Nueva Yol?, no me joda, Papá, yo soy cubano, le dije, coño, no puedo entrar en Estados Unidos cuando se me dé la gana. El se rió porque recordaba seguro cómo nos habíamos conocido en Dry Tortuga durante un huracán que nos obligó a refugiarnos allí un par de días. Allí, en Dry Tortuga, en el bar de Peter, me recuerdo bien, entró aquel hombre grande y gordo, un gigante con el pelo entre rubio y cano y una barba de yanqui viejo, con unos *chor* usadísimos que le dejaban ver las piernas grandes y flacas, casi huesudas, alpargatas y una camisa blanca que estaba muy manchada de aceite. Y me preguntó de sopetón, medio en español medio en americano, esa cosa que no se sabe qué carajo de lengua es, oye, tú, ¿tú eres Pedro Infinito, el cubano? No le contesté nada, paqué, él se quedó mirando muy abusador y descarado, ya tú sabes como son los yanquis, unos abusadores que le robaron la tierra a los indios y todo, y ni esperó que le dijera nada. Me dijo señalándome con un dedo en el pecho, viejo, tú me tienes que llevar a Cuba, tenemos que ser amigos, y yo me aparté un poco, cubriéndome de él, claro, y lo miré de frente, atravesándolo, le puse la mano delante para que la viera, para que se diera cuenta de que yo también era una persona como él, que me importaba un carajo que fuera gringo, ¿no es verdad? Y entonces le dije, yo no te llevo a ti a ningún lugar y menos a Cuba, gran carajo, comemierda, tú eres americano y yo cubano, a ver, dime, coñotumadre, él no me entendía mucho mi español, ésa es la verdad, menos mal, a ver, dime, mi hermano, ¿cómo vamos a ser nosotros amigos, un cubano que soy yo y un americano que eres tú?, le dije. De eso se estaría acordando Papá cuando le respondí que yo no iba a Nueva Yol porque era cubano. Cogió un avión, como te estaba contando, y se fue de Rancho Boyeros a Laguardia, como un tiro, eso me dijo. Se bajó del avión,

cogió un taxi directo al bar donde estaba el gran
cabrón que había escrito aquello contra él, le roncan los cojones, mi hermano, decirle eso a Papá,
se sentó, eso me dijo, medio escondido, pidió un
trago largo y esperó. Era el mediodía en Nueva
Yol, un frío del carajo, me dijo, y él se sopló dos o
tres tragos esperando al gran cabrón. Y allí que llegó el otro a almorzar, tan campante como si nunca
hubiera matado una mosca, y entonces Papá dejó
su lugar y se acercó al tipo más nada y le dijo, oye,
tú eres ese fulano de tal, ¿no?, como carajo se llamara el tipejo, que no me recuerdo del nombre, y
escribes en tal sitio, yo no sé donde, la verdad que
de esas cosas yo no aprendí nunca, y el otro comemierda se pone bravo, sacó pecho, fíjate tú, a Papá,
que no le tenía miedo ni a Tarzán, que incluso
mató un león de un lanzazo en África, por eso lo
llamaban marqués de la caza en África, me lo contó
Papá mismo a mí, ¿por qué no iba yo a creérselo si
a mí nunca me contaba mentiras?, y el otro le dijo, claro, claro, Emingüey, amigo, yo soy, pensaba
el tipo en la bobería más grande del mundo, será
comemierda, que Papá había venido a hablar con
él, a darle un beso en el hocico feo, vaya clase de
comemierda el gringo, y entonces, pam, pam, le
pegó un par de trompadas y lo tumbó de espaldas
allí mismo, lo dejó muerto delante de todo el mundo, como en las películas americanas, él sabía pegar, claro que sabía, le encantaba el boxeo, y fue
muy amigo, ¿sabes tú de quién fue muy amigo?,
de Kid Tunero, que nada menos, ése sí era un gran
hombre, una persona completa, y Papá lo quería

mucho, hasta le contaba los secretos de la pesca de la aguja, cómo preparaba él los anzuelos, ¿te das cuenta de lo que eso significa?, que no se lo contaba a nadie, ni hablar, sólo a Tunero, a Evelio Mustelier, así se llamaba, y no llegó a ser campeón del mundo porque era tan buena persona que se subía al ring y luego le daba pena de pegarle al otro. Sólo se defendía, a quién se le ocurre. Me dijo que no alcanzó más que a verle la cara de miedo que le había entrado al gran cabrón cuando se iba cayendo patrás de la fuerza de los golpes, como te lo cuento, porque él traspuso, dio un portazo y salió a la calle, un frío del carajo en Nueva Yol al mediodía. Bueno, cogió un taxi, y le dijo al chofer, venga palante, al aeropuerto de Laguardia que me voy para Cuba, que se me hace tarde, maifrén, le dijo al hombre, ésa es mi casa, ¿te figuras tú la cara del chofer pensando que llevaba de pasajero a un viejo borracho y loco que a él le sonaba de algo la cara, que le estaba contando que le había dado un par de trompadas a un cabrón en aquel bar? Mi madre, me lo perdí, se vino pacá y llegó oscureciendo, me recuerdo, nos llamó a tres o cuatro a La Vigía y lo celebramos con mucho trago y unas langostas que yo asé allí mismo al lado de la piscina ayudado por René Villarreal, y nos las comimos debajo mismo de la ceiba que luego le cortó miss Mary, fue un disgusto, pero ésa es otra historia distinta. Papá era así, un chiquillo pequeño, parecía un pepillo cualquiera cuando decidía las cosas, no había quien lo hiciera volverse atrás, menos cuando intervenía miss Mary, ahí la cosa cambiaba

que daba miedo... A La Habana iba poco, por lo
menos desde que estaba en La Vigía, porque antes
vivía allí mismo, en el hotel Ambos Mundos, ahí,
en la calle Obispo, en la misma Habana Vieja. Iba
a echarse los tragos en El Floridita, ya tú sabes. El
resto era la mar, los viajes largos a otras partes se
habían acabado en esa época, Europa, yo qué sé,
África, eso se había acabado. Papá me lo decía por
último —y el viejo Infinito señalaba a sus espaldas, con el dedo pulgar de la mano derecha, un retrato de Hemingway al natural y polícromo, bastante naïf, que reposaba sobre la pared mayor del
salón de su casa—, el que quiera verme, que venga
a La Vigía, Petrusko. En la playa del Confital lo
decíamos desde chicos, el que quiera lapas que se
moje el culo. Estaba cansado de muchas cosas, pero de la mar nunca, de la pesca jamás, y eso que
casi se mata cuando se cayó de cabeza del puente
del *Pilar*, un golpe de mar, y pam, pam, al piso, se
hizo una zanja en la frente con más sangre que si
hubieran desollado a una res en el matadero del
Puerto. Y yo qué sé, compadre, le habían encargado de una revista de por allá, de California me recuerdo ahora, creo, que escribiera de ese paraje de
Puerto Rico. Eso me dijo, vamos pescando y llegamos en dos o tres días, me dijo Papá, y para allá
fuimos a eso, porque allí había un bichito que, coooño, coooño, coooño, si usted lo viera, mi hermano,
era único en el mundo, decía Papá, sólo había en
otro lugar, lejos de América, en no sé qué sitio del
Japón, me dijo Papá. Había que verlo de noche,
todavía no lo habían descubierto bien los america-

nos ni se lo habían cogido para ellos, brillaba de
noche en el mar, para verlo había que hacer aguaje
sobre la cara del agua, o cuando la quilla hendía la
mar oscura, eran como gusanos de luz, carajo, mi
hermano, y entonces saltaban puntitos de luz en
el aire, como estrellitas guiñando los ojos un momentico, una espuma que brillaba en el aire. Papá
fue a buscarlas allá, a ese lugar de La Parguera,
chico, y si fui hasta el Japón con el hombre, ¿por
qué no iba a ir yo aquí mismito, a La Parguera, si esto también es nuestro, son como nosotros los puertorriqueños a pesar de los americanos, ¿qué tú te
imaginas, gallego?

Pedro Infinito me habló tanto de La Parguera, me la describió con tanto entusiasmo y con tanta
convicción que, pocos años después, hice que se
me presentara la ocasión de ir a San Juan para escribir unas crónicas con motivo del referéndum
de la estadidad, donde se iba a decidir si la isla de
Puerto Rico se convertiría en un estado más de la
Unión, una estrella más de los Estados Unidos de
América, o si por el contrario los puertorriqueños
seguirían con ese curioso estatuto de ser al mismo
tiempo estado libre pero asociado con los Estados
Unidos de América. Busqué entonces el modo de
acercarme a La Parguera porque la magia de las
palabras del viejo Infinito había dejado en mí un
eco de leyenda que deseaba palpar con mis manos
y beberme con mis ojos. Pero para llegar a aquel
extraño paraíso marino había que atravesar la isla
entera en automóvil, desde San Juan hasta la ciudad de Ponce, en el sur, lo que me llevó aproxima-

damente dos horas largas. Al llegar a Guánica, vi a
la izquierda la bahía y la playa en la que desembar-
caron los marines yanquis al mando del general Miles, y corriendo hacia el oeste, a pocos quilómetros, la desviación a La Parguera se abrió ante mí.
Sentía entrar en el olfato la cercanía yodada del
mar en toda esa franja de tierra y, después de unos
pocos minutos de conducción, tras la última curva, llegué de frente a La Parguera, un embarcadero
de madera pintado de blanco alrededor del que había ido creciendo un pequeño pueblo que en origen tuvo que ser necesariamente de pescadores.

Esa zona mágica está llena de parecidos hallazgos geográficos y el viajero tiene la sensación de
haberse encontrado ya allí, en ese paraje que todavía
escapa a los desmanes del turismo, como si estuviera protegido por los dioses del lugar. Seguramente
los pescadores de esa parte de la costa puertorrique-
ña viven acostumbrados a esos paisajes naturales
que desbordaron de inmediato mi mentalidad de
viajero europeo a la búsqueda de impresiones exóti-
cas. Toda Lajas, donde se ubica exactamente La Parguera, es una parte de la isla del tesoro que hay que
descubrir con parsimonia y atención, para ir do-
blándole la voluntad de resistencia a esa misma geografía, desde Joyuda a Boquerón, que son playas
inmensas y balnearios insolentes de sol y arenas fi-
nísimas, amarillas y blancas, hasta la misma punta
de Cabo Rojo donde, sin duda, debió detenerse durante unas horas el *Pilar* de Hemingway y del viejo
Infinito en el viaje que me contó el isleño para mis
reportajes de televisión, aunque yo no le creyera en

principio todo cuanto me estaba relatando con aquel entusiasmo desbordante.

En la lejanía, cuando la brillantez del sol se refleja sobre las aguas a media mañana, la visibilidad se extiende desde la orilla al mismo horizonte, meciéndose en medio del Canal de la Mona un islote solitario, que es el que suelen alcanzar en la primera instancia del mar los haitianos y dominicanos (los dominicanyor, los llaman cuando regresan a la República Dominicana enseñando dólares fáciles) que escapan en yolas de la pobreza, buscando en el suicidio de una travesía plagada de peligros e incertidumbres la única salida a sus males, la Yuma, los Estados Unidos de América, Puerto Rico, el cielo, el fula, la libertad.

Esperé la noche en La Parguera, en un parador situado junto al mar, sentado en el bar y bebiendo ron Don Q cristal, mientras las aspas de los ventiladores eléctricos enviaban desde el techo del recinto el zumbido continuo del aire más fresco de todo el lugar (y lo recordaba ahora, en aquel bar mítico de Cayo Hueso, oyendo contar a Hiram Solar su travesía del estrecho de la Florida). Esperé que cayera la noche en esa parte del trópico para acercarme entonces a la Bahía Fosforescente, situada a pocas millas del embarcadero de La Parguera. La publicidad turística alardeaba de aquel espacio mágico en términos tan atractivos como el lenguaje entusiasta del viejo Infinito al contarme su propia experiencia. Los fondos marinos de la bahía estaban habitados por unas fosforescencias que efectivamente se hacían visibles bailando en el aire, saltando desde el agua oscura del mar y encendiendo con una luz de muy breve vida el camino que la quilla de la embarcación agitaba en la superficie del agua en plena oscuridad.

Ahí, ante mis ojos, estaba ahora el recuerdo del viejo Infinito bailando en el aire limpio y oscuro de la noche caribe. Para mí y para algunos pocos turistas que asistíamos al ritual de la microbacteria extasiados por la aparición de aquel bichito llamado Tino Flagelado, a través de cuya luminosidad —tan repentina como fugaz— el tiempo venía a cobrarse aquí la dimensión sideral de la eternidad. Y, a partir de esa noche, mantengo en mi memoria la fijación de aquel lugar del mundo tan distinto y excéntrico al que vivimos todos los días, la continuidad del paisaje de La Parguera, la densidad oscura de sus aguas marinas, el camino a través de los manglares que hunden las raíces en el mar hasta convertirlo, durante millas, en una selva llena de canales que se bifurcan constantemente y donde es muy fácil perderse días enteros si no se va acompañado de un guía que conozca el lugar como la misma palma de su mano; recuerdo las casas de madera, que parecen flotar en la superficie, construidas en las mismas orillas de esos canales o colgando de las raíces de los árboles empapados del agua estática de la bahía, como si estuviéramos en las riberas del Mississippi, las iguanas gigantes salidas de tiempos remotos, retozando sobre las piedras, adormiladas por los rayos del sol de media tarde o persiguiendo curiosas, desde su reposo de animales privilegiados, el ir y venir incesante de las canoas a través de los canales, los caminos del mangle y sus secretos escondrijos.

Dicen que le pusieron ese nombre, La Parguera, porque allí llegan en su temporada los cardúmenes de pargos para la ceremonia de la reproducción. Allí, en La Parguera, los acechan los tiburones blancos, los cabezas de batea y los pinta roja del Caribe buscando su parte del festín. Exactamente igual que esperan, al acecho e inflexibles en su demanda, con una paciencia intuitiva de siglos, en las corrientes contradictorias del Golfo, en medio del estrecho de la Florida, a los balseros cubanos. Y me prometí entonces —con la voz de fondo de Hiram Solar musicando mis propios recuerdos—, como me prometí también secretamente buscar el manuscrito inédito de *The Shot* que se había perdido cuando se llevaron al escritor de Cuba, escribir yo alguna vez el reportaje que nunca encontré sobre La Parguera en la bibliografía de Hemingway.

—Pero no había luna, ni estrellas, Marcelo —la voz de Harry insistiendo, despertándome de mis propios recuerdos ensimismados—. Estaba todo nublado. Aunque la luna se esforzaba por aparecer durante unos segundos, zas, zas, zas, mi hermano, visto y no visto, otra vez el infierno entero, como un abismo el mar delante de ti, para ti solo, comiéndote todas las salidas que te puedes imaginar en ese momento.

Me dijo que en esa misma tranquilidad, en un letargo milagroso que hacía del mar incluso un reconfortante lugar en ningún sitio, avanzaron sin dificultades hasta la medianoche, más o menos. El motor andaba en condiciones más que perfectas, trabajando a pleno rendimiento, y la embarcación flotaba sobre las aguas del Estrecho como si hermosamente hubiera nacido nada más que para ese exclusivo acontecimiento en el destino de los evadidos. A pesar de todo, Hiram Solar notó que con la noche aumentaba ostensiblemente la velocidad del viento y el oleaje creció en unos minutos enchumbando los cuerpos de los navegantes y haciendo más resbaladizo el piso de la embarcación.

Mientras fue oscureciendo, Harry entrevió la incertidumbre y el miedo en las miradas erráticas de algunos de los tripulantes, que seguramente se perdían en todo género de conjeturas dando pie en su interior al pábulo de las supersticiones de la mar. El silencio que durante esa parte de la singladura crecía como un descanso contra la ansiedad retenida en los preparativos de la escapada, se transformaba paradójicamente en un enemigo más y terminaba por provocar en algunos de los fugitivos el temblor vertiginoso del miedo. Era inevitable, porque en su mayoría nunca habían navegado y no sabían qué era exactamente una noche entera en el mar. Pero el hecho de que no hubieran surgido contratiempos importantes hasta ese instante del viaje, les había dado a todos un aire de relajación y tranquilidad que se notaba en la camaradería verbal y en la ayuda que se prestaban unos a otros.

Jorge Luis Camacho estuvo muchas horas atento al timón, sin perder un ojo del surco que iba dejando el rumbo sobre la cara del agua para desaparecer unos segundos más tardes y volver a la nada aquella cicatriz instantánea. Vigilaba las olas con una entrega apasionada, como si hubiera estado estudiando libros de navegación desde que decidió fugarse en la misma aventura de Harry Solar. Su gesto serio, contundente y seguro semejaba el de un experto en oceanografía y en todas las cosas marinas, y mirándolo con cierta atención cualquiera hubiera podido llegar a decir que la náutica no tenía secreto alguno para él, como si además se hubiera devorado para aprendérselos de memoria todos los libros de viaje que se hubieran editado en el mundo y hubieran caído en sus manos. Parecía que Jorge Luis siempre había sido un marinero avezado, no perdía de vista el más mínimo celaje que se dibujara sobre el mar. Traducía (o parecía traducir) los movimientos del agua e interpretaba las rayas de las olas, los cambios del color del agua en la superficie y los más pequeños puntos en el horizonte.

Las mujeres, mientras tanto, se arrimaban las unas a las otras y miraban a los hombres: les sonreían cada vez que se encontraban sus ojos en el aire yodado de alta mar. Era un modo de infundirse ánimos. Efraín atendía al motor con el rigor quirúrgico de un médico en una delicada intervención, como si se tratara de una operación de vida o muerte. Estudiaba y apuntaba la temperatura exacta en cada momento, la lubricación de las bielas, el ruido mismo del motor de la embarcación, hasta que le resultó familiar y monótono cada ronquido y reconoció, simplemente por el sonido, algunos ronroneos que rompían la rutina y que venían provocados por el oleaje creciente. Harry Solar corregía con la brújula constantemente el rumbo del barco, porque las corrientes, los vientos del Estrecho y el mismo oleaje influían tanto en la derrota de la embarcación que en un descuido podían terminar desviando el timón y naufragando en medio del mar o al otro lado del mundo, más allá de Matanzas, en las costas de Cárdenas. Efraín demostraba una actividad febril y delataba que creía en todo cuanto estaba haciendo. A veces pedía la ayuda de Delia Camín y de Cleva Suárez, su mujer. Otros huidos dormían ya profundamente, en las horas del sol vespertino, como si no fuera con ellos todo cuanto ocurría a bordo.

Habían entrado en aguas del golfo de México y rumbo a la península de la Florida alrededor de la 1 p.m. Como la salida se había hecho desde Quiebrahacha, Cayo Hueso no quedaba para la embarcación a 90 millas, como cuando se zarpa desde el puerto de La Habana o de las playas de los alrededores, Marianao y Jaimanitas, por el oeste, Guanabo o Camarioca, por el este, por Matanzas o Cárdenas, que están al noreste de la Isla. Se entra entonces directamente en el Estrecho, porque en esas circunstancias geográficas la corriente da órdenes al lanchón de que camine en esa deriva. Pero en el caso de la travesía del *Progreso*, el destino que buscaban los evadidos al otro lado del brazo de mar quedaba a 115 millas aproximadamente, al noreste, 12°.

—Ahí comenzó a moverse la mar —dijo Solar—, las corrientes aumentaron sus fuerzas, las olas se nos venían encima y nos mojaban. Cualquier distracción del timón podíamos pagarla cara. De perdernos, tendríamos que hacer un esfuerzo enorme para recuperar el rumbo exacto que nos llevara hasta Cayo Hueso.

Ninguno de los tripulantes clandestinos había visto antes semejante negrura en torno suyo, de manera que ni siquiera distinguían sus propias manos, sino que sólo actuaban por intuición, adivinando los perfiles de los cuerpos, palpándose a cada paso cuando tenían que moverse en alguna dirección. Cada uno por su lado, envuelto en su propio silencio, buscaba ahora escapar del diablo del mareo que venía a romper la comodidad de una respiración hasta entonces normal. Seguramente se encomendaban, dentro de ese mismo silencio, a Babalú Ayé o a Cachita, mirándose de soslayo o manteniendo los ojos largo tiempo cerrados mientras apretaban las mandíbulas y trataban de sobreponerse al miedo creciente.

Se habían acabado las pilas de las dos linternas que llevaban los expedicionarios al subir al *Progreso,* y los fósforos al encenderse por unos segundos (la brisa de alta mar no permitía que la llama se extendiera viva en el tiempo más que unos instantes) levantaban sombras chinescas que dibujaban muecas monstruosas, amenazadoras y fantasmagóricas, en las que no quería reconocerse ninguno de los evadidos. A veces se animaban hablándose de cualquier asunto trivial, para que el sopor del si-

lencio no los fuera amodorrando hasta anularlos
del todo y procuraban ahuyentar el frío que iba
calándolos hasta los huesos. El frío y el miedo ata-
caban simultáneamente y terminaban por empapar sus cuerpos de un sudor gélido que entumecía
cada sensación, cada palabra, cada conversación de
las iniciadas para disimular aquella negrura del mar
del Golfo en plena noche.

Entonces el sueño comenzó a doblegar la
voluntad de Hiram Solar. Se dio cuenta de cómo
se le venía encima sin poder evitar la fuerza incon-
tenible del cansancio. No podía decir sin embargo
que esa sensación de abotagamiento general fuera
exactamente el cansancio, sino un extraño estado
de ánimo que lo subía a los cielos inexistentes y lo
hundía en los infiernos imaginarios en pocos segundos. La exaltación anímica de las últimas horas
lo había sumido en un frenesí exhaustivo mientras
la actividad galopante en el *Progreso* fue necesaria.
Luego, cuando la travesía avanzó las primeras millas sin ningún contratiempo, la luz del día comenzó a menguar. El sol iba decayendo en la lejanía y el horizonte se tornó cada vez más gris y
amoratado, el grado de excitación bajó la fiebre
nerviosa de muchos de los tripulantes, y Solar notó que le sobrevenía un sentimiento de perplejidad
desconocido hasta ahora. Esperaba tantos obstáculos, había tenido tantos malos sueños en los momentos en que dibujaba su escapada durante los
meses que pasó escondido en los solares y cuartos
de Lawton, Marianao y Guanabacoa, que fue encontrando como pudo Petra Porter, que ahora se

despertaba en todo su organismo un ánimo eufórico, tan sorprendente como peligroso, en la medida en que el espejismo podía engañarlo en cualquier momento para llevárselo hasta el abismo del naufragio y la zozobra.

La noche anterior, en el desasosiego de los preparativos nerviosos del viaje, no había dejado lugar a reflexión alguna, sino que durante todas esas horas actuó como un artefacto automático, dominado por un mecanismo reflejo aceitado a conciencia para esa aventura de su vida, entregado en cuerpo y alma exclusivamente a esa misión que en principio sólo él mismo y Petra Porter creyeron posible. Ahora el cansancio le amarraba el cuerpo, le hipnotizaba el orden del alma restándole importancia a todo cuanto había magnificado con sumo cuidado durante los días previos al viaje. Ahora la sal comenzaba a estirarle y a irritarle pegajosamente la piel, y el sopor de la tarde arreciaba sobre su vista hasta hacerle dudar de las imágenes que se movían sobre el piso de la embarcación. Lo iba poco a poco embriagando la soñarrera, que paradójicamente había deseado durante tantos meses de angustioso encierro, cuando cayó en la cuenta de que no había comido nada, sólo un mendrugo de pan duro con dulce de guayaba en conserva y un trozo de queso crema. Se había convencido tanto de que había que guardar los alimentos para el resto de la singladura que incluso se olvidó de la necesidad de comer.

—Chico —dijo Solar—, todos comenzamos a ver irrealidades en cuanto la noche fue viniéndosenos encima. No nos dimos cuenta de que esas alucinaciones eran provocadas por el cansancio y el miedo a la oscuridad que se avecinaba, ésa es la verdad, teníamos pánico a pesar de que todo iba saliéndonos cheverísimo.

Recordó que antes de que terminara de oscurecer en el mar, ya estaba mirando el reloj y deseando que amaneciera inmediatamente. Sabía de antemano que ningún dios, ningún orisha, ni siquiera Oggún, el amo del hierro, Oyó Oggún, Papá Oggún, que caminó sobre las aguas en las escrituras cristianas; ni el mismo Oggún Kobú-Kobú, Aguanilé (como le rezan sus hijos, acostados boca abajo, implorando con los brazos completamente pegados al cuerpo), ni Oggún el herrero, con su machete que corta los troncos y las selvas de la manigua oscura para que atraviesen la espesura los demás dioses y ángeles; ni siquiera ese orisha de gran poder milagroso disponía de la magia para que el tiempo de la noche desapareciera del alta mar y pasara en un instante la pesadilla del miedo que se les venía encima. Buscaba la luz del amanecer en el imposible lugar de su propio deseo, y se imaginaba en tierra firme, sonriéndole a quienes los habían ido a socorrer en alta mar y los transportaban fuera del peligro, a salvo de los monstruos marinos y de las supersticiones que crecían en torno al pesado silencio lleno de soledad. También barruntaba que aquella espera del tiempo sería la peor parte del viaje. Sabía que amanecía a las 7 a.m. Y en ese momento de la travesía todavía no eran las 2 a.m. Faltaban, pues, cinco horas largas de travesía.

Fue en ese instante cuando Harry Solar sufrió el único percance de la singladura antes de dormirse completamente exhausto. Para evitar que el oleaje siguiera mojando los cuerpos de las mujeres, a pesar de que estaban resguardadas, Solar decidió que todos cambiaran de posición en el barco, buscando nuevos equilibrios. Entonces, al moverse para dar las órdenes, él mismo perdió durante unos segundos su equilibrio físico, patinó sobre el jabí mojado del piso y alcanzó en el terror de sus ojos a ver dibujada la puerta del infierno en la negrura del cielo que ahora volteaba el norte con el sur, trastocando la aparente seguridad de orientación de la que había gozado hasta ese momento su ánimo. En esa lucha instantánea, la mochila que llevaba atada a sus espaldas se le enredó en la barra de transmisión del motor que en ese momento estaría girando a más de 2.500 revoluciones por minuto. Repentinamente, como si lo hubiera picado una serpiente venenosa, comenzó una lucha vertiginosa por escapar de la mala suerte mientras intentaba sobreponerse a su propio desequilibrio. Recordó por un momento su aventura en el Angará siberiano, cómo escapó de la muerte, y entonces soltó la mochila, se deshizo de ella por simple instinto de conservación, sin reponerse del miedo, en plena sorpresa, aterrado por el ruido gravemente gutural que ahora hacía el motor del *Progreso*. La mochila dio entonces quince o veinte vueltas epilépticas en el aire, atenazada en la barra de transmisión, y se destrozó sin oponer resistencia alguna, como una caña de azúcar despalillada en un segundo por el Collins afilado de un guajiro maduro.

Allí, en esa mochila, iban todos los elementos personales que Hiram Solar había sacado de la Isla. Pero de todos los fetiches de Solar, quedó milagrosamente intacta la Biblia que Petra Porter le había regalado antes del viaje. Había decidido llevarla en la aventura, en lugar de dejarla en Cuba. Sobre todo porque allí, en las páginas de aquel libro sagrado llevaba las señas, las direcciones y los números de los teléfonos de cuantos familiares y amigos se quedaban en La Habana. Tal vez ese accidente fortuito e impensable, que fue resuelto en pocos minutos, terminó de cansarlo y lo entregó a los malos sueños y a las pesadillas que le había pronosticado el viejo Infinito en las conversadas de Cojímar.

—Y ahí, viejo, ahí mismito estaba —me dijo Hiram alterando su voz, agitando su respiración, como si estuviera viendo de nuevo el espejismo fantástico: señalaba hacia el exterior luminoso de la calle desde el interior del Sloppy—, ahí estaba La Habana. Apareció de repente, como un cuadro de colores oscuros y tenebrosos cuyas imágenes oscilaban levemente ante mis ojos medio dormidos. El lanchón no obedecía órdenes, al contrario, las daba. No podía gritar, ni avisar a ninguno de los tripulantes, aunque me daba cuenta de que estaba intentándolo con todas mis fuerzas. Durante un tiempo me sentí atado a mí mismo, pero luego logré levantarme y fui hasta el timón. Vi que estaba aferrado a su deriva como si recibiera órdenes de una computadora a la que no se le podía ya llevar la contraria. Era tan real que por instantes pensé que alargándome podía tocar con mi mano las fachadas medio sumergidas en el mar de La Habana Vieja. Olía a cloaca abierta, a cadáveres de auras tiñosas, a pozo negro.

Un olor a fetidez infranqueable, como de alcantarilla atascada desde hacía muchos años, y el hedor del guano descompuesto salían en humaredas de las casas abiertas de par en par (más que abiertas, sin puertas, todas parecían arrancadas de cuajo, a machetazos de violencia). En los patios de los viejos palacetes de mediados de siglo pasado, donde habían vivido las clases adineradas, los funcionarios y los intendentes antes de la Independencia; esos patios interiores donde, en el Periodo Especial del castrismo, se hacinaba la multitud mulata y negra que incesantemente había venido de Oriente durante décadas, ahora no había nadie, salvo la soledad de un eco grave, de caña hueca, de metales percudidos por los muchos años de desidia y abandono. La tufarada que subía desde las profundidades de los oscuros edificios que iba viendo Solar en su viaje infernal se transformaba en una fumata ligera que crecía y se esparcía en el aire hasta inundarlo todo, de manera que le evitaba al navegante una mirada más larga que pudiera ubicarlo físicamente en aquel laberinto. A veces, el eco del viento se mezclaba con el oleaje que estallaba en las esquinas de la parte vieja de la ciudad, en lo que quedaba del Malecón y de las escolleras carcomidas por la lepra salada del mar. El estruendo que se levantaba daba pánico, como si el estallido de una bomba tumbara las estructuras de hierro de los edificios que aún quedaban en pie. Ante los ojos asombrados de Harry chapoteaban lentamente en el fango pantanoso los juegos de muebles domésticos en otro tiempo de moda, avejentados ahora por el olvido, como si fueran perros callejeros a los que sus dueños habían abandonado sin pudor alguno en la podredumbre de aquel barrio con un pasado tan presuntuoso y altivo.

Entendí que Hiram Solar, en esta parte de su relato, me hablaba de esos vericuetos de calles estrechas, de esos dedales laberínticos que componían el corazón mismo de La Habana Vieja, tal vez parte de los barrios de Belén y Jesús María, o de los alrededores del Mercado Único, latitud de la ciudad que en sus momentos de esplendor fue un museo urbanístico único en el mundo. Yo mismo conocí esos territorios cuando comenzaban a descascarillarse por fuera y desmoronarse por dentro, en una decadencia irrefrenable que luego se fue extendiendo hacia los barrios fronterizos, hasta alcanzar Centro Habana y caminar como un cáncer urgido por la rabia y la gangrena hasta Miramar, arrasar el verdor y la exuberancia del Vedado y dejar La Habana entera como suspendida en la melancolía del tiempo pasado y en la nostalgia de un futuro que amenazaba con no llegar nunca.

Los ojos de Harry recorrían mentalmente la oscuridad de aquellas calles convertidas en canales por la entrada del agua de mar en sus predios urbanos, las columnas meciéndose en la misma negrura del agua como espectros que bailaban suavemente en la superficie, describiendo movimientos que dibujaban símbolos enigmáticos (como si todo el panteón de orishas africanos hubiera tomado aquella geografía como campo de diversión, bembé y tiempo enloquecidamente báquico), figuras temblorosas que la ansiedad mental de Hiram Solar no podía asimilar ni traducir en ese momento tan lejano de la lucidez, en el centro mismo de la pesadilla.

Ésa era la memoria de La Habana que sobrevivía por encima de su propia ruina, como si su organismo cimarrón tratara de armar de nuevo una vitalidad que ya pertenecía a la historia. En el fondo, todo el relato llevaba a un callejón de dudosa salida, a una pregunta esencial que Solar evitaba pronunciar expresamente pero que de una manera tácita, mirándome a los ojos de vez en cuando mientras hablaba, no dejaba de exigirme: ¿era posible la resurrección de aquel cadáver en descomposición que nadaba semisumergido por las aguas, en un Caribe impasible, o —por el contrario— esa pesadilla tormentosa que describía Harry significaba el final, el apocalipsis que los abakkuás más agresivos habían profetizado tal vez para La Habana y para toda Cuba?

—El problema —suspiró Solar— es que ese oriental, más blanco que la leche de la vaca *Ubre Blanca,* que para él era la mejor del mundo, carajo, siempre odió a La Habana. Le pareció el modelo de un mundo que había que extirpar, como Sodoma y Gomorra, o algo así, una ciudad a la que había que darle candela como Nerón quemó Roma, con la idea de destruir su memoria y crear desde las cenizas un nuevo universo, ¡tremendo disparate el del Hombre! Nos hipnotizó con esa euforia espantosa y el resultado es esta eternidad etérea en donde la frontera de lo real y lo irreal se ha perdido para siempre.

Vio el canal que fuera la Avenida de Bélgica, aunque los habaneros seguían llamándola por su verdadero nombre hasta el día de hoy, Monserrate. Y al llegar con sus ojos despavoridos a la esquina de Teniente Rey vislumbró al fondo, aunque no sabía explicarme cómo había llegado hasta allí, casi al Paseo del Prado, el Capitolio, la cúpula de casi cien metros suspendida en el aire como una bandera petrificada que los cubanos se empeñaron desde los tiempos de la Independencia en copiar de Washington, un homenaje a los libertadores (ironizaba Harry ahora sonriéndose mientras hablaba). Y, medio ahogada entre sombras de la noche y las aguas negras del Prado, ahí estaba ante sus ojos todavía el símbolo de la República de Cuba, absuelta por la historia (volvió a ironizar Hiram Solar) y por las aguas que ahogaban la ciudad.

Colegí que en la pesadilla de Harry su barca había enrumbado Morro adelante, bordeando la Avenida del Puerto y dando la vuelta a estribor, tumbando el rumbo parcialmente para entrar por Monserrate y, pasada La Habana Vieja, los dedales de callejuelas y esquinas ya irreconocibles, encontrarse vertiginosamente en la frontera con Centro Habana, hasta darse de bruces con la mole física del Capitolio, la mitad de sus escaleras sumergidas bajo el mar y la otra mitad carcomida por el beso color marrón, leproso, salado y húmedo de las aguas; se daba de bruces, ahí al lado, con el Gran Teatro de La Habana, que en tiempos había sido el famoso Centro Gallego, y con el inmenso espacio abierto del Parque Central ya cubierto por el mar. Entonces me señaló imaginariamente el edificio centenario del Hotel Inglaterra, describiendo las terrazas hundidas, y la estructura arquitectónica que aún sobresalía de las aguas, como si fuera un animal antediluviano al que se le acabó su época y que se resiste todavía a morir ahogado en los abismos del mar.

En esas terrazas, en la misma acera del Louvre, convertidas con el regreso del turismo de los últimos años en un hervidero humano llevado allí por la curiosidad de verlo todo; en ese lugar central del alma habanera, transformado en un mercado de carne jinetera, mulata, blanca y negra, había estado yo tomándome unos tragos con Petra Porter cuando la crisis de los balseros se convirtió en primera plana de la actualidad en el mundo entero.

Pensé en ella mientras escuchaba ahora la voz monótona de Harry, nosotros dos ahora también al borde del mar, a este lado del estrecho de la Florida, en Cayo Hueso. La recordé en aquella fiesta de despedida en mi primer viaje a La Habana, en aquel palacete de Miramar que la Revolución había cedido a Tano Sánchez como residencia particular y en pago privilegiado a su leal comporta-

miento, antes desde luego de volverse díscolo y
caer en desgracia. Recordé que sus ojos color miel
me miraban desde una extraña lejitud, perplejos y
agradecidos, desde el otro lado del salón donde se
movían los otros amigos homenajeándome en mi
despedida. La recordé como era: un cuerpo de guitarra en una gacela negra, esbelta, atlética, de cuello largo, pómulos ligeramente sobresalientes de un
rostro sin mácula, piel cuidada para la caricia, su
boca de labios exactos entreabiertos para mí, los
hombros altos y los pechos firmes, sin exageracio-
nes, a la medida de su cuerpo y de la palma de mis
manos. Vi su cintura cimbreándose al compás de
la rumba que saltaba con una cadencia metálica,
con su estridencia de tumbadoras y bongós, hacia
todos los rincones del salón, y rebotaba en mis oídos como una exaltación del deseo que iba creciendo
en mí en aquel momento de la seducción. Miré de
reojo, evitando el descaro que me pedían mis sentidos, y vi que sus pies se movían al ritmo de la música,
mientras sus piernas de modelo parisina se abrían y
cerraban insinuantes. No pude más que sentirme
como ella quería, sin ninguna ambigüedad ni confusión, el único destinatario de aquella ceremonia de sacral acercamiento que Petra Porter iniciaba desde lejos, cuando yo escuchaba la música que
llegaba hasta nosotros provocando, en medio del tumulto y la semioscuridad del salón de la casa de Tano Sánchez, un instante de vertiginoso éxtasis.

Todavía no se había recuperado de la sorpresa que le habían provocado mis regalos de despedida y demoraba su mirada en mis ojos, tal vez pi-

diéndome con silencio cómplice que no perdiera la
ocasión que se nos presentaba ante la inminencia
de mi partida hacia Madrid. Esa tarde, horas antes de la fiesta de mi despedida, Tano Sánchez había venido a buscarme a mi cuarto del Habana Libre.
Las maletas estaban hechas, esperando a mañana
en un rincón de la habitación, y me quedaban por
recoger ya muy pocas cosas.

—No tengo pesos para la fiesta, mi hermano —me confesó apesadumbrado. Desvió la mirada hacia el mar, entrevisto anchamente a través de la cristalera que daba al balconcillo en el que
me sentaba todos los días a ver oscurecer en La
Habana.

—¿Qué hay que hacer? —le pregunté.

—Que tú compres los tragos y la comida en
la diplotienda —me dijo con una sonrisa de triste
resignación, escondidos sus ojos tras los cristales
ahumados de sus gafas—. Yo pongo la casa, la música, los amigos y la pasión. Eso no cuesta plata, pero es
más caro porque es de corazón, por tu madre.

Me dijo que tenía que bajar yo a comprarlo
todo, porque ni él ni ningún otro cubano sin permiso especial podían entrar a las diplotiendas donde todo se adquiría con dólares. Todo cuanto me
dijo para que no faltara nada en la fiesta de la noche lo compré sin reparar en los gastos. No valía la
pena ya mirar por el dinero cuando quedaba tan
poco tiempo para marcharme, y una hora más tarde lo subimos en el maletero del Lada color crudo de
Tano Sánchez, que partió rumbo a su casa. Pero yo
no subí inmediatamente a mi habitación, sino que

volví a entrar en la diplotienda del Habana Libre. Me había sorprendido, mientras comprábamos las botellas de ron Matusalem, la ginebra, las botellas de Coca-Cola, las cervezas, las aceitunas La Española, el jamón ibérico, las conservas saladas y los Partagás, un escaparate de la diplotienda con una novedad asombrosa para Cuba: un perfume parisino que dormía en una botellita de cristal color ébano, tan sofisticada como las que encontrábamos en las butiques especializadas del mundo occidental. Pero lo más sorprendente era que el perfume llevaba el nombre de la mítica bailarina cubana: *Alicia Alonso*. No pude aguantar la tentación y compré una de aquellas botellitas que la dependienta de la diplotienda me envolvió amablemente para regalo. A ese juego de seducción, añadí un bikini de dos piezas, color rojo almagre, un modelo de lujo que ninguna cubana podía permitirse comprar en aquella circunstancia de penuria constante.

Después subí de nuevo a mi habitación, me duché durante largo rato, cerré los ojos bajo el agua tibia, la dejé correr sobre mi cuerpo aquietado por el placer de la ducha, y la vi, la imaginé allí conmigo, el agua cayéndole encima de su cuerpo desnudo, sonriéndome. Sentí su voz, dos o tres palabras inconclusas mientras me acariaba el pecho con las yemas de sus dedos, y casi toqué su piel salvaje que se estremeció (lo noté, lo sentí) con mi contacto. Después me masajeé el cuerpo con mi colonia Loewe y acabé vistiéndome de «culpable», tal como siempre me reprochaba con sorna el propio

Hiram Solar desde aquella visita mía a La Habana. «Marcelo, a ti se te ve venir, se te pesca enseguidita», decía, «tú no disimulas, estás perdido, siempre vas vestido de culpable». Esa vez fueron unos zapatos marrones perfectamente limpios, sin calcetines, unos pantalones de lino color crudo, que había comprado muy baratos unos meses antes en un viaje a Caracas, y una camisa Sir Bonser color quisquilla, lavada a la piedra y de manga corta, adquirida en Madrid pocos días antes de iniciar ese primer viaje a Cuba.

Cuando llegué a la fiesta y después de saludar con besos y abrazos a todos los amigos y amigas, la busqué con disimulo, contradiciendo a Harry. La saqué del tumulto como pude, durante unos segundos, porque en mi torpe intención pretendía ser discreto, que no se me notara nada la atracción física que sentía por Petra Porter.

—Tengo algo para ti —le dije guardándome el nerviosismo—. Es mi regalo de despedida. Acompáñame.

Hizo un aspaviento de sorpresa, sin enmascarar la mueca divertida que sugería su cara cuando iniciaba una sonrisa. Se llevó a los labios con gesto coqueto la mano derecha completamente abierta e intentó una protesta tan falsa como amablemente teatral.

—Pero, oye, tú, Marcelo...—atinó a decir ella.

—Ven, ven aquí, por favor —le dije interrumpiéndole la frase exactamente donde ella quería.

Había dejado en el interior del taxi de dólares, que me esperó las seis horas de la fiesta aparcado junto al palacete de Tano Sánchez en Miramar, los regalos para Petra Porter, el perfume *Alicia Alonso* y el bikini almagre. Allí mismo, dentro del taxi y a la vista del chófer, abrió ella los tesoros, sus ojos lúbricos brillando entre la sorpresa y la aceptación sin tapujos, con un añadido de curiosidad y satisfacción, sus manos ligeramente temblorosas, unas gotitas de sudor incipiente moteando su cutis, sus dientes mordisqueando sus labios en un rictus sensual.

— ¡En la vida pude imaginármelo! —exclamó al abrir el perfume— ¡Alicia Alonso en perfume parisino, lo que hay que ver, señoras y señores! —añadió riéndose a carcajadas.

Después, la fiesta entró de lleno en la costumbre habanera, ese estado tumultuoso, confuso y alcohólico, ese marchamo anímico que los cubanos imprimen a la alegría de la música y la conversada amistosa, y pasó el tiempo como en un bálsamo lleno de bromas, tragos y bailes. No recuerdo bien si intuí entonces en sus ojos, mientras se movía al compás de la guaracha en medio del jolgorio, el aliento tímido pero preciso de la invitación. Pero cuando volví a buscarla en el rincón de la sala en la que me había citado con su mirada, Petra Porter no estaba allí. Me levanté acicateado por su ausencia repentina. Reprimí el impulso de la angustia con un esfuerzo que reclamaba la parsimonia, como si mi objetivo no fuera otro que unirme a algunos de los grupos que hablaban de pie a pocos metros del sillón de bambú donde había estado resguardándome de los peligros de la negra.

Como un autómata sonreía sin mirar a nadie, trotaba lentamente entre la gente más que caminaba, mientras guiaba mis pasos hacia el cuarto de baño del segundo piso. Subí las escaleras rápidamente, en cuanto salí del ángulo de visión de los invitados, y abrí sin pudor alguno la puerta del cuarto de baño. Ella estaba allí, sola, única, nueva, tal vez esperando mi llegada mientras se probaba el bikini rojo. Tenía puesta sólo la braguita, que no acababa de vestirle su sexo oculto entre las sortijas del vello brillante, y me miraba ensayando una sonrisa amañada con una leve mueca de sorpresa. La vi así, con sus tetas morenas, tersas, duras, redondas, solemnemente naturales: sus pezones erectos aureolando los rosetones morados que los sostenían en vilo. Respiraba con excitación contenida, dilatando sensualmente las aletas de su nariz, como si estuviera llamándome al deseo que me rompía por dentro la serenidad y el equilibrio de mis últimas horas en La Habana. Miré su cintura y sus piernas. Se me iban los ojos al espejo donde su figura seguía dibujándose petrificada, quieta, a la espera, como la mujer pintada de un óleo que me miraba fijamente, sin dejarme marchar, invitándome a entrar y cerrar la puerta del cuarto de baño. Fue una visión deshecha en décimas de segundo, una instantánea fulminante que me nubló la vista y me obligó torpemente a cerrar la puerta y a volverme al salón aparentando la emoción del homenajeado que está a punto de marcharse de la Isla. Nunca en mi vida me arrepentiré lo bastante de aquel gesto contrario a mis verdaderas intenciones, y durante todo el vuelo de regreso a Madrid la veía en el espejo con el bikini rojo almagre medio ajustado a su cintura y las tetas señalándome descaradamente el camino para llegar a la cumbre del mundo en un instante inédito de mi existencia.

Ahora recordaba aquel episodio lejano en el tiempo y la tenía allí, sentada conmigo en la terraza del Inglaterra, suavemente coqueta, insinuante como siempre conmigo su mirada pero sin llegar al descaro. Su piel yodada adquiría tonos más oscuros en un rostro cuyos gestos gráciles se dejaban llevar por una constante sonrisa. Al caer la tarde se hacía difícil sustraerse al embrujo que provocaba cada movimiento de su cuerpo, sensual tan sólo al moverse para alcanzarse el vaso de mojito a sus labios carnosos, semiabiertos como siempre, atractiva en la medida exacta de su mestizaje. Me atreví a decírselo, no supe si con la intención de conmoverla vanidosamente. Tampoco supe si había superado por fin el veto de distancia que yo me había impuesto desde que conocí a toda la Tribu en el Habana Libre, años atrás, a pesar de la visión del espejo en el palacete de Miramar, ese instante supremo que no se repetiría nunca de la misma manera, no mirarla nunca como la mujer que era, deseable, concupiscente, sexual.

Llevaba puestos esa tarde del Inglaterra unos jeans de Moschino, lavados a la piedra, que yo mismo le había traído de regalo en ese viaje.

—Mira, ven acá, muchacho —me atacó cuando la vi allí, llegando a mi mesa desde la parte del mar, por la acera de la derecha del Paseo del Prado, la brisa creciente de la tarde dándole en su espalda y abombando las formas de la camisa.

Me lo dijo sonriendo, contonéandose como si fuera a iniciar ya mismo unos pasos de baile en un allegro inmediato, sin que en ese balanceo lleno de sugerencias pudiera nadie, ni siquiera yo mismo enardecido de nuevo con su presencia, advertir ninguna invitación. Me lo dijo cuando estaba a punto de besarme (yo levantándome de mi asiento, el sopor de la tarde y el cansancio aliándose con el estupor repentino que provocaba el deseo sexual), sólo como una salutación, su aliento ligero y agradable, de cigarrillo de tabaco negro mezclado con una esencia genética que se escapaba a cualquier traducción, sobornando las últimas reservas de mi petulancia europea, entrando como un aire atávico que curaba mis pulmones, sus ojos miel frente a los míos, erráticos y desbrujulados.

Llevaba puesta una camisa de algodón color oro viejo, con botones del mismo tono (desabrochados los dos de arriba), con las mangas abiertas en las muñecas, dejando ver la piel de sus brazos, las venas de sus brazos de un verde oscuro tan llamativo como sus labios naturalmente morados, perfectamente peinado su cabello corto, azabache (quise creer que para esa ocasión única del Louvre cubano, que tal vez los dos habíamos estado esperando durante años), brillando sin estridencias en el ambiente de esa tarde insólita. Se alongó hacia mí hasta encontrar mi cara y yo no pude evitar, al besarla, mirar de reojo su cuello límpido y sus pechos que rozaban ahora suavemente mi torso.

—Pero ven, acá, Marcelo, ¿cómo demonios tú te las arreglaste para saber mis medidas exactas? —me preguntó Petra Porter casi con sarcasmo cuando todavía no había terminado de besarme con sus labios tibios.

Un instante antes de iniciar el movimiento para levantarme de mi silla y besarla, dejé en el cenicero de propaganda de Cinzano el tabaco Partagás 8-9-8 que estaba fumándome lentamente mientras la esperaba. Después de tantas vueltas y de mucho probar, me había aficionado a aquel tabaco cuyo perfume meloso y especiado apreciaba más que ningún otro. Una sola bocanada de aquel churchill de Partagás impregnaba con fuerza el paladar con todo el gusto del aroma que en frío resultaba dulzón y frutal. Su sabor, conforme avanzaba la combustión, crecía en el placer y terminaba por embriagarme incluso al aire libre, tal como estaba en esa ocasión, con su riqueza de tonalidades y con las volutas de humo que dibujaban en la intemperie figuras caprichosas durante unos breves segundos. El Partagás estaba en ese momento explosivo en que alcanza su cima de gusto y sabor, y a ese instante mágico había que añadir la presencia de Petra Porter, su perfume corporal, su sensación de vitalidad, el leve sudor de su cara al besarme. En el vaso alto descansaba el ron Arechabala de siete años que había encontrado por fin en el bar del Inglaterra, una vieja delicia recuperada del olvido a petición del público turístico que regresa a recordar las cosas buenas de antaño, me dije después de sorber los primeros tragos que rasparon mi garganta calentándome hasta el punto exacto del placer.

Sonreí al oír su voz, sin dejar de besarla como lo hacemos los españoles, en las dos mejillas (vi en sus ojos un sesgo de momentáneo desasosiego cuando la besé por segunda vez, casi rozándole sus labios con mis labios). Me senté pretendiendo aparentar tranquilidad, reteniendo la emoción que ahora me provocaba su presencia y recordándola con el triángulo del bikini almagre en el espejo de Miramar. La miré de arriba abajo, examinándola, haciendo gestos ostensibles de aprobación, sin dejar de buscarle los ojos que ahora brillaban con la intensidad de la fijeza felina. Volví al tabaco. Me lo llevé a los labios con los dedos corazón e índice de mi mano izquierda. Creo que en ese momento comencé a perderme, porque Petra Porter leyó en mis gestos el trasiego interior de mi ánimo, que flotaba entre la transpiración repentina y las palpitaciones crecientes del corazón. Aspiré del tabaco, y el sabor picante y casi salado del Partagás 8-9-8 inundó mi boca de humo tibio. Luego lo expulsé al aire, una bocanada de un tirón, tratando de esconder mi rostro siquiera por un segundo tras las caprichosas volutas que dibujaba la neblina mentirosa del humo. No dejábamos de mirarnos. Buscaba enmascararme de nuevo en mi experiencia, refugiarme en el camuflaje occidental de la distancia inalcanzable, como si el vuelo de los ojos de Petra Porter no hicieran mella directa en el blanco deseado largo tiempo. Con ese esfuerzo buscaba situarme al margen de esas epifanías que repentinamente pervierten la calma y perturban la naturalidad de los gestos y los movimientos, traduciendo el vértigo que golpea sorprendentemente la circulación de la sangre y enajena el sentido común. Desde el interior del bar del Inglaterra, abiertas sus puertas de par en par, llegaba el sonido de la música hasta donde estábamos. Juan Formell y los Van Van, «*soy normal, natural, pero un poquito acelerao*», los instrumentos y la percusión venciendo y aplastando las voces de los cantantes por unos segundos.

—Tengo un pacto con el diablo, pero sólo para las personas y las cosas buenas. Y tú eres la mejor de esas cosas y esas personas —le dije sin dejar de sonreír.

Se hizo la desentendida. No dijo nada. No contestó, sólo sonrió un poco más, con su mejor cara de contenta sorpresa, de ingenuidad, de inocencia que no asumía siquiera el estupor que asomaba a su rostro, frunciendo sus labios y anticipando el cumplimiento inminente de una promesa cada vez menos secreta. Pero yo sabía que estaba aprovechándose de su ventaja frente a mí en aquella esgrima en la que ella era precisamente una hechicera a la que no se le escapaba ni un solo detalle del ritual de la seducción.

—Quiero decir que estás igual que siempre, que eres una adolescente perenne —añadí ensayando un truco verbal tan viejo como inútil.

Se rió a carcajadas, y entonces pude ver con toda claridad aquella dentadura armónica, amarfilada y limpia (que representó siempre un milagro para mí, en una isla donde la gente padecía el hambre y las necesidades que irremediablemente traían las enfermedades de estómago). Pude ver el velo del paladar de la negra y el abismo de su garganta abierta ante mis ojos, en un gesto cercano a la procacidad inconsciente de la mitad de la sangre que le corría por el cuerpo. Noté que su respiración intentaba a su vez el disimulo, que también ella buscaba controlar una reprimida efusividad que saltaba al exterior por todos los poros de su cuerpo aquella tarde.

—Pero mira que tú eres... —me dijo sin terminar, sin dejar de mirarme, dejando que sus ojos perdieran el brillo de los primeros instantes, domeñando sus impulsos.

Imaginé de repente, como un látigo que activara la tentación, que ella había estado esperando desde siempre aquella ocasión, el silencio roto ahora tan sólo por los murmullos de las voces que nos llegaban de las otras mesas, los pasos de la gente que iba y venía mirándose por los pasillos que permitía el mobiliario metálico de la terraza del Inglaterra, los motores rugientes de los pocos automóviles americanos destartalados, sobrevivientes de viejos modelos que se movían sobre el asfalto destrozado del Prado, mezclándose al coro musical de los Van Van que sonaba desde el fondo, desde el interior del bar del Inglaterra, babélicamente.

—Bueno, chico, cuéntame, empieza, dime, ¿que tú has hecho hoy en esta ciudad?, ¿ya la has visto, ves cómo está, en pie, de rodillas y casi en el suelo a la misma vez? —dijo sin parar, cambiando el tercio, interesándose por mi trabajo.

—He estado todo el día viendo la desesperación para escribirla —le dije acompañando de seriedad mis palabras.

Le dije que los había visto tirarse al mar de
cualquier manera, desde que amaneció aquel día
abierto, clarísimo, con la línea del horizonte invitando al suicidio y las corrientes de agua propicias
para la huida, convenciéndolos para la fuga que
los llevaría a todos hasta la incertidumbre. Escapaban por cientos (le dije) de la pesadilla cotidiana,
igualándose en la angustia sobre la cara del agua
los delincuentes con los abogados, los músicos con los
obreros, los que ayer mismo gritaban un patriotis-
mo sin fisuras con los que desde siempre habían
denunciado el fin de aquella situación arbitrariamente dura e insufrible.

Desde el amanecer los veía partir insaciables,
con el espejismo de la Yuma clavado en la mirada
enloquecida que buscaba la tierra de sus sueños,
más allá del mar. Los vi, primero cuando comenzó
a amanecer, desde el balcón de mi habitación en el
piso dieciocho del Habana Libre, mientras me
desperezaba del sueño y me preparaba para bajar
hasta el Malecón. Famélicos y atletas, soldados de
trinchera, regresados de África que se habían encontrado con la gloria de la nada en La Habana
del Periodo Especial; blancos, prietos, achinados,
cuarterones, negros como el teléfono, negros azules, mujeres, niños de la mano de sus madres, familias enteras que intentaban no discutir con los
chulos que se arrimaban a ellos en el instante mismo de echar al mar sus balsas. Vi a mulatos y mu-

latas que habían ido perdiendo su figura escultural, sus esperanzas de amor, gacelas ayer mismo como Petra Porter todavía hoy, apenas saliendo de la pubertad, que gritaban exaltadas que se iban para siempre a la Yuma, luchando contra aquella desesperación mientras los policías uniformados de azul y oficiales del Ejército trataban de instalar el orden mínimo y necesario entre los caóticos expedicionarios. Vi a un pescador confesar a viva voz su experiencia marina, mientras trataba por todos los medios de convencer a los atrevidos de que iban al abismo, al suicidio, a la muerte segura, que se iban a encontrar allí mismo con el verdadero diablo (señalaba el horizonte, gesticulaba con agresividad, como un apóstol que hablara en un desierto paradójicamente lleno de gente que ni siquiera le prestaba atención, que ni lo escuchaba en su oración interminable).

—¡El mundo se acaba aquí, en el Malecón, comemierdas, todos ustedes no ven sino espejismos, carajo, más allá no hay nada, cabrones, se van a matar para nada, por flojos y viciosos! —gritaba el viejo desgarrándose la garganta inútilmente, ante la indiferencia de los irremisibles argonautas cubanos.

Son los mejores momentos para intentarlo todo, las primeras horas del día, si amanece claro y calmo; y al atardecer, cuando el mar se enfría, comienza a caer la noche sobre el Atlántico habanero y las aguas del Golfo y las corrientes caprichosas vuelven a mostrar el tiempo abierto para lanzarse al agua en una goma de camión, encima de

maderos claveteados a toda prisa, angustiosamente
unidos por el espejismo, insólitos catamaranes que
no resistirían el primer embate serio en alta mar.
Los vi en el Malecón, después de vender todo lo que
miserablemente dejaban atrás. Y fui a verlos a lo
largo del día, enfrascados apasionadamente en sus
preparativos, articulando con una imaginación des-
bordada sus embarcaciones de juguete, bidones metálicos y plásticos, neumáticos recauchutados de
cualquier manera, robados de los camiones soviéticos que rendían ese extraño servicio a los fugitivos ante la mirada perceptible pero neutral de los
policías, brazos en jarras y ojos que ven pero no
sienten, bocas cerradas con gestos inocuos al menos
esta vez, durante el episodio de los balseros. Los había visto salir del Malecón, y desde las playas de más
allá de La Habana del Este, Guanabo y Cojímar,
aunque también salían de Camarioca, Matanzas,
Cárdenas y de otros muchos puntos de la Isla. Los vi
en Santa Fe y en Jaimanitas, pasada la desembocadura del Almendares. Los vi desde que amaneció
hasta ahora mismo, ahí, delante del Hotel Nacional,
le dije a Petra Porter. Ella me miraba sin interrum-
pirme, dejándome terminar, con una brizna de fresca sorna comenzando a dibujarse sobre sus labios
entreabiertos, manoseando de vez en cuando el vaso
de mojito y llevándoselo a la boca, sorbiendo lentamente el cóctel de limón, yerbabuena y ron helado.

—Pero, viejo —ahora volví a escuchar la voz
de Hiram Solar entre el barullo de la música en el

Sloppy de Cayo Hueso—, el Hombre es así. Una
fiera inexpugnable. ¿Ustedes no querían cubanos,
gringuitos de mierda?, ahí van, ahí los tienen todos,
denles de comer, denles libertad, denles el cielo,
llévenlos a pasear por el mundo, yo se los regalo.
Eso es lo que dice el Hombre, jugando al ajedrez con
el resto del universo en su casa, viendo la televisión por la mañana y sabiendo que les va a poner a
los yanquis los pelos de punta. Pero te figuras tú,
Marcelo, la ignorancia de esta gente, ¿te imaginas
las noticias en los televisores, las imágenes de los
balseros como si fueran enjambres de marabunta
cabalgando sobre el mar rumbo al paraíso? ¿Te
imaginas el asombro y la indignación y el acojono
de esos yanquis del Medio Oeste, qué sé yo, en
Arkansas, en Wyoming, en las afueras de Detroit,
en el mismísimo carajo, cenando en sus casas con
sus niñitos y sus abuelitas, y viendo por la televisión cómo se les cuelan los cubanos llenos de piojos
y muertos de hambre?, más negros todavía en Estados Unidos, ay, mi madre, toda la vida amenazando con la invasión y cómo los invadimos nosotros, ¿te das cuenta, viejo?, pero coooño, ¿en qué
cabeza cabe este espectáculo?, ¿te los imaginas tú,
dando gritos histéricos en sus casas? Pero bueno,
¿esto qué cosa es, presidente Clinton?, ¿tantos impuestos para esto, para que ahora vengan a co-
mérselo todo los cubanos de esa isla de miserables
que no hace otra cosa que darnos quebraderos de
cabeza desde que la liberamos de los españoles?
Párenlos de una vez, carajo, detengan esa mierda,
esos náufragos, esos harapientos, esos muertos de

hambre, que nos van a comer por los pies, ¿pero dónde va toda esa gente? Ahí se dieron cuenta los yanquis que le estaban haciendo el favor al Hombre, chico, que estaban haciendo lo que él quería, porque otra cosa no, él contar, producir, encarrilar la economía, de eso, nada de nada, pero los conoce como nadie, por tu madre, y sabe que los gringos se enredan en los mismos cepos que les ponen a los demás, sabe que son unos párvulos sin redención posible, empiezan apretando una teclita del panel y ya, ya aprendieron, y entonces no se dan cuenta de que a lo peor es la tecla equivocada la que están apretando sin parar, chico, tremenda vaina la de los gringos.

Hiram Solar hablaba a borbotones, encadenaba una frase detrás de otra, imparablemente. Hacía crecer el énfasis de sus palabras, que en ciertos momentos de emotividad dejaba de ser un discurso de la memoria para transformarse de inmediato en un sermón elegíaco y desesperado. En esas circunstancias, también yo buscaba que Harry bajara el tono, que perdiera al menos la virulencia que el eco de su voz traducía. Intentaba intervenir, pero no encontraba la frase que pudiera interponerse en su relato y calmara su galope tendido sobre los recuerdos.

—Juega con ellos, viejo —añadió, en alta voz, pero como si hablara consigo mismo, como si estableciera un diálogo con sus propios criterios—, ¿ya tú sabes lo que les cuenta a sus visitantes de honor, el jueguito que se trae con los americanos?

Bueno, vamos a ver, dice el Hombre (hablaba Harry ahora tomando el lugar del Hombre, como él le llamaba tantas veces para no nombrarlo por ninguno de sus muchos nombres); a qué jugamos hoy con el Imperio. Bueno, desayuna, lee los periódicos del mundo, ve las noticias en televisión, se fuma su cigarrito Winston con filtro para que la nicotina no le pegue fuerte en los pulmones y le joda más el enfisema, se pone sus lentes, se hace una composición de lugar, echa un vistacito a los informes internos, que eso nada de nada, eso está matao, lo tiene en un puño, viejo, desengáñense todos, y entonces ya, ya es la hora, eso es lo que cuentan sus huéspedes cuando salen de su casa. Dice el Hombre que él mueve la ficha, por ejemplo, el dos. Entonces, dice el Hombre, los americanos mueven al cuatro. Pican como pioneros, como alevines, dice el Hombre muerto de la risa. Entonces, él va al ocho y los americanos creen que ya conocen el juego, aprietan el dieciséis como si tal cosa, y el Hombre se toma un poco de tiempo y zas, zas, zas, machetazo va, machatazo viene, tirando mampara y lo que haga falta, y adelante al treinta y dos, ése es el juego, y los americanos al acecho entran al sesenta y cuatro, ¿tú sabes? Y cuando los comemierdas creen que ya conocen las reglas del juego, bueno, se acabó, va el Hombre, coge la mesa por una pata, la vuelve a mover para acá y para allá, como si fuera un brujo ordenando el bembé de la liturgia y ¡fuácata!, y no es que las fichas y el juego salgan por el aire, qué va, qué va, lo que hace el Hombre, así, sin avisar, es marcar el ochocientos cuarenta y dos mil trescientos seis, por ejemplo, que es un número bien jodido y bien rebuscado, para entendernos, y ya se jodieron los gringos, a la mierda otra vez. Ahí está la vaina, se lo metió hasta el Collins, ¿qué tu esperabas? Ahora se pasarán más de un año tratando de descifrar las nuevas reglas que les marca el Hombre, destinan cerebros privilegiados, departamentos y departamentos para ver a qué juega el tirano, que siempre juega a lo mismo, a hacerlos caer del burro, a emborracharlos en su propia trampa, y ellos tan contentos, ése es su negocio, para eso son el Imperio. ¿Y tú quieres balseros?, pues ahí te van balseros, Clinton, para ti para siempre, que te aproveche, mi hermano, ¿has visto tú cosa igual, esa islita todos los días en las primeras planas de los periódicos del mundo, abriendo las telenoticias de América y de Europa, en todos los noticieros radiofónicos? Que si Cuba para acá, que si Fidel Castro para allá, que si los balseros en el Caribe, que si la Florida está que trina, que si Guantánamo está que arde, que si Miami es pura candela, que si La Habana no aguanta más, que si la madre de los tomates, carajo, qué guineo, le roncan los cojooones... Pero todo ese barullo, toda esa bulla la arma el Hombre, él solito con su barba, lo que quiere es que estén todo el día hablando de él, de Cuba, de la Revolución de los huevos y de toda esa farsa a la que los gringos prestan tanta atención, parece que es un problema irresoluble, mi hermano, una cosita en medio del mar, no vayas a creer, sí, claro, es Caribe por un lado, pero por otro es Atlántico, que eso deberían ya saberlo hasta los turistas despistados. Y digo yo, Marcelo, por tu madre, que menos mal que le tocó una Isla que no produce más que pasión, literatura y economía de sobremesa, porque le toca Panamá, que tiene un canal del carajo, o Venezuela, con tanto hierro y tanto petróleo, y el Hombre, eso te lo juro por mis muertos, organiza la del fin del mundo y se queda tan campante en el Darién, ahí, en medio de la selva, o en un rascacielos cojonudísimo de Caracas, con el Ávila frente por frente, divertidísimo con su jueguito.

Seis

El frío se hizo más intenso cuando comenzó a clarear desde la lejitud, a pesar de que la brisa había amainado y el mar dormía profundamente en esa madrugada. El oleaje no presentaba riesgos mayores, y en su sueño el mar respiraba una calma que engordaba el agua cuando las pocas nubes grises que quedaban de la noche desaparecían de la vista de los navegantes para ir a perderse en el infinito. Hiram Solar pensó que ese día que estaba por iniciarse iba a ser de los más grandes de su vida, de los que no se olvidan nunca, pero esa reflexión le brotaba desde su deseo para enfrentar la esperanza a la pesadilla de La Habana, sometido como estaba al espejismo del regreso del que todavía no había salido del todo.

En el momento de despertarse le crujieron dolorosamente los huesos, como si el santo se le hubiera montado encima durante horas y lo hubiera obligado a bailar a su ritmo epiléptico, o como si hubiera estado haciendo gimnasia toda la noche y se presentaran ahora las agujetas de los esfuerzos excesivos. Como si le hubieran dado la paliza de su vida, hasta descoyuntarle los nervios, deshacerle los músculos y romperle la médula de los huesos. La atmósfera limpia del alba olía a per-

fume salado, un aliento que animaba a incorporarse
a la esperanza, aunque tuviera el cuerpo maltrecho
por la mala noche y la pesadilla. Fue la primera
sensación que tuvo al querer abrir los ojos y encontrarse, por fin, con un amanecer radiante. A ver
si iba a tener razón Petra Porter (me dijo), que estábamos haciendo la travesía del Estrecho bajo el
manto benefactor de Yemayá, que la Virgen de Regla guiaba el lanchón hacia la Yuma y que, a pesar
del descreimiento, se cumpliría lo que pronostica-
ron los orishas, lo mismo que Petra Porter había mo-
yugbado al echarle los caracoles, que íbamos a llegar
a los Estados Unidos de América sin sufrir ningún
percance.

Finalmente amaneció un día lleno de sol.
Un disco blanquecino vibró en el insólito vértice
de unión del mar y el cielo, e inmediatamente se
levantó desde la línea del horizonte mientras ascendía hasta su cúspide y cambiaba de color. Primero fue un círculo brillante de plata, pero un segundo más tarde mutó con rapidez adquiriendo
ciertas tonalidades del oro viejo que alguna vez fun-
dió en su fragua con exquisita paciencia algún artesano sabio. Poco después la luz se abrió en toda
la extensión del mar que los fugitivos podían alcanzar con la vista, y el sol adquirió una dimensión mayor sobre el azul celeste del amanecer. La
cara del agua apenas se movía, gruesa de sueño,
y daba la impresión de que no era más que una
acuarela de colores planos adormilada en su propio hipnotismo, dejándose llevar a aquella calma
chicha que los primeros instantes del día traslada-

ban a los navegantes furtivos. Conforme el sol ascendía, los colores del disco se iban transfigurando. Hubo un momento en que Hiram Solar lo vio como una gran naranja capaz de prenderle candela al fondo del mundo. Pero poco después inició un alejamiento definitivo, subió hasta el techo del cielo y su poder deslumbró la mirada curiosa de los navegantes desde aquella altura.

Los fugitivos empezaron a reconocerse conforme la luz iba creciendo desde el horizonte y el disco fantástico del astro se levantaba hacia el cielo sin que nada pudiera detenerlo. Desde el primer momento de su despertar, Solar escuchó voces familiares, palabras domésticas que se cruzaban todavía en sus pesadillas a punto de ser abandonadas para siempre. El ruido monótono del oleaje le restaba claridad a la semántica de las palabras, pero escuchaba risas, risotadas incipientes que se mezclaban de nuevo con bromas de los evadidos. Al fondo de aquella charanga madrugadora oyó la voz fañosa de Cachopenco animando al grupo de huidos. En su último duermevela, Hiram Solar intentaba asir, traducir, interpretar las frases de Florindo Cachopenco, que era el más animoso de todos los navegantes, seguramente porque entendía en su fuero interno que, de ser interceptados por los guardacostas cubanos, sería de los más perjudicados, tal vez la pena capital, treinta años de reclusión y trabajos forzados, cadena perpetua por su traición. Al fin y al cabo, él era un militar profesional y la jurisdicción implacable le impondría un juicio definitivo, un consejo de guerra sumarísimo, con una petición fiscal de la que sería imposible escapar. Otro tanto podía decirse de Vladimir Marxlenin, que había abandonado su puesto estratégico y de gran privilegio en las cocheras de Tropas Especiales para correr la aventura de la huida, y sin embargo su ensimismamiento, discreción y obediencia parecían ahuyentar el miedo del mismo modo bullanguero y bromista con el que Cachopenco afrontaba tal tesitura.

También se habían desvanecido en esa hora todos los espejismos que lo acuciaron durante la noche, los fantasmas, la ilusión óptica de La Habana sumergida en un mar de barro pantanoso. Y ahora se le iba cayendo del cuerpo poco a poco, mientras recuperaba su razón y sus entendederas, el cansancio reumático que hacía un momento había sentido en los huesos descoyuntados. Dejó de preocuparse por la ansiedad, el hambre, el sueño, el frío, el miedo y la soledad, todas aquellas sombras inicuas que habían cobrado vida propia durante las horas de la noche y se habían convertido en demonios que lo obsesionaban hasta casi ahogarle las esperanzas de huida.

—Apenas les di los buenos días —me dijo Harry—, lo primero que hice fue comprobar el combustible, el lubricante del motor. Asústate, mi hermano, todo estaba completamente en orden, funcionaba perfectamente bien. A esas alturas del Estrecho, ya no nos encontrarían los guardacostas cubanos, ni siquiera nos estarían siguiendo. La mitad del plan se había cumplido mejor de lo que esperábamos. Podíamos seguir navegando con aquella deriva que nos traería directamente hasta aquí, hasta Cayo Hueso.

Había amanecido, como siempre en aquella época del año, sobre las 7 a.m. Una hora más tarde, sin que tuvieran perspectiva de la distancia a la que se encontraba de ellos, avistaron un petrolero del que no pudieron captar su nacionalidad porque ni sabían mucho de banderas ni los colores de las que se movían al viento eran lo suficientemente nítidos para que los fugitivos los reconocieran. Además, estaba la distancia, que en el mar se acrecienta o adelgaza, y distorsiona el paisaje circular que se abre a la mirada, para terminar por engañar la vista del más lince. Las mujeres comenzaron a gritar, a gesticular, a moverse más de la cuenta encima de la embarcación. Era un subterfugio anímico de la desesperación angustiosa que las dominaba por dentro, sobre todo a Delia Camín, que formaba coro de gritos con Lisardo y Florito, sus dos hijos, levantando los brazos, con el consiguiente peligro para el equilibrio del resto de los balseros y el del propio lanchón. Sin embargo, para Cleva Suárez, la mujer de Efraín, la aparición de aquella mole petrolera en la lejitud del horizonte, un barco de verdad navegando libremente en alta mar, era un símbolo de la salvación cercana, una prueba de que los orishas habían escuchado sus plegarias y se cumplían sus profecías, porque la tierra prometida no podía estar ya muy lejos de aquella sólida imagen que caminaba en el mar como un majestuoso sonámbulo al que nada ni nadie puede interrumpir su marcha.

Se trataba de hacer señales por todos los medios para que la gente del petrolero alcanzara a ver al *Progreso*. Pero el barco avistado se mostró huidizo y esquivo, como si evitara conscientemente la balsa de los fugitivos, y lentamente fue aumentando la distancia del lanchón sin que llegaran a reparar en ellos, hasta que desapareció en lontananza dejando un mal gusto en la boca del estómago de todos los tripulantes, sobre todo en las mujeres, que ahora miraban a los hombres con una sospecha de desesperanza. Siguieron navegando. Ninguno de los balseros imaginó hasta ese momento la magnitud inmensa del mar. Tampoco ninguno se había hecho a la idea de que las aguas del Estrecho pudieran siquiera un instante ser portadoras de aquella calma casi chicha que no podía durar ya mucho tiempo. Nadie sin embargo se había sentido indispuesto durante la travesía ni anímica ni físicamente, lo que venía a representar una suerte de milagro que tendrían que agradecerle a alguno de esos orishas a los que Petra Porter había encomendado el éxito del viaje.

—Sólo las nalgas, compadre —dijo Harry sonriendo—, las nalgas de cada uno y las espaldas. Las mías las hubiera reemplazado en ese momento y voluntariamente por prótesis artificiales. Me dolían tanto que me hubiera dejado enyesar de arriba abajo. Por lo menos así hubiera conseguido que el cuerpo funcionara de nuevo normalmente.

Sobre las 9 a.m. fue precisamente Hiram Solar quien le señaló a Jorge Luis Camacho el horizonte. Camacho era un consumado experto en descreimientos. El estudio científico de la música y el conocimiento de las profundidades misteriosas de los sonidos, que decía haber escuchado en su pequeño estudio de La Habana luego de muchos meses de buscarlos, le habían cultivado la virtud del escepticismo. De modo que a cualquier gesto de euforia de cualquier interlocutor que oliera a voluntarismo iluso, resoplaba brevemente con un rictus de desdén que desarmaba la sensación de triunfo del diletante. Pero ahora una pequeña vela ligeramente movida por la brisa flotaba sobre la superficie del mar. Harry apretó con una de sus manos el antebrazo de Jorge Luis para asegurarse de que no soñaba ninguno de los dos. En el fondo, no quería más que convencerse de que no estaba ante un espejismo más, provocado seguramente por la ansiedad delirante que comenzaba a anidar en sus mentes. Dudaban en ese instante de todo cuanto divisaban, no fuera a ser esta vez un invento diurno de sus ojos que venía a suplantar el lugar de los demonios monstruosos y los bichos imaginarios que tanto los habían asustado durante la noche. Inmediatamente Jorge Luis, exaltado por la repentina visión, señaló con su dedo índice antes de gritar.

—¡Un surfista, por tu madre, míralo ahí, por tu madre, un surfista! —exclamó entusiasmado, dejándose engañar por su intuición. Harry también se convenció de la razón de las voces de Jorge Luis, ahora que Efraín Rivero lo confirmaba expresivamente con repetidos gestos de cabeza y abrazándose a Solar.

—Llegué a verlo yo también —me dijo Hiram—. Con toda claridad, para que te hagas una
idea del poder de mentir que tiene la mar. Vi con
una nitidez asombrosa, ante mis ojos, a un depor-
tista que estaba divirtiéndose con su vicio favorito,
él solo en medio de las corrientes del Estrecho, eso
sí era de verdad bailar el vals de las olas. Mientras
hacía visera con mis manos abiertas en la frente, lo
veía y lo oía cantar en inglés. Lo veía levantar las
manos para mantener el equilibrio en aquella inmensa pista de baile que había elegido para sus artísticas evoluciones. Era como si estuviera patinan-
do sobre hielo, levantaba una pierna en el aire, y
yo veía sus brazos poderosos haciendo de alas circunstanciales, apoyando sus movimientos armó-
nicos, ¿te lo imaginas? Y me acordé de Blas Ronquera, un nadador habanero, te tienes que acordar
de él, viejo. Fue el mismo que un día, agarró la tabla en la playa de Marianao, por Santa Fe, delante
de todos los bañistas y algunos pescadores, vaya cojones los del Ronquera, mi hermano, y se echó a
andar por encima del agua, zigzagueando pacá y pallá, como si estuviera bailando, exhibiéndose como
un guapo atrevido, pero dale y dale para adentro,
y venga y venga, y para dentro y para dentro, y la
gente lo observaba desde la arena, y hacían comentarios, coño, coño, coño, ¡qué clase de comemierda el Ronquera éste, que se cree que todo el mar
es suyo! Lo que le va a pasar es que va a terminar
ahogándose, decía uno viendo cómo Ronquera se
alejaba, se va para la muerte enterito, a ése se lo
come el mar con tabla y todo. Se cruzaron apues-

tas, ya tú sabes cómo es el cubano, viejo, se montaba en la tabla y bailaba el vals de las olas, desde lejos parecía una bailarina del Tropicana contoneándose al ritmo de la música en la pasarela. Se hacía visible cuando quería, levantaba las manos por unos instantes, como si estuviera recibiendo los aplausos del público. ¿Tú te imaginas?, como Alicia Alonso en sus mejores tiempos. En realidad estaba enviando un mensaje de despedida, el descarado de Ronquera, y se perdía en las espumas de los aguajes ejecutando piruetas alucinantes. Y mientras la gente miraba, el Ronquera para dentro y para dentro, nada que nada, parecía a veces que regresaba, se acercaba una milla y se alejaba dos, hasta la victoria siempre, mi amigo. Lo perdieron de vista, lo dieron por ahogado, por imprudente, por loco. ¿No te lo quieres creer?, bueno, pero fue como te lo cuento, viejo, al día siguiente llegó a Cayo Hueso y lo fotografiaron en todos los periódicos de Miami como si fuera un campeón olímpico de windsurfing, una foto en primera del Herald, medalla de oro para el héroe que caminó sobre el mar hasta la libertad, y esas cosas de los americanos, tan inocentes, Blas Ronquera, el surfista que buscó la libertad y todas esas verracadas sentimentales. Este surfista de ahora, lo mismo, hasta llegué a pensar que era el mismo Ronquera que quería darnos un gran recibimiento, una bienvenida de esas americanas, con una pila de muchachitas, majorettes de esas que esperarían en la orilla de Cayo Hueso con toda su fanfarria musical. Bueno, pues éste de ahora, igualito a Ronquera, por tu madre, ensayaba pasos de baile inverosímiles, saltos que lo elevaban del agua y lo echaban al aire con una facilidad de pájaro marino que baja desde el cielo y mete su pico rompiendo la superficie del agua. Y luego se lanza otra vez al aire con sus alas desplegadas. Ahí estaba cebando olas al compás del viento, fuera del mundo, ajeno a cualquier drama y atento tan sólo a la música de sus movimientos, sin miedo a los marrajos ni a los dientusos ni a las corrientes. Le roncan los cojones, era el amo del mar, mi hermano, pendiente de una melodía armoniosa e imaginaria que sólo él escuchaba en ese momento.

Lo veía acercándose al *Progreso* y luego, tan sólo unos segundos más tarde, se alejaba de ellos media milla zigzagueando sobre la cara del agua, evitando los escollos y los riesgos imaginarios, como si tuviera patines en los pies. Abría en su correteo mágico una estela blanca sobre el mar que inmediatamente desaparecía en cuanto el atleta se entregaba unos metros más adelante a sus evoluciones arbitrarias. Me dijo que incluso llegó a verle las gafas oscuras que cubrían sus ojos y la melena rubianca flotando mojada en el viento como un timón que marcaba la velocidad del aire y el rumbo que tendrían que seguir los movimientos de su cuerpo. Pero lo que nunca llegaron a imaginarse mientras observaban absortos la visión del bailarín marino es que estaban muy cerca de la costa. Harry supuso entonces que a esa altura del viaje seguramente habían navegado ya unas ochenta millas, y aunque intentó acercarse a la vela no insistió en seguir el espejismo del surfista porque corrían el peligro de alejarse de la deriva necesaria para alcanzar el destino a la hora exacta.

—Por eso no tuvimos más remedio —me dijo Hiram Solar— que contentarnos con tener la vela ahí delante, en nuestro campo visual, durante más de una hora, haciendo piruetas, dibujando cabriolas entre el mar y el aire, con visajes y garabatos bellísimos.

En todo ese tiempo al surfista sólo le faltó hablarles, dirigirse hacia ellos y saludarlos desde lejos. Se movió como una tentación que indujo a los navegantes a seguirle la vela. Solar la distinguía a veces a menos de una milla, a estribor, para un minuto más tarde aparecer por babor y alejarse un espacio indeterminado, como si quisiera jugar al escondite con los fugitivos. Hasta que, poco después, terminó por convencerse de que estaban siendo engañados por sus propias obsesiones, por las imágenes que su propio delirio marino les imponía en la mirada. No era un hombre, no era un surfista, era una gaviota perdida que se daba el banquete en alta mar, seguramente persiguiendo la estela de los bancos de sardinas que seguían a poca distancia las manadas de atunes y casteros para resolver el hambre de muchos días. Ahora la estaba viendo tan claramente que oía incluso sus graznidos de satisfacción antes de entrar en combate y tirarse en picado sobre la cara del agua para caerle atrás a la presa y ensartarla pico en ristre. Habían confundido las alas del animal con la vela del surfista y, aunque nunca desapareció del ánimo de

Solar la incertidumbre de dónde se encontraban, se esperanzó con la idea de que estaban muy cerca de la costa. No podía ser de otra manera, aunque esos bichos (me dijo Hiram) pueden perderse cien millas dentro del mar y sobrevivir siguiendo la deriva de los barcos que se vayan encontrando a su paso hasta orientarse de nuevo y regresar a la costa con su propia tribu.

—Y entonces, poco después —me dijo Hiram, los ojos brillantes, encendidos, los gestos de asombro recordando el instante—, se produjo el verdadero milagro.

Ese mismo día se cumplía exactamente un año de la fecha en la que Cabeza Pulpo había logrado arrestarlo en la zona de Playa, en La Habana. No podía ni quería interpretarlo como una casualidad cualquiera. Lo acusaba sin pruebas de querer escapar de Cuba, tal como ahora estaba haciéndolo sin que nadie pudiera evitarlo siguiendo un plan rigurosamente proyectado en el silencio de los escondrijos de Lawton y Guanabacoa en los que había madurado su escapada de la Isla.

No era la primera vez que la policía lo había investigado. Antes había estado ya en las dependencias de Villa Marista por culpa de su ingenuidad. Aunque tampoco en esa ocasión pudieron probarle ni siquiera la más mínima complicidad con Alcides Morán, un viejo compañero de estudios de ingeniería que había caído en desgracia por «asociación para el delito» o algo por el estilo. Lo habían echado del partido por prácticas heterodoxas y contrarrevolucionarias, otra vez el diversionismo ideológico, y se sabía desde entonces en la cuerda floja de la clandestinidad, resolviendo como podía la existencia de los suyos. Finalmente volvieron a detenerlo, lo juzgaron y lo metieron en la cárcel con una condena de diez años y un día.

—La verdad es que siempre quise hacer ese viaje —me comentó Harry mirando hacia el horizonte de la calle Greene.

Al fondo, entre los transeúntes y turistas que pasaban por la puerta del Sloppy y volvían sus ojos distraídamente hacia el interior del bar durante unos breves segundos, más allá de las cercanas esquinas, aparecía un trozo de mar azul, agua disuelta en añil de acuarela, surcado a veces por lanchas rápidas y fuerabordas que levantaban espumas blancas del mar quieto, una felicidad para fotografiar que los turistas alquilaban con el ánimo de divertirse de playa en playa en las aguas del cayo.

—Hubo un momento en que los riesgos —dijo Hiram Solar— dejaron de importarme, se me habían acabado hacía rato las esperanzas, a partir de mi detención en la carretera de Trinidad a Cienfuegos, al borde mismo de la playa de Piti Fajardo. Quizá no tendría que haber hecho nunca ese viaje con Alcides Morán, tal vez nunca tuve que fiarme de él. Ahí perdí todas las oportunidades, no me di cuenta de que se había convertido en un maleante, un maceta, mi hermano, un contrabandista de tierra adentro, ¿qué te parece?, ¡de carne de res, maestro, lo más prohibido en el país, para que te enteres!

Hacía más de veinte años que Hiram Solar había salido de Trinidad. Desde que lo llevaron a estudiar a La Habana no había vuelto nunca a aquellos parajes del centro de la Isla que se conservaban nítidamente en su memoria y a veces se convertían en territorios paradisíacos que su imaginación engrandecía hasta que la nostalgia los transformaba en selvas inmensas, rodeadas de verdes cordilleras que llegaban al cielo. En su memoria, se volvían gigantes los montes del Escambray, divisados a lo lejos cada vez que había salido de Trinidad para una excursión de pioneros que nunca los alejaba del lugar más de cuarenta quilómetros.

—A mí me parecía el viaje a otro mundo llegar a Cienfuegos —me dijo Harry.

Topes de Collantes, donde había estado cuando era un niño, una vez nada más en su vida, en los arrebatos obligatorios del pionero abriéndose camino como dirigente, se crecía en cumbres inaccesibles en sus recuerdos infantiles. Sabía que hubo allí muy cerca, casi en la cima del monte, un sanatorio enorme, de tuberculosos (me dijo), que en parte habían transformado en los últimos tiempos en hotel de lujo para el turismo especial, y todo el mundo sabía también que allí habían destinado a Carlos Aldana después de su fulminante destitución.

—Un destino que es un destierro, ya sabes. Sólo lo dejan bajar a La Habana una vez cada dos meses, si se porta bien durante ese tiempo, a ver a sus hijos y más nada —me dijo—. Yo llegué a verlo caminando un sábado por la noche, subiendo por 23, con unas gafas de sol que le borraban la cara y una gorra de pelotero, ¿te imaginas un todopoderoso comecandela escondiéndose así de la gente? Un suplicio, mi socio, porque si alguien lo reconocía por la calle lo multaban impidiéndole bajar a La Habana por una temporada larga.

Antes de ese episodio Harry sólo había visto a Alcides Morán algunas veces rondando por Coppelia y por el vestíbulo del Habana Libre, haciendo alardes de una libertad y unos privilegios económicos que sólo podían evidenciarse de común acuerdo con la Seguridad del Estado. «Bisnes, mi hermano, bisnes», le contestó Morán enseñándole una dentadura risueña y blanquísima que pugnaba entre sonrisas por zafarse de sus cimientos y escalar sus bembas botadas. «Hay que estar preparado para lo que venga, bróder, ya tú sabes, y ahora mismo viene otra vez», le dijo Morán guiñándole un ojo. Aunque estaban expresamente prohibidas en esos momentos tales actividades, se movía ya como un profesional de los negocios, como lo que vino después bajo el nombre de maceta, y encontraba terreno con una facilidad asombrosa por los vericuetos de los turistas y entre los diplomáticos a los que llevaba de excursión a las Playas del Este e incluso más allá, a Varadero y al Rincón Francés.

Era un misterio que el Chevrolet del 56 de Alcides Morán, con cromadas colas de caballo pegaso y ganador, de colores azul, celeste y blanco, luciera siempre limpio, dispuesto para echarse a volar por la carretera del centro y para cabalgar a galope tendido con sus jinetes extranjeros y gritones por Santiago, Holguín y Sancti Spíritus. Mientras Solar no había viajado por la Isla más allá de cuarenta quilómetros fuera de La Habana, San Antonio de los Baños, Alquízar, Güines, Mariel o Quiebrahacha, casi siempre por falta de medios, Alcides Morán conocía palmo a palmo cada rincón de Cuba, ante el asombro de muchos de sus amigos, y además la recorría libremente. Se sospechó que trabajaba como seguroso (aunque él lo negaba carcajeándose cuando se lo reprochaban desde sus cercanías familiares o amistosas), y que tal vez por esa tan ambigua razón se le permitían los lujosos excesos que lo convertían en un privilegiado, la escandalosa exhibición del Chevrolet del 56 reluciente y bien pintado, con sus cromados brillando al sol centelleante del trópico, sus cuatro ruedas espléndidamente impecables, como si fuera una carroza real en la que viajaban siempre gentes importantes de fuera de la Isla. «Tengo clientes, viejo», le dijo a Harry, «que si te digo, te da una envidia que te mato, ¿tú sabes?».

—Fíjate —me dijo Solar—, me confesó que cuando Belafonte venía a La Habana él se encargaba de organizarle una estancia fiestera, inevitablemente me tendrás que querer, y todo eso.

—Como será la cosa de grande —le dijo Morán a Hiram Solar— que nada más llega a su casa de protocolo, ahí mismo, en Siboney, viejo, tu primo el cantante va y me pide. Venga pacá, Moranito, eso dice, y se acabó lo demás, hasta la *pul* lo acompaño porque sin mí, aquí, ni se acuerda de quién es, la cosa más grande del mundo, mi amigo. Se lo dice a los tipos que lo van a recibir a Rancho Boyeros y lo llevan a su albergue, que venga Alcides, que venga Alcides, te lo creas o no, y los comemierdas no pueden hacer nada y me tienen que llamar, así es la cosa de grande, mi hermano, para que te enteres.

—Murió mi abuelo, Pancho el viejo —me comentó melancólico Harry en el Sloppy—, con más años que Pedro Infinito, y no pude evitar la tentación. Me encontré a Morán en la esquina de N y 23, y empezó a dar gritos, coño, negro, tantos años, dónde carajo tú te metes, siglos enteros sin verte la sombra, estás perdido por ahí, huevón, ven para acá un minuto que te voy a invitar a un trago de Habana Club siete años, asere, ven para acá hasta Las Cañitas, chico, déjate querer que no se lo voy a decir a nadie, ja, ja, ja, allí estamos a salvo de las paredes (y se reía, hacía gestos con los ojos señalando al cielo). Nos echamos unos tragos de ron, compa, carajo, mi hermano del alma, y si se hace nos buscamos unas jevitas a la medida, que me va de a pepe por ti, que estamos para eso en este paraíso de Cuba, asere, la mejor tierra del mundo, coño, coño, coño, el ingeniero Solar, mira tú por donde, qué cosa tan grande es la vida...

Esa misma mañana Solar se había enterado de la muerte de su abuelo, en la lejana ciudad de Trinidad. Nunca desde que salió de la vieja ciudad en la que había nacido volvió por allí. Recordaba las calles empedradas subiendo hacia la montaña mientras el sol borraba la brumosa humedad de la madrugada y hacía reverberar el perfil brillante de los objetos y las fachadas de las casas; recordaba de repente el hambre, el paladar infantil, los olores del congrí y el picadillo a la hora del almuerzo, el puchero familiar, la mesa doméstica en la que no se podía iniciar el ritual de la comida hasta que el viejo Pancho llegara tras dejar en su casa a su amigo Agustín Herrera, un isleño de La Palma trasplantado como tantos a la Antilla Mayor, tabaquero de La Canchánchara, el lugar de encuentro de los viejos sabios trinitarios para contarse las cosas del día y las noticias que llegaban de Cienfuegos, de Santiago o de La Habana, y donde ya se habían tomado a esa hora sus tragos preferidos, que según ellos habían inventado los mambises en plena guerra.

—Aguardiente de caña, limón, miel, agua mineral, una bebida que se servía caliente, una delicia —me dijo Harry.

Y mientras se trasegaban los tragos por pares con los ojos vueltos del revés por el gusto, miraban hacia lo alto para encontrarse de lleno con las techumbres de madera de cedro por las que no pasaban ni el tiempo ni los siglos. En la casa familiar nadie podía sentarse a la mesa hasta que el viejo Pancho, que contaba interminables cuentos de palenque y esclavos a sus nietos, entrara por la puerta pavoneándose como si de verdad se hubiera sacado la lotería, con los ojos brillantes de la caña ingerida y un ligero hipo atravesándole de dificultades la respiración; hasta que el abuelo Pancho, alto y enorme, entrara por la puerta de la casa y diera la orden de servir el puerco, el amarillo, el

plátano y la yuca (cuando había yuca), la malanga
(cuando hubo malanga), el picadillo y el arroz blanco, y la taza de loza con la salsa criolla recién hecha
en la cocina, nadie podía comer nada, ni sentarse
a la mesa siquiera; recordaba el azul implacable
del cielo de esa parte de la Isla inundando de luz
límpida y virgen los días de Trinidad y navegando
sobre la ciudad hasta que la tarde comenzaba a re-
frescar; recordaba los colores añiles, los rosados y
amarillos envejecidos, los almagres y calabazas, junto al blanco imperecedero, con los que las gentes
del lugar embellecían las fachadas de sus casas viejas y elegantes, de una sola planta, con una puerta
principal y dos ventanas a los lados; recordaba las
enemigas pandillas infantiles corriendo por las esquinas de San José y Candelaria hasta enfrentarse
en el medio mismo de la calle Independencia para
dilucidar la guerra del barrio y elegir, candela contra
candela, a los jefecillos que sobresalían de entre
los guerreros; ahora me reconocía que, al menos en
esos instantes de nostalgia, trataba de manera inconsciente de petrificar el tiempo en sus recuerdos
de hacía tantos años.

Para ese entonces sabía ya que Cabeza Pulpo
lo llevaba entre ceja y ceja como uno de sus objetivos fundamentales, pero todavía los miembros de
la Tribu se reían a carcajadas del policía. En su memoria Harry retrataba las calles larguísimas de Trinidad como si fueran grandes avenidas de Moscú
(me dijo que así las veía en su imaginación, así las
mantenía intactas en sus recuerdos), inmensas e in-
destructibles. Recordaba pintada de amarillo im-

poluto la casa del Capitán de corsarios Carlos Merlín. Se la había hecho construir para vivir allí eternamente, junto a los suyos, piratas y bucaneros que vinieron de todos lados para residir en Trinidad y escapar de las leyes del mundo, escondidos y dispuestos siempre a salir a la mar, a arrasar el Caribe desde Cuba a Jamaica y a Santa Lucía, siempre expeditos para la batalla (si el botín valía la pena). Allí, en el barrio del Fotuto, donde vivieron en manada todos los sindiós durante siglos, quedaban muchos de sus descendientes que contaban de sus leyendas y de sus historias, y por esas callejuelas con olor a brea, guarapo y salazón, Harry Solar, el pirata negro que quería ser el Capitán Merlín cuando fuera mayor, corría de niño, desbocado y enfebrecido por la lucha. Por la calle Amargura se recordaba huyendo de sus enemigos que lo perseguían para encerrarlo en la cárcel, al fondo de la calle del Cristo, en las mazmorras oscuras e insalvables de la casa de los Conspiradores. Allí lo juzgarían cuando le echaran la mano encima por sus crímenes en el mar, por su piratería y por sus traiciones, y lo condenarían a morir ahorcado, delante de todo el pueblo y para que sirviera de escarmiento a quienes creían que pueden hacer con la ley lo que se les antoje.

—Lo mismo que ahora —sonrió Harry al decírmelo—, entonces en Trinidad jugábamos a eso mismo, Marcelo, a piratas y policías.

En las cercanías del Sloppy Joe's se había levantado a esa hora cercana al mediodía un bullicio de turistas enfrascados en la compra de baratijas y suvenirs de Key West, camisetas, tucanes tropicales de madera coloreados estrambóticamente, gatos rojos (de madera o de escayola) con los ojos brillantes como garras, clavados en la mirada del comprador, con un rabo muy largo y negro rodeando su parásito reposo, animales de yeso semiadormecidos, flamencos casi en el aire, extraños tigres de Bengala a punto de caer sobre el despistado cazador, loros, monos, pájaros de toda índole, un zoológico interminable de colores que había ido a parar a Cayo Hueso a la espera de que cualquier cliente ocasional se encaprichara de su postura de gandules soñolientos o de fieras en celo, ceniceros de cristal barato, cajas de cerillas con el nombre del bar *Hemingway's favorite*, toda una tradición en Key West, fetiches del viejo escritor norteamericano multiplicados por la industria que cultivaba el mito para el negocio, gorras de marinero, camisas deportivas grises, blancas y negras con la esfinge de Papá Hemingway en el torso, con las fechas de su nacimiento y de su muerte grabadas bajo el perfil marinero del viejo, 1899-1961, postales de todo género que reproducían las imágenes del viejo escritor norteamericano y alimentaban la mitomanía de su leyenda en Cayo Hueso. Las voces de los turistas entusiasmados con sus compras y novedades, que olvidarían abandonadas en cualquier rincón tan sólo unos días más tarde del regreso a sus hogares, crecían por instantes y llegaban hasta nosotros, hasta el interior del Sloppy, con ecos intraducibles y babélicos que se mezclaban con las notas de la música desgranada por el grupo de country que seguía atacando su concierto personal.

—Yo te llevo, Harry, coño —le dijo Morán—, precisamente, ¡qué cosa más grande, qué casualidad!, tengo que ir esta tarde mismo a Trinidad, yo te llevo, mi hermano.

—Le contesté que tenía que pedir permiso para ir, que yo no podía andar por ahí como me diera la gana —me dijo Harry.

—Pero, coño, chico, no seas cagón, mi hermano, ¡qué permiso ni qué cojones! —le contradijo Alcides Morán— ¿A ver, a quién le importas tú tanto, dime? ¿Quién se va a enterar de nada?, pero si mi caballo nos lleva y nos trae sin que nadie se dé cuenta, ¡qué tú te crees, maestro! Estás delante de un profesional completico, el hombre invisible, déjate llevar por mí, y con el mejor Elegguá abriéndome el camino, bróder.

—Y eso fue lo que pasó —me dijo Harry recordándolo—, me dejé arrastrar por Alcides sin sospechar en lo que me estaba metiendo.

Durante el viaje de ida a Trinidad no hubo ningún tropiezo. Para Harry fue un descubrimiento aquella carretera de diez carriles que abría la Isla en canal, una autopista interminable, a ratos polvorienta, a ratos perfectamente asfaltada que se extendía desde la salida de La Habana misma sobre la piel de un territorio de poco menos de cuatrocientos quilómetros más allá, hasta llegar a las estribaciones de la sierra del Escambray, escondida en la noche durante el viaje, entrevista solamente su silueta en la memoria de Harry.

—No te creas que hay tráfico por el día, por nada del mundo —le dijo Alcides Morán sin dejar de mirar de frente la oscuridad de la carretera que se abría ante la luz de los focos del Chevrolet—, esto que tú ves tenía otro destino, mi hermano.

—Me quedé esperando que volviera a hablar —me dijo Harry—. No es que no me fiara de él, Marcelo, Alcides era un hablantín descarado, a cada frase largaba una carcajada para acompañar sus bromas, a mí siempre me pareció una imprudencia todo lo que contaba y cómo lo contaba, pero él era siempre así. Y encima manejaba a una velocidad suicida, volaba por aquella inmensidad como si la conociera palmo a palmo.

—¡Pistas de aterrizaje, comemierda, no lo ves tú, son pistas de aterrizaje! —le dijo Morán sin dejar de manejar, las manos firmes en el volante del Chevrolet volador—. Si a los gringos se les hubiera ocurrido atreverse a invadirnos, los tumbamos en menos que canta un gallo, maestro, ni Kruschev ni todos los bolos nos hubieran hecho falta. Vaya cagón el ruso, un bolo comemierda, mucho zapatazo encima de la mesa en Neo Yol y en la ONU, y mucho palabrerío, que si solidaridad con Cuba para acá, que si hermanos del alma por allá, pero a la hora de pegarle el golpe a la pelota, el comemierda se rajó como si le hubiera dado el sol en toda la cabeza y le hubiera cogido pánico a la candela de los americanos. Pero, oye, bueno, dime, ¿qué hubieran hecho, tú, dime, mi socio? ¿Bombardear las carreteras que son objetivos civiles, pero esto qué es, mi hermano, quién les ha dicho a ustedes que las carreteras son cuarteles?, ah, no, no, no, eso sí que no, sólo faltaba, eso está totalmente prohibido por la Convención de Ginebra, huevones, y por el Tratado de Yalta, o algo así, no estoy bien seguro de cómo se llama eso, ¿a quién se le ocurriría más que a esos comemierdas de los yanquis? Ja, ja, ja, le roncan los cojones, ¿te imaginas tú los gritos del Caballo en todas las televisiones del mundo, los ojos a salírsele, como es él, y el dedito índice venga pacá y venga pallá, por delante, acusando siempre a todo el mundo, los alaridos del tipo de la barba con toda su verborrea convincente, y toda América Latina cayéndole atrás a los atónitos americanos? Pero, bueno, ¿qué ustedes se creen que es Cuba, comemierdas, pepillos del carajo, que esto es Panamá, acaso se creen eso, que le entran a tiros por la boca y le salen por el canal como si tal cosa? Ah, no, no, no, ni hablar, mi hermano del alma, ni hablar, esto es una violación de los derechos humanos, báilate esa rumba si puedes. ¿Los marines del imperialismo criminal invadiendo una isla que lucha por salir del subdesarrollo y del bloqueo, los criminales abusadores bombardeando a todo un pueblo de paz?, ¿dónde vamos a parar?, ja, ja, ja, ¿qué tú te crees?, el viejo lo tiene todo pensado, que si la ONU que si la OEA, vayan para casa del carajo, es un genio, el hombre más importante del siglo, entérate, mi hermano. Nos ha hecho a todos unos guerreros del carajo, aquí el tipo que no está preparado no vale un coño. Tú lo sabes, que has estado en África, por ahí, aquí el que no ha cogido un hierro en sus manos, que se vaya para casa del carajo, o sea directamente a la mierda, vamos, a Miami, que es lo que les gusta. ¡Pistas de aterrizaje para reactores, eso era el destino de estas carreteras, y si todavía la guerra tuviera lugar, cómo te cae, mi socio, eh! Y si no, bueno, por estas carreteras nada más camina lo que él quiere. Él lo sabe todo, sabe incluso que ahora vamos a llegar a Cienfuegos, pero le importa un carajo, qué le va a importar que tú vayas al entierro de tu abuelo Pancho, si eso es de humanidad elemental, mi hermano, de bien nacido, y que yo te acompañe a Trinidad, lo sabe también y no le importa nada lo que hagamos. No somos nada importantes ni sospechosos de nada, a ver como tú te enteras, compadre del alma.

—Llegamos tarde —me dijo Solar—. Ya habían enterrado al viejo Pancho y la familia se había desparramado por el pueblo, cada quien a su casa.

Se sorprendieron de verlo allí con las primeras horas del día, Harry en Trinidad. Se miraban unos a otros, con el gesto contenido del temor en sus palabras entrecortadas, en sus silenciosas miradas. A Hiram Solar se le atragantaban sus propias frases. No quiso el buche de café que le ofrecieron en casa de sus hermanas, no probó más que una cucharada de arroz recalentado con una cerveza Hatuey para engañar el estómago vacío y doblegar el cansancio del viaje. No era sólo que la decepción hubiera hecho mella en él, porque la hermosura de Trinidad, con sus callejuelas en dedal y su calma matutina, se hubiera empequeñecido con aquel viaje y le cupiera ahora en un puño geográfico, en dos o tres zancadas a través de sus plazas

y sus recovecos, que iba reconociendo poco a poco. No es que se hubiera olvidado de todos los familiares, sino que andaban ya desperdigados, cada
uno en sus tareas, en sus trabajos, todos vueltos a
su normalidad después de enterrar al viejo Pancho.
Tampoco su visita debía extrañar a nadie. Aunque
no hubiera llegado a tiempo a la ceremonia, Harry
había sido el nieto predilecto del viejo hasta que lo
mandaron para La Habana a estudiar ingeniería y
su abuelo siempre lo echó de menos, siempre lo recordó como la cumbre de la familia de negros esclavos que habían sido libres de verdad gracias a la
Revolución.

—Fíjate, Marcelo —me dijo nostálgico Harry—, cuando me despedí de Pancho, el hombre
tenía lágrimas en los ojos, estaba emocionado. «Mi
nieto, carajo, esto es un hombre de verdad, va a ser
un doctor ingeniero», le decía a todo el mundo, y
yo no era más que un pendejo que se iba para La
Habana a estudiar el bachillerato. Y después, casi
zarandeándome, como para que no se me olvidara
nunca, me lo repitió varias veces. «Recuérdate, Hiram, no me lo vayas a olvidar», me dijo como si
fuera una orden, «gracias a la Revolución tú eres
un hombre de provecho, hijo, un hombre libre,
gracias a Fidel estamos aquí, libres y no como lo
que éramos hace tres cuartos de hora, esclavos negros a disposición de los abusadores».

Al borde del mediodía apareció por fin Alcides Morán en la casa de las hermanas de Harry, al
final de Santa Ana, tres habitaciones llenas de
muebles viejos, una cocina que conoció esplendo-

res pasados, ya perdidos, y un salón limpio donde apenas horas antes reposó el ataúd de madera pulida de pinsapo en el que enterraron los restos de su abuelo Pancho. Venía a buscarlo para invitarlo a echarse unos tostones en el Guamuhaya de Desengaño antes de emprender el viaje de regreso a La Habana. No quería que los cogiera la noche en el camino, porque (eso le dijo Alcides) el agotamiento es mal compañero para manejar en carretera larga. Además tenía que llegar a su casa de La Habana antes de esa misma noche, porque lo esperaban en el lobby del Riviera unos clientes a los que no se les podía hacer descortesía. Había un concierto de Paulito en el Palacio de la Salsa sobre las once y media de la noche y él, Alcides Morán, iba a hacer de anfitrión de sus clientes especiales, a enseñarles lo que era bueno de verdad. No le daba prisas, mi hermano, pero había que irse despidiendo de la familia.

Los cogieron cuando estaban llegando a la playa de Piti Fajardo, un recodo a la salida del barranco de arenas rojas, amarillas y negras abierto al mar, después de Alberto Delgado y antes del puente de Guanayara. Una patrulla les cortó el paso en una de las curvas cuando Alcides Morán comenzaba a contarle a Solar algunos de los negocios en los que andaba metido para resolver sus miserias. «Aquí, mi asere», le dijo irónico, «es como en el capitalismo, al que no sabe gatear cuando hay que agacharse hasta comerse el piso, le parten el espinazo, y para repararte te tienen que enyesar hasta el pelo crespo este que llevo escondido aquí», dijo Alcides agarrándose la entrepierna y riéndose la broma a carcajadas. De pronto vieron las siluetas de los policías paseándose tranquilamente en el arcén de aquella curva, como si los estuvieran esperando. Les hicieron señas para que detuvieran la marcha del Chevrolet y lo aparcaran en un pequeño terreno descampado donde había dos jeeps militares con más soldados y policías dentro.

—Nos trancaron, mi socio, agárrate fuerte —dijo Morán entre dientes, repentinamente tenso—, ahora sí que nos tronaron, encomiéndate a Cachita y a San Lázaro, viejo, no hay más nada que hacer por ahora.

—Iban a tiro hecho —me dijo Harry—. Estaban allí seguramente por un chivatazo. Nos ordenaron que nos bajáramos del coche, todavía hablaban con cordialidad. Luego dos de ellos husmearon en el interior del Chevrolet, mientras los otros cinco nos miraban implacablemente. La luminosidad resultaba inaguantable a esa hora, a pleno sol, y yo estaba deslumbrado y nervioso, no podía decir palabra ni darme por aludido.

—A ver, compañero Morán —dijo el teniente Henríquez, un mulato con pinta de atleta olímpico, nada brutal, con maneras de experto profesional. Llevaba en la mano el cabo apagado de un habano y le hizo una seña a Alcides, que ya tenía el rostro sin color y le temblaban ligeramente los labios amoratados de pavor—. Primero préndeme el tabaco y después dime dónde guardan el tesoro, ahora mismo.

—Alcides puso cara de nuevo, mientras le encendía el habano a Henríquez, que lo miraba fijo, sin darle resuello —me dijo Harry—. Estaba atónito, tembloroso y la sangre no le corría por el cuerpo. No podía siquiera pronunciar palabra. Miraba al teniente Henríquez bobaliconamente, digo yo que con esa torpeza de macetúo buscaba ganarse la voluntad de aquel hombre que no parecía agresivo. A mí me miraba de reojo, haciéndome sentir cómplice y culpable de lo que estaba pasando aunque lo desconociera.

—¿Tú sabes algo de esto, compañero Solar? —me dijo el teniente Henríquez. Se llevó el dedo índice de la mano izquierda a sus gafas de montura de carey marrón, de cristales verdes y ahumados, un gesto estudiado, lentamente ejecutado para darme tiempo a la respuesta.

—Nuestro ingeniero no sabe nada del tesoro —dijo después Henríquez, sonriendo mientras miraba a sus hombres—, él viene de agregado diplomático, de paquete, con las manos limpiecitas y vestidito para el entierro familiar. A ver, el maletero, abrélo de una vez, Moranito, que nos va a coger aquí la noche y eso sí que no.

—Y allí estaba el tesoro de Sierra Madre —me dijo Harry afirmando con la cabeza. La música llegaba amortiguada por las voces de los clientes del Sloppy, los sonidos se mezclaban unos con otros y el jolgorio en el interior del bar se convertía por instantes en un guirigay de grititos, vasos de cristal entrechocándose, notas de guitarra y ecos de aquel trasiego de visitantes atraídos hasta Cayo Hueso por las agencias turísticas.

En el maletero del Chevrolet del 56 que Alcides Morán había cuidado hasta entonces como una reliquia única de museo histórico apareció el tesoro que había ido a buscar a Trinidad. En cajas de madera, de las que los guajiros y agricultores utilizan en el campo cubano para recoger las verduras, las legumbres, las viandas y las frutas, envuelta en papel de periódico había una res completa, descuartizada previamente pieza a pieza, artística y meticulosamente, por un matarife con el que debía estar compinchado Alcides Morán. El teniente Henríquez examinaba uno a uno los trozos de carne de res, destinados al mercado negro de La Habana, que iban sacando dos de los policías uniformados con ropas de faena del ejército. Se sonreía entre la sorna y la furia, reprimía su ira al mirar a Alcides Morán, que sudaba como si estuviera dentro de una sauna, el rostro perlado por el agua del pánico que le empapaba el cuerpo. Había agachado la cabeza y estaba completamente disminuido en su estatura, como si se hubiera encogido sobre sí mismo con la intención de desaparecer, para que la tierra se lo tragara y lo sacara de aquel trance.

—Quedan los dos detenidos —dijo el teniente Henríquez—. La carroza la requiso con el cuerpo del delito dentro, para que luego no vayan diciendo por ahí que somos nosotros los que nos cogemos la Revolución enterita para nosotros y abusamos de todo.

—Sólo vi un par de veces más a Morán —me dijo Harry—, durante los primeros procedimientos y careos del proceso.

Morán, al menos en ese momento, había sido honesto con Hiram Solar. Lo había exculpado. Confesó que Harry no era cómplice del delito que le atribuía la policía, asociación para la delincuencia, o algo parecido. «Me serví de él», le dijo Morán a la policía, «para llegar a Trinidad sin sospechas». Si los hubieran detenido en el viaje de ida, la coartada la habría aportado Hiram Solar: iban al entierro de Pancho el viejo, abuelo de Harry, podían constatarlo fácilmente, compañeros, eso hubiera dicho Morán. Los riesgos quedaban reducidos a la mitad: al viaje de regreso. Pero hasta pasados unos meses del episodio, Harry estuvo pensando que Morán era cómplice de la policía, que aquella detención sorpresiva se había llevado a cabo para abrirle una ficha en la Seguridad del Estado como sospechoso de delitos contra la economía y traición a la Revolución; que después del teatro al aire libre junto a la playa de Piti Fajardo, Moranito había seguido con su papel en Villa Marista y en los encuentros que tuvieron lugar entre ellos ante el juez instructor del caso; durante meses Hiram Solar se barruntó que, detrás de esas escenas, no había más que la intención de atenazarlo, de ponerlo en el punto de mira de Cabeza Pulpo.

—A Cabeza Pulpo le vino al quilo el suceso —me dijo Harry—, pero la verdad es que nunca quedó claro para mí si Alcides había actuado empatado con la policía. Le perdí la pista, me enteré de que lo habían metido a la cárcel, en el interior, bastante lejos de La Habana, pero tampoco sé si lo que me contaron era cierto.

Eran casi las 10 a.m. (me dijo Harry), el sol comenzaba a calentar el agua azul oscura y barría la superficie del mar con sus rayos hasta hacerla cambiar de color pintándole tonos celestes, plateados y verdosos en combinación con los colores del cielo que se reflejaba sobre la claridad del agua. El *Progreso* se balanceaba con una cansina suavidad en la calma marina cuando se acercó por los aires hasta él un helicóptero que Solar creyó, al menos al principio, que era de Hermanos al Rescate, una organización del exilio cubano con sede en Cayo Hueso y Miami que se dedicaba a recoger a los balseros que huían de la Isla. Los rescataban de la muerte, los recibían en la primera tierra de las prometidas en la Yuma, les daban los primeros auxilios y les trataban de organizar los papeles para sobrevivir en el Paraíso. Harry escuchó con atención. Primero fue un rumor que se acercaba desde lejos, y después, muy pronto, el ruido del motor que ahora le entraba como un zumbido de avispa en los oídos. No procedía del ronquido renqueante del *Progreso*, sino de más lejos: venía del aire, de algún lugar inconcreto del aire. Miró hacia la luminosidad caliginosa y creciente del cielo, hacia el noreste, y entonces vislumbró un puntito en el firmamento que se hacía grande al acercarse velozmente hasta donde estaban los fugitivos luchando contra el alta mar. Finalmente se percataron de que el helicóptero no era de Hermanos al Rescate, ni de los guardacostas norteamericanos, sino del Canal

7 de la televisión de Florida. Ahora estaba encima de la balsa, giraba en círculos alrededor de ellos. Se veían claritas las letras.

—Algunos de nosotros comenzamos a movernos —dijo Hiram Solar—, a agitarnos como posesos. Jorge Luis se quitó la camisa, gritaba como un alucinado al que hubiera enloquecido de repente el exceso de yerba. La mujer de Marxlenin, Mirta, saltaba como una atleta, la pobre, ni dos horas hacía que estaba allí, tendida en el desfallecimiento, un poco avergonzada por el cansancio que no la dejaba moverse para ayudarnos. Y ahora, fíjate cómo es la cosa, mi hermano, ahora brincaba como si le hubiera subido el santo y la estuviera revolcando por dentro, gritaba y berreaba como una cabra loca de satisfacción.

Harry vio entonces que el helicóptero se iba y giraba en redondo después de pasarles de nuevo por encima. Regresaba, volvía hacia ellos luego de alejarse poco más de una milla. Venía de nuevo y ahora giraba en círculos en torno al *Progreso,* daba vueltas muy cerca de ellos, a pocos metros de altura y el aire que levantaba la hélice llegaba a la cara del agua, hacía oleaje y espumeaba la superficie. Harry escuchaba al mismo tiempo los gritos de alegría de sus compañeros y el ruido del motor del helicóptero. Todos estaban bailando y saltando sin parar sobre la cubierta del lanchón. Desde el helicóptero, por una de las portezuelas del bicho volador, apareció entonces un hombre con una cámara de televisión.

—Estaban filmándonos —me dijo Harry—, y nos dijeron con señas que ya habían avisado a los guardacostas americanos. Sentía una alegría que me saltaba el corazón y se me salía por la boca, apenas reconocía mi propia voz, más de un año de esfuerzos para esta felicidad, para esta resurrección.

Habían navegado más de veintiuna horas en la incertidumbre del mar. A pesar de que las cartas marinas, la brújula y las agujas de marear les marcaban el rumbo exacto, siempre quedaba la duda: también podían estar engañándolos en su periplo aquellos objetos sagrados que los marineros utilizan como necesarios para andar en la inabordable soledad del mar. Solar llegó incluso a pensar, en plena incertidumbre, que caminaban perdidos hacia un destino que no conocían y que seguramente el mar se doblaría dentro de algunos minutos, en el instante siguiente, en una esquina que acabaría con ellos para siempre, tragándoselos sin dejar huella alguna sobre la cara del agua. Tal vez estaban ya sobre los abismos escondidos del Triángulo maldito de las Bermudas, más cerca de Nassau o Bimini que de Cayo Hueso. Porque el mar del Golfo era así, como una bruja mentirosa. Señalaba un camino por el que podían perderse y entrar en otro mar distinto, en lugar de ayudarles en el rumbo preciso. Así eran las corrientes del Golfo, no avisaban de sus cambios de dirección, ni de su velocidad, ni de sus arbitrariedades, ya se lo había advertido el viejo Infinito, y mucho menos a quienes no conocían sus costumbres y sus manías. Pero las cosas de la vida eran también así de simples y caprichosas: en un sólo instante, sin la más mínima transición, sin tiempo para reflexionar, sin un segundo para entender lo que les estaba pasando ni para decidir con sosiego el orden de las imágenes que les entraban por los ojos en aquella mañana de solajero, había surgido el milagro desde el cielo. Estaban salvados. Ni Harry ni ninguno de los otros fugitivos podía pensar exactamente en eso cuando echaban sus cuerpos a la alegría, gritaban frases inconexas hacia los cielos, se abrazaban por un instante y volvían de nuevo al baile, a la bulla y a la rumba encima del *Progreso,* sus cuerpos renovados en una convulsión de alegría, arrastrados como estaban ahora a aquella salvación de la que habían empezado a dudar unos minutos antes de que amanecieran al día inolvidable.

—Después lo recuerdas todo como un vértigo —dijo Harry. Se llevó a los labios su trago de ron con limón y hielo—. Y te das cuenta de que todos los logros de la vida son la pura máscara de la vanidad, una carrera de obstáculos, Marcelo, en la que el ser humano invierte las nueve décimas partes de su existencia en un servicio innecesario: cubrir como sea el secreto deseo de nuestra vanidad enloquecedora.

Me dijo que cuando recordaba aquel instante único en su vida y en su memoria, el momento mágico en que sintió el motor del helicóptero y vio en el aire un pájaro negro y minúsculo que aumentaba de tamaño conforme se acercaba velozmente hacia donde ellos estaban en el mar, entendía cada vez más y las veía con más claridad muchas de las cosas y los episodios que nos negamos a ver con objetividad y sentido común a lo largo de muchos años. Nadie (me dijo) puede elegir ese momento de lucidez. Ni siquiera se sabe si ese privilegio va a producirse, por mucho esfuerzo que haga el sujeto, cada uno anda por ahí, descoyuntado y a puñetazos consigo mismo y con los demás, en guerra perpetua, las más de las veces arbitraria, gratuita, superflua, mezquina, y la vanidad es eso exactamente, en eso estriba la fuerza de su motor: que hay que ganar las guerras en las que uno se mete caprichosamente o lo obligan los demás a meterse, Marcelo, me dijo Harry, y no en ir de lado por el mundo, de perfil como el que dice, consiguiendo de refilón las cosas, adquiriendo los triunfos sin haber peleado a golpes, colocándote en el pecho condecoraciones falsas, sin esfuerzo y sin dudas. Se acordaba de Alcides Morán y de su reflexión enloquecida cuando hicieron el viaje a Trinidad: sin lucha no hay nada que hacer, el cubano es un guerrero, de eso los había convencido a todos el Caballo, y el que no haya cogido un hierro en la vida que se vaya para casa del carajo, o sea, para la mierda directamente, a Miami, a la Yuma, al fula del carajo.

El helicóptero seguía allí, flotando en el cielo como un funambulista experimentado, sobrevolando a la embarcación por un tiempo aproximado de veinte minutos que resultaban ya eternos para los balseros. Seguramente estaba marcando desde el aire el lugar exacto del hallazgo, redondeando el punto fijo donde se encontraban los tripulantes del *Progreso*.

Hasta que por fin apareció delante de los ojos de los evadidos. Era un sueño, como un espejismo

que se convertía en realidad inevitable paulatina
pero firmemente. Nadaba con suavidad hendiendo la superficie del mar y levantando un surtidor
de espumas blancas a uno y otro lado de su quilla,
que para los fugitivos se convirtió inmediatamente en alegórica fuente de euforia, en dibujos de
bienvenida, en abrazos de salvación y supervivencia. Estaba impecablemente arreglado para la
ocasión, limpio y pintado enteramente de blanco
impoluto, con una franja roja semivertical en los
costados. Avanzaba impertérrito y majestuoso hacia el *Progreso*, cortando el agua y dejando por un
instante en su proa un beso frío de espuma blanca
y salada. Sobresalía del mar con una seguridad
asombrosa. Había llegado el guardacostas norteamericano. Ahora comenzaría el rescate de los balseros. Los catorce tripulantes del lanchón *Progreso*
que Harry Solar había fabricado sin un solo fallo,
escondido casi un año en los agujeros y solares de
Lawton y Guanabacoa, con el objetivo de escapar
de Cuba, serían subidos a bordo del guardacostas
norteamericano que para ellos representaba la salvación. Primero saltaron a cubierta las mujeres, De-
lía Camín, Cleva Suárez, Mirta Martínez y Adalicia
Marxlenin, la hija de Vladimir y Mirta. Después,
Lisardo y Florito, los hijos de Cachopenco. Inmediatamente lo hicieron Iván Luis Bermúdez, el socorrista y exnadador de los panamericanos; Yudelkis
Solar, cirujano; Efraín Rivero, maestro de obras de la
construcción; Florindo García, alias Cachopenco,
guardafrontera de Quiebrahacha; el cardiólogo Juan
Salazar; Jorge Luis Camacho, profesor de música

clásica, y Marxlenin, chofer, excombatiente en África y soldado de Tropas Especiales. Hiram Solar, ingeniero electrónico y patrón del *Progreso*, fue el último en abandonarlo.

Uno a uno, a los balseros se les repartió toallas, alimentos calientes (por lo menos en esta ocasión ninguno de ellos necesitó medicamento alguno, ante la sorpresa de los gringos) y comenzaron a bordo los trámites de las identificaciones para legalizar la situación de cada uno. Harry oyó los disparos de ametralladora cuando estaba hablando con los agentes de inmigración que venían en el guardacostas. Se dio la vuelta sorprendido y alcanzó a ver cómo se hundía el lanchón que los había sacado de la Isla. Una sensación de nostalgia angustiosamente extraña inundó por unos instantes su respiración ya excitada sobremanera por el feliz desenlace del suceso. Estaban hundiendo en alta mar el *Progreso* después de que la embarcación hubiera llevado a cabo el servicio exclusivo para el que Harry la ideó, para el que nació el lanchón y fue botado al mar en Quiebrahacha.

—Me quedé sobre la cubierta, absorto, sin ninguna idea precisa, repentinamente huérfano, como si me arrancaran algo de dentro —me dijo Harry—. Vi cómo se hundía lentamente mientras el guardacostas subía la fuerza de sus motores y pensé que ahora partiría a toda velocidad hacia su embarcadero en Cayo Hueso.

Pero ése era el único guardacostas norteamericano en aquellas latitudes del Estrecho durante ese día. Cada unidad trabajaba en el mar un servicio de patrulla que duraba exactamente veinticuatro horas. Los balseros del *Progreso* estuvieron en el agua, siguiendo la ruta prevista en medio de la incertidumbre, menos tiempo del que iban a estar después, sin saberlo de antemano, en la cubierta del guardacostas yanqui. A partir del instante en que los recogieron del mar tuvieron que esperar veintidós horas a que terminara el servicio de patrulla del guardacostas, que acababa de partir de Cayo Hueso cuando encontró al *Progreso* navegando firmemente hacia su destino. Desde ese instante hasta las 8 a.m. del día siguiente, los gringos rescataron a 145 náufragos en el estrecho de la Florida y en la franja que se conoce como mar del Golfo. Todos esos cubanos se habían tirado al mar, a la muerte, en las más inimaginables embarcaciones, desde ruedas de camión a maderas hinchadas de agua que milagrosamente mantenían en la superficie un promedio de cinco vidas, tan inimaginablemente enloquecidas por la desesperación que le habían perdido el miedo al mar y a todos los monstruos que habitaban en sus profundidades acechando a los intrusos, el tamaño de cuya osadía ya a esas alturas era semejante al desprecio por sus propias vidas.

El guardacostas viró de nuevo hacia la isla de Cuba. A Este y a Oeste navegó buscando las huellas de los balseros en la superficie azul cobalto de esa parte del Estrecho. Revolvió las corrientes del Golfo y siguió encima de las aguas, paciente y profesionalmente, los rastros que la gente que escapaba de Cuba iba dejando tras de sí, como si creyeran que del laberinto del mar se podía salir con el mismísimo hilo mágico de Ariadna. Hasta la cercanía de trece millas de la isla de Cuba llegó en esa ocasión el guardacostas en su búsqueda insaciable de los restos fugitivos.

—Ese viaje fue agotador —me dijo Harry—, aunque no tan angustioso como el que habíamos sufrido hasta que nos recogieron los yanquis. Cuando enfiló el rumbo a Cayo Hueso, al final de la patrulla, ya ni siquiera podíamos hablar. Estábamos a salvo, es cierto, pero no teníamos conciencia de ello. No nos hacíamos cargo de verdad de que nuestra situación había cambiado felizmente.

El guardacostas llegó, por fin, a Cayo Hueso a las 7.45 a.m. Los trámites que los balseros tuvieron que efectuar para la entrada legal a la Yuma llevaron doce horas más de trabajo intensivo. Datos, profesión, relación con las familias en Miami y en Cuba, interrogatorios, entrevistas que parecían otros interrogatorios, relatos del viaje, detalles que a primera vista no tenían sentido, preguntas que tenían que ver con la situación de cada uno en la Isla. Había allí un hacinamiento excesivo, incalificable (me dijo Harry), en carpas montadas sobre la marcha y con muy mala comida. En realidad no estaban preparados ese día para recibir aquella avalancha de gente desprotegida, suicida y medio muerta, aunque los cubanos pusieran su mejor cara y disposición de ánimo. Fue a las 8.15 p.m. cuando los balseros del *Progreso* llegaron al albergue de tránsito, la Casa del Balsero.

—Allí estaban los primos de Efraín, el Mendruguito y su mujer —dijo Harry sonriendo mientras lo recordaba—. ¡Tremente algarabía, mi hermano!, una fiesta de carnaval, todo el mundo gritando, abrazándose, una explosión de alegre locura era aquello, no puedes hacerte una idea. A partir de aquí, Marcelo, cuando nos dieron ropa limpia, baño y buena comida, comienza otra historia, otro capítulo de la historia, ¿tú me entiendes?, comenzaba el exilio, la relación con los cubanos del exilio. Y Miami, sobre todo Miami, mi hermano, ya tú sabes lo que te quiero decir.

Segunda parte
La Habana ilusión

Siete

Hiram Solar terminó de contarme las jornadas de una aventura que había comenzando mucho antes de tirarse al mar en Quiebrahacha. A pesar del estilo personal de quien la había comandado paso a paso, yo mismo reconocía en ese periplo en que tantos habían perecido las señas de identidad, las cicatrices y las penurias de miles de cubanos; historias, episodios y sucesos que se habían repetido unas tras otras como si fueran células jimaguas en los largos años del castrismo.

Ahora lo reencontraba en el Sloppy de Cayo Hueso como si en su interior febril y convulso resucitaran los rescoldos latentes de una nostalgia que no podría arrancarse jamás de su alma. Todo ese recorrido por las ciudades de la Yuma en las que más libre pudo haberse sentido, desde Miami City a Los Ángeles y, más tarde, Las Vegas, buscando los verdes que le permitieran esperar calmadamente y sin titubeos en Nueva York la caída siempre inminente de Castro, el final de la interminable tragedia cubana, y entonces regresar a la Isla con ahorros suficientes para iniciar una nueva existencia dentro de otro ámbito y de otra vida cotidiana, no era más que la traducción del angustioso suplicio de la nostalgia que lo embargaba a cada minuto. Se le notaba la ansiedad contenida, incluso en la pasión del relato que me había hecho de sus peripecias, y no podía soportar la lejanía y la ausencia de la Isla, o quizá no se había adaptado y no había aprendido todavía a respirar la felicidad del olvido en la libertad que escogió después de escapar de la dureza tiránica de la Isla.

Yo estaba allí en ese momento, tras la conversada larga que habíamos mantenido en el Sloppy, caminando en silencio a su lado y entre los turistas que esa misma mañana habían llegado a Cayo Hueso. Recuerdo que paseábamos bajo un sol luminoso que doblegaba nuestras espaldas, nos empapaba los cuerpos de sudor y quemaba las plantas de nuestros pies cada vez que dábamos un paso sobre el asfalto ardiente y pegajoso de las calles. Íbamos como ancestrales animales de agua, sin darnos cuenta, buscando por instinto la orilla del mar, caminando lentamente hacia Mallory Square, atravesando la Duval, cruzando la casi solitaria Eaton Street, para llegar al Pier House. Porque a mí se me había ocurrido, viendo a Harry borracho de melancolía al final de la mañana, mientras sus ojos negros y acuosos reservaban tal vez en silencio las mejores miradas para el recuerdo, que escapáramos del laberinto de su memoria devorando juntos y devotamente un churrasco de albacora negra con unas botellas bien frías de uno de esos vinos blancos, los Riesling de California, que los gringos han sabido trasplantar del Rin europeo sin que ni siquiera los más expertos vinateros puedan por último notar la diferencia.

Desde las esquinas de la Duval y la Eaton alcanzamos a ver ya los Shrimp Docks y, tan sólo unos metros más allá, los muelles y los almacenes de la Trumbo Annex de la Marina de los Estados Unidos de América. Sobre el mar, como un plato azul refulgiendo bajo el firmamento por completo limpio de nubes, se deslizaban voladoras fuerabordas que aparecían y desaparecían fugazmente de nuestra visión, hendían el rostro del agua gris y quieta de la bahía sobre aquel espejo y abrían caprichosos dibujos de espuma blanca que se desleían en nada después de pocos segundos.

—Vete a saber si en el Pier House podemos encontrar a alguien que entienda bien lo que queremos comer, porque estos americanos... —se quejó Hiram Solar, escéptico.

En el fondo, los dos sabíamos que yo lo invitaba a salir de una nostalgia por una puerta falsa para meternos en otra, la del recuerdo del sabor exacto de los troncos de albacora negra a la plancha que alguna vez nos había preparado el viejo Infinito en la residencia del embajador Tabares, al borde de una piscina con ínfulas romanas, rodeada de palmas reales y de una cuidada floresta tropical cuyo verdor purísimo se erguía cimarrón hacia el cielo azul del oeste de La Habana, como si estuviéramos en un planeta lleno de privilegios y no en una isla sometida a todo tipo de vaivenes y vejaciones por un implacable dictador y un Imperio ajeno y enajenado, tozudo hasta el absurdo, un lugar del jardín (ese rincón mágico de la mansión que fuera del pastelero norteamericano Ward)

desde donde veíamos la casa del embajador surcada ya a esa hora por las primeras sombras frescas de
la tarde habanera.

Había llegado a Cayo Hueso después de haber volado alrededor de cincuenta minutos desde
Miami hasta el pequeño aeropuerto del islote en una
frágil avioneta de ocho plazas de la Gulf Stream.
El minúsculo aparato, casi de juguete, galopó los
aires del cielo evitando suavemente las turbulencias
repentinas que surgían ante nosotros, las nubes de
coliflor que se dibujaban en las cercanías de su deriva y los vientos encontrados de repente. Durante
el corto vuelo, la memoria se me perdió otra vez
en Papá Hemingway, e incluso lo imaginé, gordo
y avejentado como siempre, respirando lenta y di-
ficultosamente, con la piel de la nariz llena de esca-
mas y oculta su mirada escrutadora tras unas gafas
de cristales ahumados que lo alejaban de la gente.
Lo imaginé en uno de esos cortos viajes que lo acercaban al lugar donde durante años vivió una temporada larga de placidez creativa, al tiempo que
serenaba siquiera circunstancialmente la agobiante vitalidad que hasta entonces lo había llevado de
un lado para otro, como gallina que no encontraba su verdadero nidal.

Después de la leyenda de su vida, el cine
arrastró hacia su industria a Cayo Hueso, y la incesante voracidad imaginativa del celuloide en blanco y negro le agregó relatos y mitologías de gánsteres que llegaron a ser famosos porque en la pantalla
adquirían los rostros y los tipos de Edward G. Ro-
binson o Humphrey Bogart. En una de esas mí-

ticas causalidades se habían conocido por estos parajes, precisamente en el rodaje de *Tener y no tener*, la novela de Hemingway que Howard Hawks llevó al cine en un guión que destrozó el relato literario, Lauren Bacall (entonces Betty Perske) y Humphrey Bogart. Más tarde, la literatura del cine había terminado por atraer al turismo hasta convertir el cayo en lo que era ya hoy, en el momento de reencontrarnos allí Hiram Solar y yo: un islote fronterizo, vivaz y apacible a un tiempo, en medio del mar, entre la Yuma y la isla de Cuba, al que llegan por un lado, por el puente tendido sobre el mar o en el cómodo asiento de un avión de línea regular, cientos de turistas norteamericanos llenos de curiosidad, y por el otro, desde el abismo del mar y la tristeza, los balseros cubanos a la búsqueda desesperada de espejismos paradisíacos, éxtasis de controvertidas libertades y nostalgias múltiples que se mezclaban a veces con las ácidas lágrimas del arrepentimiento de la aventura, tras morder los primeros fracasos del exilio.

Había tenido esa mañana, antes de la confesión de Harry en el Sloppy, el tiempo suficiente parta perseguir además al escurridizo fantasma de Hemingway sobre el calor asfixiante del asfalto de la Duval Street, hasta llegar al 907 de la Whitehead, la casa en la que se conserva con mimo de museo la memoria del mito. Los libros apilados, en orden, en fila uno tras otro en sus estanterías, disciplinados como viejos veteranos de guerra que buscan desde sus tumbas recordar algunas de sus proezas inimitables, delataban las lecturas de Papá en el descanso de sus angustias. Las fotografías del hombre que siempre fue viejo y que nunca, al menos en apariencia, estuvo solo, cubrían las paredes pintadas de color beis clarísimo de cada una de las habitaciones de la mansión verde del escritor. En unas lucía el uniforme militar de la Primera Guerra Mundial, en otras aparecía con personalidades inglesas y norteamericanas, periodistas como él, militares de alta graduación y directores de cine. En las de más allá aparecía escribiendo, leyendo o aparentando que leía algunos papeles con mucho interés. Y en las mejores, en las que más alegre se le notaban los gestos del rostro, Ernest Hemingway quedaba eternizado junto a alguna captura extraordinaria que daba pábulo a la leyenda de su vicio aventurero, desde los safaris cazadores en los países del África central, en uno de los cuales llegó Papá a jurar que había matado un león de un lanzazo, hasta los días de pesca interminable por el mar Caribe, en los alrededores de los cayos, las Bermudas, Bimini y Cuba. También aparecían en las fotografías que habían ido perdiendo el color y la nitidez originales las mujeres importantes de la vida del escritor, sonrientes siempre y mirando al gran macho que no era más que un hombre sensible e inseguro, a pesar de sus bravatas y su aparente pasión por la agresividad y los deportes violentos. Porque con Hemingway había ocurrido lo que con tantos otros personajes relevantes del mundo en esa época: el mito terminó por sepultar al hombre que lo había generado y permitió, incluso, que sus múltiples mujeres, sucesos, manías y caprichos

lo fueran conduciendo poco a poco pero irremisiblemente hasta su último reducto: el suicidio.

En alguna pared brillaban soberbias las condecoraciones oficiales que le fueron concedidas por
sus servicios y sus escritos, y los muebles de la casa, las alcobas, el hall, los cuartos de baño, seguían
indemnes, oliendo a tiempo conquistado y abiertos a la vista del público en el mismo lugar de reposo que estuvieron siempre, como si todavía esperaran
que sus dueños de antaño llegaran de un momento a otro, mientras la sombra de Hemingway pu-
lulaba etérea, eternizada en cada esquina, en cada
escondite, en cada recoveco vegetal del jardín cuya
matutina humedad impregnaba el ambiente hasta
embriagar la respiración del visitante.

Allí estaba ese fantasma enorme de Hemingway, el hombre que contaba incesantemente sus
cicatrices de aventurero, jugador empedernido de
la vida con sorna ejemplar y con pasional talento.
Allí estaba su sombra inasible mirándome en silencio desde los ojos verdes, miel, negros y azulosos
de las tribus de gatos que siguen habitando la casa
del novelista noche y día. Allí, en la evidencia de
esa mansión de millonario feliz, estaban flotando las
locuras aventureras del hombre, plasmadas en documentos, palabras, ilustraciones coloreadas o en
imágenes en blanco y negro, y en color sepia, los
colores del recuerdo. Allí estaban tangibles, para
quienes las conocieran antes de llegar a esa casa,
sus manías y sus agravios, sus obsesiones paranoi-
cas, su humanidad desbordante, terca y llena de
contradicciones. Allí estaba, tendida al sol y con el

agua completamente limpia, como si estuviera esperando a los señores de la casa para el baño de ese día, la piscina, intacta, olímpica, colosal, y la madera verde de la casa ordenándolo todo exquisitamente, con una placidez reposada y natural que hipnotizaba a los visitantes al acercarse a la mansión de la calle Whitehead para husmear en el interior del pasado legendario del escritor. Y, entre la casa y la piscina, estaba allí el estudio del escritor, el tabernáculo donde Papá Hemingway se aislaba de todos y de todo para arremeter contra el mundo, sus obstinados fantasmas y sus elementos con la más apasionada de sus aventuras vitales: la escritura, su vicio solitario, cotidiano, predilecto y fundamental.

Había sido un fetichista irredento que por donde pasaba dejaba marcada en todos lados la impronta de su huella. Ese vicio vanidoso lo cultivaba mejor que ningún otro, y allí estaban esas imágenes dibujándose en la memoria, en aquel hoyo de silencios sacrales de Cayo Hueso donde había vivido con Pauline Pfeiffer hasta las navidades de 1939, cuando sus vidas comenzaron a torcerse y el viejo sintió la necesidad de escapar de nuevo a la búsqueda de historias sobre las que poder escribir tan sólo unos años más tarde.

Esa mañana recorrí lentamente, antes de encontrarme con Harry, los pasos perdidos del novelista, y lentamente reconocí la Duval Street, la paralela a la Whitehead, por donde Hemingway accedía diariamente a su soledad alcohólica, el Sloppy Joe's, el refugio donde quedó impresa una parte de la eternidad literaria del viejo al que yo había venido a perseguir hasta Cayo Hueso.

Recordé entonces, en medio del calor que bajaba del aire para inundar el cayo, lo que Tano Sánchez me había comentado mientras visitábamos Finca Vigía en San Francisco de Paula. Según Sánchez, Hemingway había escrito dos versiones de un cuento muy comprometido del que sólo se tenían noticias por rumores, determinados sueltos publicados en revistas norteamericanas o por el vicio del murmullo que nunca acaba por ser un verdadero testimonio. Una de ellas permanecía inédita incluso tras muchos años después de su muerte, porque el viejo no quiso que se publicara nunca (o eso me dijo Tano Sánchez que decían), sino que fuera dado a la destrucción y al fuego en el instante de su muerte. Le pregunté a Sánchez si se refería a *The Shot*, que yo no había leído entonces, aunque tuviera noticias de que con ese mismo título se había publicado un relato en Nueva York, en *Ken*, en la primavera de 1951. Tano Sánchez me dijo que Hemingway lo había escrito como si fuera Aquiles fuera de sí, airado y lleno de furia frente a los muros de Troya, enloquecido por la rabia que le había provocado el asesinato en La Habana de uno de sus mejores amigos cubanos, Manuel Castro.

—¿Tú sabes quién se dice que lo mató de un disparo y sin contemplaciones? —me preguntó Tano Sánchez.

Me miraba burlón, estimulándome a la respuesta, mientras yo fotografiaba sin parar el yate

Pilar que Hemingway le había legado a Pedro Infinito en su testamento y que ahora se exhibía varado casi en el aire, en un cobertizo aledaño al jardín de la mansión blanca de Finca Vigía, una vez que el dueño del mar lo regaló al Estado cubano y los gobernantes habían decidido mostrarlo junto a los fetiches de la vida cubana del escritor gringo, tras abrir la casa de nuevo al público.

—Lo mató Barbatriste, el rey del mambo, el que tiene en la mano el pollo del arroz con pollo, para que tú te enteres. La Historia con mayúsculas, mi amigo, sin más cojones —se contestó a sí mismo Tano Sánchez, mirando ahora cómo yo acribillaba a fotografías el yate *Pilar* sin que aparentemente me hubieran llamado la atención sus palabras—. Limpiamente. Trifulcas universitarias, reyertas políticas entre muchachitos de gatillo alegre, mi hermano.

El personaje central del cuento *The Shot* es, en efecto, la silueta dramática de Manuel Castro, director de deportes nombrado por el presidente cubano Grau San Martín, a pesar de que se hizo correr en todos los circuitos políticos de la Isla que el mismo Manuel Castro estaba involucrado en el atentado terrorista que costó la vida al profesor de la Universidad de La Habana Raúl Fernández Fiallo. Aunque contaba ya más de treinta años de edad, este Castro seguía siendo universitario en la escuela de ingeniería, de modo que así podía continuar manejando los sindicatos estudiantiles de la universidad habanera, me contó Tano Sánchez. Se dijo además que enseñaba en el Departamento de Diseño de la universidad, se le tenía como miembro importante de la Legión Revolucionaria y que, como sospechosa contrapartida, colaboraba con Rolando Masferrer. Cuando Fidel Castro, en ese instante estudiante de tercer año de la Facultad de Derecho, pidió el apoyo de Manolo Castro para ser delegado universitario en esa facultad, el dirigente político le negó su ayuda con las peores palabras.

—Yo no apoyo como delegado a un mojón —remató.

—Ahí mismo se condenó a muerte —me dijo Tano Sánchez, que parecía conocer las entretelas del asesinato del amigo de Hemingway.

En efecto, Manuel Castro no sabía entonces que estaba firmando con esa actitud su condena a muerte. Por pesquisas posteriores, entre las gentes que todavía se atrevían a recordar y a comentar el caso, además de por los testimonios un tanto ambiguos de Tano Sánchez, supe más tarde que la conspiración para matar al dirigente universitario Manuel Castro partió de la furia que se desató en el entorno de Fidel Castro. Entre esos muchachos de gatillo alegre iban dos miembros de la Unión Insurreccional Revolucionaria, de la que Fidel Castro era jefe de acción, José de Jesús Jinjaume y Montaner, y Gustavo Ortiz Faes. La realidad es que este último consiguió matar a Manuel Castro con uno de sus disparos, y fue condenado por ese atentado, pasó unos años encerrado en la cárcel y, al final, fue excarcelado y puesto en libertad porque era ahijado de Grau San Martín.

Ése fue el suceso del que se sirvió Hemingway para escribir la crónica de la muerte en clave de cuento bajo el título de *The Shot*, donde el escritor relata cómo dos huidos por razones políticas le piden que les dé unos pesos para escapar de Cuba. La policía los buscaba porque eran sospechosos de haber participado en la muerte de Manuel Castro (iban en el segundo automóvil que ametralló al dirigente universitario, desde donde se realizaron también disparos que finalmente causaron la muerte de dos personas y cinco heridos). El primer coche había pasado por delante de la casa donde estaba Manuel Castro para provocarlo, para que saliera a la calle, quedara al descubierto y los pistoleros que venían en el automóvil de atrás terminaran de rematarlo.

Pero se rumoreaba desde siempre que existía otro original de *The Shot* que nunca había sido publicado. Tano Sánchez llegó a confesarme la existencia de esos papeles inéditos cuya escritura respondía al mismo episodio, la muerte de Manuel Castro por ametrallamiento el 22 de febrero de 1948. Incluso algunos allegados a la familia Hemingway y ciertos estudiosos de la vida y la obra del escritor confesaban a hurtadillas que lo habían tenido alguna vez entre sus manos, aunque lo ocultaban negando que lo hubieran leído del todo. Indeterminados murmullos nunca confirmados de algún indiscreto albacea de Papá habían llegado más lejos al afirmar la cantidad aproximada de palabras que contenía el relato. Aunque Tano Sánchez me dijo que había leído aquellos papeles escondidos que resultaron malditos y prohibidos, nadie desde hacía años daba cuenta de su paradero ni se atrevía a especular en qué lugar desconocido se guardaba el hipotético original del relato o qué persona lo escondía celosamente, muy lejos de las miradas y de las sospechas de todos, tal vez a la espera de que Fidel Castro desapareciera físicamente de la historia de Cuba y de la vida de la Isla para publicarlo por fin y para que todos pudiéramos leerlo.

—Desde muchachito era así, como Gengis Kan —me comentó Tano Sánchez. Hablaba de Fidel Castro sin nombrarlo, como es todavía costumbre entre los cubanos cuando hablan para criticarlo con dureza.

—¿A qué te refieres? —le pregunté provocativo.

—Tal como es, chico, lo que yo te diga —respondió Tano con aspavientos gestuales—, nadie creía en él como él mismo. Nadie nunca depositó en él tantas expectativas ni tanta fe como él mismo. Esos tipos así duran más que un siglo. Tanto les crece la fe que parece que nunca se van a morir.

Como Harry había pronosticado unos minutos antes, costó trabajo que nos entendieran en el Pier House. Sólo queríamos la albacora asada, a la plancha, sin más, sin aditivos ni añadidos de ningún género, sin salsas rosas ni amarillas, sin hierbas y sin ensaladas de col cortadita, sin tomate y sin cebolla. Queríamos la albacora a la plancha, en su propio sabor de mar y nada más, pero el camarero gringo nos trajo los dos platos de atún negro acompañado con variadas guarniciones, que le caían encima hasta empapar las dos rodajas del pescado, rociadas con algún jarabe que se parecía remotamente a lo que pudo ser una salsa mahonesa y una col revuelta con vinagreta que había terminado por arruinar nuestro deseo gastronómico. Protestamos. Harry, mientras gesticulaba irónicamente, quitaba la vista del camarero, lo despreciaba ostensiblemente y escondía los ojos de la discusión que yo mantenía con el gringo. Llevaba su mirada hasta la bahía y el horizonte del mar, donde se perdía abismado en la visión de la carretera que alcanzaba Cayo Hueso hasta el Sigsbee Park de la Marina de los Estados Unidos de América.

A la tercera vez, el camarero del Pier House entendió lo que queríamos. «Ohhh, yah, yah, yes, tuna grilada, only grilada, ok, ok», acertó a decir sonriendo. Entonces pudimos saborear por fin dos espléndidas rodajas, limpias de mejunjes y adobos, en dos platos de plástico blanco con cubiertos también de plástico blanco. Harry seguía sonriendo, encantado de que la realidad, irónica hasta el sarcasmo, viniera a darle la razón en aquellos pequeños detalles de la vida que nada tenían que ver con el mundo tropical que era su propia genética, su misma memoria, desde las primeras letras aprendidas en Trinidad hasta llegar a La Habana a estudiar ingeniería electrónica, para después viajar por el mundo y regresar a la Isla a estrellarse completamente con el sistema castrista. El vino blanco lo tomamos igualmente en vasos de plástico blanco, donde el líquido precioso y afrutado se calentaba en pocos minutos.

—No podemos quejarnos, son desechables —dijo Harry con humor.

No había nada que hacer, le dije como respuesta a su chiste, ni nadie contra quien enfrentarse: era una concepción del mundo radicalmente distinta. Por lo menos en eso me parecía que estábamos de acuerdo, y lo único que se podía intentar con cierta seriedad consistía en esperar pacientemente que pasaran los lustros, los decenios, incluso los siglos, para que poco a poco se fueran acercando las distintas maneras de entender la vida de los gringos y los hispanos, hasta que todos nos fuéramos contaminando de todos y de todo, de lo mejor de cada una de esas concepciones, y todos acabáramos por reclamar la impureza de todos y de todo como uno de los destinos del hombre sobre la Tierra. Pero Harry seguía impertérrito mi discurso, porque si antes de salir de La Habana rumbo a la Yuma tenía sus dudas sobre los yanquis, después de haber convivido con ellos rechazaba su visión del mundo y su concepción cada vez más mezquina y cerrada del universo.

—Fíjate el vino —le dije para provocarlo—, lo han copiado a la perfección, hasta el punto de que estos Riesling son tan buenos como los europeos.

Se sonrió moviendo la cabeza, descreyendo de mis palabras, pero no pronunció comentario alguno, ni para contradecirme ni para matizar mi opinión. Terminamos de comer casi en silencio, como si la tensión de la conversada de toda la mañana hubiera dado paso a un natural cansancio que paulatinamente y al llegar las primeras horas de la tarde derivaba en incipiente sopor.

Después salimos al sol abierto y tomamos un taxi desde el Pier House hasta el Holiday donde sabíamos con certeza que el barman era un habanero sabio que nos prepararía con todo gusto un café de verdad, un café cubano, y no ese aguachirle llamado café americano del que tanto Harry como yo abominábamos diariamente. El chófer del taxi era uno de esos remedos hemingwayanos que flotan en Cayo Hueso para hipnotizar al turismo ingenuo, un reclamo físico que pretendía asemejarse al escritor en su parecido exterior de viejo aventurero ya retirado de peligros mayores: gorra de pelotero de color azul desteñida por el sol de alta mar, algunas cicatrices en el rostro de las que poder contar la hazaña, barba cana y recortada, corpulencia extemporánea y de pesada arboladura, ojos claros y escondidos en su lugar exacto bajo unas gafas de cristales ennegrecidos, respiración lenta y dificultosa, sonrisa siempre a medio camino entre la amabilidad y la distancia con los clientes, camiseta raída por la sal del mar, *short* envejecido por el uso continuo, y unas enormes piernas (muy delgadas en los gemelos y en los muslos) que sostenían a duras penas un organismo cansado por los sueños frustrados de tantas ilusiones.

—¿Hispanos? —preguntó en cuanto nos oyó hablar desde el sillón posterior del taxi. Nos miraba curioso por el espejo retrovisor.

—Cubanos —afirmó inmediatamente Harry.

Entonces el taxista abrió mucho más los ojos, levantó unos instantes las manos del volante y preguntó exclamativo si sabíamos lo que había ocurrido hacía nada más que un par de horas en la dársena de la Garrison Bight, a muy pocos metros de donde nosotros habíamos llevado a cabo el banquete de la albacora negra del Golfo y el vino blanco de California.

—Pero, hombres, ¿no escucharon los disparos? —preguntó alterado pretendiendo sorprenderse ante nuestra cara de asombro expectante.

Había sucedido tan sólo hacía poco más de dos horas. La policía, dijo el taxista, había detenido a duras penas a un cubano que pretendía alquilar una lancha rápida que lo llevara hasta la isla de Cuba, hasta el puerto del Mariel o hasta Cárdenas, porque él no iba a entregarse nunca en la vida a las autoridades gringas, en la vida, eso ni soñarlo (decía el taxista que había gritado el cubano cuando lo detuvieron). Se había resistido a la policía. Había disparado dos o tres veces, con lo que el arma (tales detalles nos los contaba como podía, atosigado, respirando entrecortadamente, como si hubiera presenciado el arresto y lo estuviera reviviendo) quedó al descubierto y el caso perfectamente aclarado, ¿yunou?, dijo el taxista gringo sonriendo satisfecho de sí mismo y del relato.

—Pero ¿por qué quería irse, por qué lo detuvieron?—preguntó Harry.

—Con esa arma, un cuarentaicinco, según cuentan, había matado a su mujer la noche anterior, ¿Ok, mister? —contestó el chófer juguetón, certero, detectivesco.

Tenían, añadió sin abandonar la ironía, el cuerpo de la muerta, el móvil, tenían ya al asesino y tenían el arma con la que había cometido el crimen, ¿no?, ¿qué más había que tener?

—Caso cerrado, sir —dijo concluyente el chófer vestido de Hemingway que nos conducía al Holiday. El eco de su voz llena de miasmas aguardentosas resonó como un ucase en el interior del taxi.

Había atravesado la Palm Avenue, y dejando a su izquierda Garrison Bight, donde habían arrestado al cubano que había matado a su mujer, siguió por la línea recta que forman la First Street y la Bertha hasta desembocar en la South Roosevelt Boulevard, junto a la Smathers Beach, justo en la puerta del Holiday en el que me había hospedado con todo mi equipo de televisión.

Entramos al hotel. En el bar, Tomás Blanco, un cubano prieto y sonriente de Camagüey (aunque él se decía habanero porque había vivido todo el tiempo en la capital) de más de cincuenta años de edad, que llevaba en la Yuma la mitad de su vida, nos recibió con un gesto de complicidad nada más ver que nos sentábamos en dos de los mullidos sillones del recinto. Sabía que nos gustaba su café y que estábamos allí para que nos sirviera un par de buches a cada uno. A veces silbaba con fuerza por encima de nosotros el aire acondicionado que mantenía en perfectas condiciones de respiración la atmósfera del bar del Holiday, hasta convertirlo en uno de los lugares más acogedores del cayo en esas primeras horas de la tarde.

—Aquí, mis hermanos, el aire es como debe ser —decía ahora Tomás Blanco—. A la orden, ni mucho ni poco, ni frío polar ni sopa tropical, ni lo uno ni lo otro, ni lo nuestro, que es para mandarnos para casa del carajo de tanto calor y de tanta transpiración, chico, una vaina insoportable, ni lo de los americanos, unos pendejos que están locos de la cabeza, dime tú, tremendo cráneo tienen con el frío, y después van y se agarran unos catarros, unas gripes y unas tiriteras del carajo parriba o tienen que venir más abrigados que si estuvieran en los hielos de Chicago en pleno mes de enero, ¿no es verdad, mis amigos?

Servía el café con una sapiencia antigua, como un sacerdote al que los guajiros fundadores del ritual cafetero hubieran enseñado, para que los heredara y mantuviera vivos por el mundo, los secretos de cada uno de los tiempos despaciosos y llenos de parsimonia ceremonial. Colocaba las tacitas en sus platillos respectivos delante de cada uno de nosotros como si fueran piezas absolutamente obligatorias en la liturgia de una religión olvidada en aquellas latitudes. Y después la cucharilla plateada, completamente limpia y reluciente, ocupaba su lugar en el platillo. El café cubano era su vida y servirlo su especialidad: humeante, denso, corto, expreso condensado, decía el mismo Tomás Blanco, eso es la vida de verdad, bróder, ¿verdad?, un dedalito para despertar a un caballo cansado si fuera necesario, la medida exacta del entendido, del buen bebedor de café, decía asomando sus dientes blancos por entre los labios bembudos.

—¿Ya se enteraron de la cosa, no? —preguntó cuando dejaba caer sobre mi café las dos cucharaditas de azúcar blanca que le había pedido. Se refería sin duda al caso del que nos había hablado el taxista imitador de Hemingway que nos trasladó hasta el Holiday.

—¿Cómo se llama el hombre? —preguntó de repente Hiram Solar.

—Se llama Leonel Padrón León, todo un personaje de fábula —contestó el barman.

—¡Pero, bueno, coño, ¡si es Leonel Lagarto! —dijo Harry entonces—. Es del Alpha, el pendejo. Él y Mendruguito nos llevaron a todos los del *Progreso*, recién desembarcados, a almorzar una mañana al Restaurante Ayestarán de la Ocho, en Miami City. Nos fueron a buscar al Four Ambassadors, en el Brickell Point, donde nos habíamos alojado. Nada más llegar de la Isla, cuando salimos de Cayo Hueso, nos quisieron captar para la organización. Mendruguito, el primo de Efraín, hizo de hermano de costa, aunque yo estoy seguro de que Leonel era el hombre de verdad, el que daba las consignas. Con Cachopenco y Marxlenin lo consiguieron, no les costó mucho trabajo convencerlos, al fin y al cabo los tipos eran militares en Cuba. Los enrolaron en el 66 y se los llevaron para los Everglades, pero conmigo y con los demás pincharon en hueso. A Cachopenco lo mandaron un par de veces más a hablar conmigo, para convencerme, se enteraron de que nos conocíamos desde Angola, pero, chico, tú lo sabes, yo no soy un militar como él o el mismo Marxlenin. Rechacé la oferta a pesar de las presiones a las que me sometía el gran cabrón. ¿Yo metido en esa guerrillita de la

CIA, tú me ves a mí ahí, haciendo instrucción militar, pum, pum, pum, parriba y pabajo, Marcelo, en ese sinsentido que lleva casi treinta años errando el tiro, chico, mi hermano, qué te parece? Se lo dije a Cachopenco como te lo cuento a ti ahora y se quedó muerto. Le dije que estaba seguro de que el de la barba se salía también con la suya esta vez. Ni siquiera fuera de la Isla podían abandonar ese complejo de guerreros que el Caballo le ha inyectado en vena a toda la gente en Cuba. Si no se es guerrero, se es pajero, bugarra, maricón para el carajo, ya tú sabes que ésa es la vaina de Cuba, mi hermano. Le dije a Cachopenco que estaba a punto de irme de Miami, que no aguantaba más la Calle Ocho, el Ayestarán y la Sagüesera, eso le dije.

—¿Y para dónde carajo tú te vas, negro de mierda, malagradecido? —le preguntó Cachopenco.

—Eso me dijo el gran cabrón riéndose en mis ojos —siguió Harry hablando—, y eso que yo lo había sacado de la Isla en el lanchón, no quiero decir que yo fuera un héroe, pero, coño, mi hermano, el Cachopenco, ¿qué te parece?, un pendejo, un soldado de Angola, uno más, un guardafrontera de la dictadura me reclamaba a mí ahora que yo era un malagradecido.

—Para cualquier lugar que haya por ahí —le contestó Harry a Cachopenco—, cualquiera menos quedarme varado, vendiendo frutitas en la calle Ocho o ahí delante, en la esquina de Texas, tocando fondo en este mierdero de Miami en el que tú te vas a quedar. Para casalcarajo, por ejemplo, para Los Ángeles, para Las Vegas, para Neo Yol, para cualquier lugar menos quedarme aquí a seguir viéndole las jetas a todos ustedes, como si no hubiera salido de la Isla para otra cosa más que para verme en el espejo.

Eso le dijo Harry. No encontró otra manera de quitárselo de encima, porque le caía atrás a cada rato. Después de eso no lo volvió a ver más y una semana más tarde cogió sus bártulos y cruzó de una orilla hasta la otra, hasta la ciudad de Los Ángeles, California.

Leonel Lagarto Padrón León, a veces también llamado Peter Pan, fue acusado esa misma mañana, inmediatamente después de haber sido detenido en la Garrison Bight de Key West con el arma homicida en la mano, de asesinar a tiros la noche anterior a su mujer, Carmen Lorenzo Sacristán, en el Miami-Dade Community College de Hialeah, donde ella (doce años más joven que el marido) estaba estudiando unos cursos de historia, economía y humanidades. Los testigos que se prestaron a declarar en el atestado dijeron que escucharon una fuerte discusión entre los dos cuando bajaban las escaleras para ingresar en una de las calles cercanas al edificio del College que conduce directamente a un estacionamiento automovilístico subterráneo. Sin haber llegado a la primera esquina, los dos se pararon repentinamente, cuando sólo un momento antes la mujer intentaba dar largos pasos para escapar de las reconvenciones de su marido. Lagarto gesticulaba con sus manos en el aire, se las llevaba a la cabeza, se mesaba con ellas los cabellos entrecanos sin dejar de gritarle cuantos improperios se le venían a la boca y hacía gestos inequívocos de amenaza a la mujer, que trataba de seguir su camino sin que el marido se lo permitiera.

Algún testigo dijo además que Lagarto aullaba como un loco agresivo en el momento de zarandear a su mujer violentamente mientras ella, en silencio, lo miraba aterrorizada y buscaba zafarse de la presión física del hombre. Carmen Lorenzo, con las manos aferradas a los libros que le servían de parapeto siquiera simbólico (los ponía sobre el pecho previendo tal vez los golpes inmediatos de su marido), buscó escaparse entre forcejeos y manotazos, pero todo fue inútil. Ninguno de los testigos juzgó oportuno intervenir en la reyerta, porque al fin y al cabo debieron pensar que una cuestión de alcoba matrimonial es cosa de dos y entre dos debe exclusivamente encontrarse el arreglo adecuado. Pero unos segundos más tarde, Peter Pan sacó un arma corta de sus sentinas más rencorosas y comenzó a disparar a quemarropa sobre el cuerpo de su mujer. Carmen Lorenzo se desplomó como un fardo tras la segunda detonación. Al asesino no le fue suficiente, sino que siguió disparando al cuerpo ya en el suelo y sin vida hasta descargar sobre el cadáver cuatro tiros más que acabaron por eliminar las mínimas posibilidades de supervivencia de Carmen Lorenzo.

—¿Cuál tú te crees que fue el móvil, Harry? —le preguntó Tomás Blanco a Hiram Solar.

Pero no esperó a que Harry contestara, no le dio ninguna opción de respuesta, como si se hubiera preguntado a sí mismo aunque nos mirara a nosotros.

—¡Los celos, chico!, ¿pero tú no lo ves?, ¡los negros celos que mueven el mundo por debajo y hacen temblar el piso como un terremoto!, eso fue lo que mató a la mujer, más nada que el bolerazo de siempre, bródel, Romero y Hulieta en cualquier nivel forever —dijo Tomás Blanco abriendo y cerrando los ojos continuamente.

Dos meses antes del asesinato, como al día siguiente del suceso recogió con todo detalle en sus páginas de sucesos el Miami Herald, Carmen Lorenzo, aprovechando la ausencia del marido, había abandonado apresuradamente la casa familiar que habitaba con Leonel Lagarto Padrón, llevándose todos sus objetos personales en un camión que conducía Níquel Ramos, su joven, mulato, apuesto y supuesto amante, cubano —naturalmente— y trabajador en un establecimiento de electrodomésticos y efectos musicales de la Flagler Street de Miami City, mientras ella y su hijo de siete años y medio huían en un turismo hasta refugiarse en casa de su madre, en el fondo de la Sagüesera de Miami. Cuando las cosas parecían aparentemente calmadas, Carmen Lorenzo regresó a sus clases en las aulas del Miami-Dade Community College. Casi todas esas horas lectivas eran vespertinas y terminaban al oscurecer. Por eso mismo, y como prevención contra los posibles y sorpresivos ataques de Leonel Lagarto, Níquel Ramos acompañaba en un auto a Carmen Lorenzo hasta su college y la esperaba a que terminaran las clases aparcado a una distancia prudente del edificio donde la cubana estudiaba. Pero ese día nefasto del asesinato, Carmen

Lorenzo se había atrevido a ir sola hasta el college y no intuyó que la muerte le iba a salir al paso cuando Peter Pan le vaciara un cargador entero en el cuerpo que amaba apasionadamente Níquel Ramos.

El tiempo durante el que Leonel Lagarto no había dado señales de vida, a pesar de la afrenta que recibió con la huida de su esposa práctica y públicamente en brazos de su amante, el mulato guapo con fama de play-boy y latin-lover en los círculos cubanos de diversión y música en la Little Havana, lo pasó en los Everglades, una inmensa jungla pantanosa en la zona sur de Florida, en donde algunos grupos y organizaciones guerrilleras anticastristas establecen sus campamentos móviles y sus campos de entrenamiento bélico para invasiones las más de las veces imaginarias. Hasta hoy todas han fracasado rotundamente en sus objetivos de matar al tirano y liberar Cuba de las manos dictatoriales del castrismo. Las investigaciones policial y judicial no han confirmado este extremo y sospechan que Leonel Lagarto (así llamado no sólo por la piel de su rostro, empedrada de viruela y visiblemente cartilaginosa, sino también por su carácter aparentemente cansino, frío y reposado, frente a la realidad de un temperamento agresivo y pasional que enmascaraba en su interior con una habilidad sorprendente incluso para los que mejor lo conocían) miente para librarse del agravante judicial que supone la premeditación y la alevosía, y para igualmente menguar la fuerza de la nocturnidad, porque ya había oscurecido la tarde en el que el suceso tuvo lugar; y para alegar en el juicio que la discusión fue repentina, que se ofuscó por los gritos histéricos de su mujer cuando él lo único que pretendía era hablar con ella y nada más. Lo que pasó, eso iba a esgrimir la defensa (según Tomás Blanco aseguraba ahora), es que su furia se tradujo en una locura momentánea, que fue la causante real de la muerte de su mujer y no los celos premeditados como todo el mundo podría imaginarse, ¿lo ven al hombre trabajándose el plan o no?, nos preguntó Tomás Blanco para que confirmáramos su hipótesis.

Lagarto Padrón no se detuvo ni un momento tras matar a su mujer en Hialeah. Como si tuviera perfectamente preparado un plan para escapar de la policía norteamericana, subió a su automóvil, un Toyota de color azul marino que tenía aparcado dos calles más allá del lugar del suceso, y huyó a toda velocidad hacia Miami City para atravesar la ciudad como alma que lleva el diablo y recorrer cuanto antes la distancia de casi 400 quilómetros durante toda la noche a través del Overseas Hihgway, la prolongación de la U.S.1, hasta llegar con las primeras horas del amanecer a Key West, puente tras puente sobre el mar.

Sabía que lo estaban buscando para detenerlo, pero su sangre fría no lo delató en ningún momento, ni aumentó la velocidad del turismo para llegar antes de lo que debía. Tampoco cometió ninguna otra imprudencia que levantara sospechas mientras condujo el Toyota azul marino, ni se dejó llevar por el cansancio ni por los fantasmas de la noche que lo tentaban con sus visiones trágicas y sus luces imaginarias. Al contrario, dominó sus nervios hasta templarlos del todo, sin perder nunca las bridas de sus reflejos, mantuvo los ojos en la carretera durante más de cinco horas, como si realizara una operación militar largamente entrenada en los campamentos de los Everglades y no dejó en ningún momento de escuchar la música y las noticias que le brindaban las emisoras de la radio del coche, que siempre llevó encendida.

Ya en el cayo, con una tranquilidad escalofriante, propia de su mejor disfraz, alquiló una habitación doble de uso individual en la Hampton Inn del North Roosevelt Boulevard, tan cerca de la Garrison Bight que desde las ventanas de cristales ahumados de su propia pieza podía ver claramente Lagarto, con sus ojos de huevo duro y sus tres largas dioptrías en cada uno, los yates y los lanchones que por cientos estaban anclados en los docks de la marina y en el Club Náutico de Key West.

El conserje del Hampton le dijo a la policía que Lagarto Padrón parecía un apacible ciudadano, fuera de toda sospecha, que quería descansar en la tranquilidad del cayo durante unos días. Incluso afirmó que le había preguntado en un inglés bastante aceptable para tratarse de un hispano que si en el cayo había en esos momentos algunas buenas casas en venta, por lo que el hombre dedujo que Leonel Padrón tenía intención de comprar una para instalarse y quedarse a vivir en Key West después de trasladarse allí con su familia. Todo eso eran suposiciones, desde luego, pero al menos, le dijo el conserje a la policía, parecía encajar en el carácter de hombre tranquilo y pacífico que Peter Pan exhibió durante la única conversación que mantuvo con el portero de noche en la carpeta del Hampton al llegar a Cayo Hueso desde Hialeah. En ningún momento, añadió finalmente el encargado del hotel, pudo imaginar que el hombre iba armado, y mucho menos figurarse lo que se traía entre manos tras cometer el crimen por el que era buscado en esos mismos instantes por toda la policía del Estado de Florida.

Por lo publicado en la edición del Herald al día siguiente de los hechos, llegó a saberse que Leonel Padrón León había sacado de todas sus cuentas corrientes bancarias, de los cajeros electrónicos y de todas sus tarjetas de crédito todo el dinero que tenía disponible en el momento de la decisión de matar a su mujer, Carmen Lorenzo. El monto total del dinero reunido por Lagarto Padrón se elevaba según pesquisas a 25.000 dólares, que escondió en una bolsa de plástico de Wooley's, parte de cuya cantidad fue destinada inmediatamente a la compra de cinco contenedores de gasolina, hielo y termos de agua.

A las 10.15 a.m. del luminoso día en que Harry Solar y yo nos encontramos los dos por primera vez fuera de Cuba, en Cayo Hueso, en el Sloppy Joe's de la Duval Street, para escucharle la aventura de su huida de la Isla, Leonel Lagarto Padrón León estuvo a punto de conseguir su propósito, a todas luces insólito dada su biografía de exiliado político del régimen castrista y reconocido activista militar en Alpha 66, organización en la que había obtenido el grado de comandante tras una larga permanencia en el grupo guerrillero y algunas escaramuzas en aguas cubanas, como la que llevó a cabo el llamado «Comando Liberación» del POUND (Partido Unión Nacional Democrática, fundado en Miami City en octubre de 1987), bajo su mando, en marzo de 1994, que había disparado —dizque desde el mar— contra el Hotel Meliá Varadero, a 140 quilómetros de La Habana, operación destinada a amedrentar al turismo de la Isla y de la que nunca hubo constatación oficial ni por parte cubana ni por parte gringa. Aunque el POUND se lo había atribuido como un gran éxito inmediatamente después del atentado y a través de sus voceros oficiales, los mismos portavoces negaban en esa edición del Herald que Leonel Lagarto Padrón se hubiera encuadrado nunca en su organización política ni en su brazo armado, sino que todo parecía una intoxicación informativa para dar ínfulas de heroicidad a quien no había resultado al final más que un vil criminal que enlodaba la estela heroica y resistente del exilio cubano en el Estado de Florida.

En la marina de la Garrison Bight, a la que llegó minutos antes de las nueve de la mañana y sin apenas haber dormido, Peter Pan trató de alquilar una embarcación cuya envergadura marinera le garantizara el viaje hasta la isla de Cuba en pocas horas. Estaba dispuesto a ofrecer hasta 5.000 dólares por el servicio al patrón que se prestara a llevarlo hasta Cuba, mejor de noche que de día, y que lo desembarcara en las Playas del Este de La Habana o algunas millas más allá de la zona turística de Varadero, en la playa conocida como Rincón Francés o más en el mar, en los alrededores de Punta de Hicacos. A todos los que trató para la singladura les dijo que él conocía muy bien esa zona y que no correrían mayores riesgos ni para ir ni para regresar, ni en la partida ni en la recalada. Para confirmar lo que decía señalaba sobre el mapa y las cartas marinas la deriva que debía seguir la embarcación hasta alcanzar las aguas jurisdiccionales cubanas y dejarse llevar después hasta el destino final, en las arenas de cualquiera de esas playas que señalaba con el dedo índice con una seguridad más que pasmosa, según los marineros que lo habían testificado.

Cuando los patrones se negaron uno tras otro a llevarlo hasta la Isla, Lagarto Padrón fue subiendo la cantidad que había ofrecido al principio, hasta doblarla en unos 10.000 dólares, sin conseguir por su parte convencer a ninguno de los marineros con los que trató de arreglar su huida. Todos sospecharon del creciente nerviosismo del hombre hasta entonces impasible e imaginaron nebulosamente que aquella escapada a la inversa, de la que lo menos que podía decirse es que resultaba muy original, llevaba una bala oculta en la recámara, porque cuando eran cientos de miles los cubanos que buscaban fugarse de la Cuba de Castro se producía la gran paradoja: al menos había uno que pagaba incluso una pequeña fortuna para regresar a la Isla privada durante décadas de las libertades elementales, por la recuperación de las cuales

Leonel Padrón León se había exiliado años antes y luchaba enrolado como comandante en Alpha 66.

Al filo de las 10.15 de ese mismo día, cuando el sol comenzaba a apretar sobre el islote de Cayo Hueso, el patrón de la *Long Beach*, un yatillo de los que los turistas alquilaban por días para la pesca al curricán del pez aguja en alta mar, se prestó a la operación. Pero cuando habían llegado a un principio de acuerdo y ya dentro de la embarcación bebía un vaso de agua bien fría que le devolviera la respiración a su alma, Leonel Peter Pan, en un exceso de confianza que resultó suicida, sacó el arma con la que había matado a su mujer e incomprensiblemente la depositó encima de la mesa, como si fuera un juego de baraja con el que habrían de entretener las horas muertas del viaje hasta los alrededores de la Bahía de Cárdenas o una brújula que necesariamente tendría que marcar el rumbo de la *Long Beach* hasta alcanzar su destino. A ciencia cierta ni entonces ni todavía se ha sabido por qué Leonel Padrón cometió impávidamente un error semejante, impropio de un militar de su experiencia, una torpeza instintiva que terminó por delatarlo ante el patrón del barco al que unos minutos antes había convencido para que lo llevara hasta la isla de Cuba.

Esa pistola era en efecto el arma con la que había matado a su mujer la noche anterior. La policía llegó diez minutos más tarde avisada por uno de los marineros del *Long Beach*, a quien el patrón del barco había dado la orden de denunciar a la autoridad al hombre que había dejado la pistola sobre la mesa, a la vista de todos, como si estuviera simplemente viviendo la aventura del rodaje de una película en blanco y negro de Humphrey Bogart con él, con Peter Pan Padrón León como primer héroe y estrella del filme.

—El tipo perdió los nervios, Marcelo, no le dé más vueltas —me comentó Tomás Blanco al servirme un trago de ron en el bar del Holiday, al día siguiente del suceso. Había observado que yo estaba embebido leyendo las páginas del Herald donde se relataban los hechos y pegó la hebra para terminar de darme su versión.

—Al comemierda siempre lo coge el subdesarrollo cuando menos se lo espera, mi hermano —me dijo sonriendo—. Fíjese como es la vida, se creyó tanto el triunfo del personaje que estaba interpretando que terminó por importarle todo un carajo. Se creyó el amo del mundo, eso fue lo que pasó, con esa mierda de dinero en una bolsita de plástico, y ya, al coño, el rey del universo, vamos a bailar un mambo en el agua ¿qué más da, si ya nos vamos?

Guardó unos segundos de silencio. Permaneció de pie, observando cómo yo leía el Herald sin prestarle aparentemente ninguna atención.

—Fíjese bien, Marcelo —dijo Tomás Blanco—, ¿no ve usted que es un suicida cubano, viejo? Él es un macho, hay que partir de esa convicción, un macho del carajo a quien nadie le toca la oreja. Estuvo buscando la muerte desde que mató a su hembra, pero nadie conseguía acercársela por mucho que él lo pidiera a gritos, y todo le importó una mierda a partir de ese episodio. La huida fue una coartada, a ver si lo paraban en cualquier lado y le daban un par de tiros, pero se escapó, se cogió para él todo el dinero, dejando las pistas para que la policía lo detuviera. Seguía escapando y huyendo, ¿qué le parece?, eso es un macho con cojones, se estaba cagando de la risa de la policía yanqui, ¡por su madre!, delante de todo el mundo, y al final esa forma de delatarse es como jugar a la ruleta rusa. Es una entrega final a la cárcel, a la muerte que es la cárcel en la que ha ido a parar, mi hermano, eso es lo que se llama un suicida cubano, un tipo bravo, coño, hay que verlo así, muy osado, con dos cojones, vaya, con dos cojones así de grandes, eso no lo tiene todo el mundo, ¿verdad que no? —repitió antes de darse la vuelta y marcharse al interior de la barra, como si estuviera en la exacta certidumbre de todos los datos del caso.

La caída de la tarde en Cayo Hueso, cuando hace para colmo tan buen tiempo como el que Harry Solar y yo gozamos los dos días que estuvimos juntos allí, es un fulgor transparente y rapidísimo. Como un fogonazo que abre su luminosidad tan exasperante como epifánica al borde mismo de la línea del horizonte, hasta que el disco color oro viejo del sol se hunde en el mar con un último latigazo de luz que anuncia la negrura circular e inmediata que Hiram Solar conoció en alta mar, cuando escapó de Cuba en el *Progreso*. De esa aventura le quedaban todos los recuerdos que me había contado en el Sloppy y una secuela que desde entonces no había podido eliminar de su vida: tenía que dormir con una luz artificial encendida en la mesilla de noche, junto a la cama, y por regla general escuchaba, aunque no lo quisiera, a lo largo de cada noche, en medio de los sueños y de los duermevelas, el oleaje del mar golpeándole los tímpanos con su llamada de caracola llena de nostalgias.

Pero a esa hora de la tarde, minutos antes de que el sol se esconda en los abismos de la mar, los cazas norteamericanos del Comando Sur de los gringos, con base en Cayo Hueso, regresan a su casa de Boca Chica y bajan de los cielos rápidamente en parejas disciplinadas. Vienen de surcar los cielos del Caribe durante horas, avizorando cada movimiento sospechoso, cada uno de los gestos respiratorios de cada una de las islas.

En el bar del pequeño terminal del aeropuerto desde el que Hiram Solar se marchó por la mañana hacia Nueva York, con escala en Miami, mientras despacho a esa hora de la tarde mi último Tom Collins en el cayo, sentado cómodamente en un sillón de bambú y resguardado de los rigores del calor húmedo del trópico por el aire acondicionado gélido y zumbón, espero sin prisas mi vuelo para Miami en un viejo Fokker 22 de la American. Y observo desleída y desinteresadamente el ordenado ballet de las siluetas de los pájaros negros del Comando Sur aterrizando luego de la jornada de vigilancia sobre el mar Caribe, a punto ya todos los efectivos y dispuestos para invadir la República de Haití y reponer al presidente Aristide, Titide, largo tiempo exiliado en el Caracas Hilton de la capital venezolana, en su sillón presidencial.

A mi lado descansan los tres componentes del equipo de televisión que han venido dirigidos por mí hasta Cayo Hueso para rodar un reportaje en la vieja mansión de Hemingway y los pasos perdidos del escritor sobre el asfalto caliente de las calles del cayo. Han venido a despedirme. Les quedan todavía cuarenta y ocho horas de estancia en el Holiday del cayo, aunque lo más duro del trabajo ya lo han filmado. Ahora hacen bromas entre ellos, se dan manotazos y hablan en alta voz, pero yo no los escucho bien, sólo oigo un murmullo confuso y lejano que se mezcla con el zumbido uniforme de los aparatos del aire acondicionado, como si estuviera aislado de todo, a cientos de quilómetros de distancia del lugar en el que realmente me encuentro y del que me dispongo a partir.

Me ensimismo en la voz de Solar contándome durante los dos días de Cayo Hueso todo cuanto le ocurrió antes de marcharse de la Isla y después de llegar a la Yuma, en Miami, en Los Ángeles, Las Vegas y Nueva York. Veo a Carlos Tabares subiendo la escalerilla del DC-10 de la compañía Iberia en el aeropuerto internacional José Martí. Lo veo intentando mirar hacia atrás cada vez que sube un escalón. Viste un traje verde aceituna, oscuro, una camisa salmón, corbata verdosa, y calza unos mocasines color burdeos. Sus pasos son lentos, pero impecables, y no traslucen la emoción que vive por dentro en esos últimos minutos de Cuba. Sus ojos están brillantes y sus labios tiemblan leve pero perceptiblemente. El viento le revuelve los restos ralos de sus cabellos mientras asciende hacia el interior del avión por la escala delantera. En la mano derecha lleva una cartera de piel negra donde guarda los documentos personales, los que quiere llevar cerca, consigo mismo, los papeles en los que están escritas por su propia mano las experiencias vividas en la Isla.

Es una secuencia en cámara lenta que se reproduce en mi memoria con una certidumbre casi tangible en la que el embajador español sale de Cuba rumbo a Madrid, después de cumplir su destino en la legación diplomática de su país en La Habana. Y surge de pronto entre mis sueños la figura del viejo Pedro Infinito, pero mucho más joven que la última vez que lo vi en Cojímar, cuando nos tomamos juntos unas botellas de cerveza Hatuey en la barra de La Terraza, reconstruida prácticamente desde la desolación y la ruina en la que la conocí por primera vez a mediados de los ochenta y recuperada ahora para el turismo español, mexicano, canadiense e italiano. Veo al viejo Infinito hablando sin parar. Su voz ronca cabalga locuaz después de la tercera Hatuey, sin dejar de mirarme directamente a los ojos, sacando del fondo de la memoria sus aventuras secretas, las que lo marcaron para siempre en la costa africana, junto a su padre, y las historias legendarias de su larga vida en los cayos y en Cuba, antes y después de conocer a Papá Hemingway.

Veo en mis recuerdos, nítidamente, como una provocación tentadora y cercana, concreta y tangible, la imagen femenina de Petra Porter que se acerca donde estoy sentado, en mi sillón de bambú, adormilado por el ruido de los aparatos del aire artificial funcionando a toda máquina y por el estallido alcohólico del Tom Collins en el fondo del cerebro. La veo de pie, con los pantalones Moschino ajustados a su cuerpo, siempre en el borde mismo de la insinuación. La veo de pie delante de mí, su cuerpo moviéndose, balanceándose, oscilando como una figura inasible en el humo de mi Partagás 8-9-8, y cierro los ojos para soñarla tal como estuvo conmigo en el Cohiba de La Habana, en los días inmediatamente anteriores al momento en que me inventé este reportaje de televisión para estar aquí, en Cayo Hueso, para ver a Harry Solar de nuevo y para que me contara su escapada de Cuba en el *Progreso* y su encuentro con las libertades en la Yuma.

Ocho

En realidad ella se llamaba Petronila Valdés, pero todo el mundo había olvidado ya su verdadero nombre cuando la vi por primera vez en el lobby del Habana Libre, el escaparate internacional del bullicio revolucionario de Cuba en los años ochenta. El de Petra Porter abarcaba toda su vida, el pasado de pionera cuando era una niña, su estancia en París y su futuro de mitología personal. Era un título de batalla que se había ganado a pulso durante los años de su aprendizaje como modelo de pasarela en La Maison de Miramar y en cierto modo el resultado de los humores revueltos y los deseos contenidos de sus amigos de la Tribu.

Desde el principio pude comprender que el nombre nuevo venía a ser una suerte de culto que traducía la huella de admiración escondida en el alma de quienes la amaban en secreto sin poderlo remediar, de los que sufrían su presencia turbadora aunque en sus vidas hubiera otras mujeres que manejaban los tiempos de las pasiones, y de quienes le otorgaban en cuanto llegaban a conocerla un rango distinto y le rendían homenaje a su deslumbradora e inquietante belleza, hasta concederle el tributo en el que acabó por reconocerla todo el mundo y con el que ella misma se identificaba en cualquier parte, en La Habana, París, Moscú o Managua.

Tampoco ella guardaba mucha memoria del momento exacto de su biografía en el que cambió su nombre de pila por el definitivo de Petra Porter, aunque de pasada y sólo en ciertas ocasiones de excepción recordaba que fue el mismo Hiram Solar en un momento de inspiración y aguardiente quien le dio por primera vez el nombre con que todos los demás la llamaron para siempre. Al fin y al cabo, el ingeniero no había hecho otra cosa que contestar al juego de la muchacha, porque ella lo había bautizado antes con el sobrenombre afortunado de Harry, que venía a hacerle el honor a su gran parecido físico con el cantante negro norteamericano Belafonte.

No sé si en esa época de juegos adolescentes, escarceos dubitativos y cambios de nombres ya se habían empatado en secreto, porque vine a conocerlos bastante después, cuando sin comentarse nada de esas relaciones pasionales y amorosas se daban por hechas y, aunque ahora todo parecía ya acabado, no había duda alguna de que entre ellos aún existían evidentes encajes sentimentales y algunos códigos gestuales que traducían un profundo entendimiento y complicidades demasiado obvias. Pero sí supe de ella que ya en el momento de su nuevo bautizo había sido una de las primeras figuras de La Maison, y cuando se habló, entre el rumor y el murmullo, de su inmediata marcha a París para instalarse en la Ciudad Luz una larga temporada e incorporarse oficialmente como primera figura de la firma de alta costura y *prêt-à-porter* Christian Dior, en la inminencia del viaje a Francia y en la leyenda posterior de ese gran momento parisino, le cayó encima el nombre inventado ingeniosamente por Harry Solar.

—¡No hay más *prêt-à-porter* que nuestra Petra Porter! — exclamó Harry Solar, la mano alzada al cielo para brindar con un vaso lleno de ron blanco y seco en medio de la euforia de la Tribu. Pero antes de llevarse a los labios la bebida regó con el aguardiente la cabeza de Petra Porter, como si ejecutara un ritual de santería, le echó el humo invisible de su aliento sobre sus ojos y después cerró la ceremonia sellándole los labios con el apretón pasional y cómplice de sus labios.

—¡Así en La Habana como en el cielo! —gritaron a un tiempo la misma jaculatoria los coreutas de la Tribu y los amigos todos que tuvieron el privilegio de ser invitados a la celebración de su marcha a París.

Para ese entonces, Tano Sánchez parecía haber superado sus arrebatos contra el régimen de Castro y sus tentaciones de marcharse de la Isla, y decía entre quienes le escuchaban todavía con atención que estaba trabajando en un libro de reportajes que testimoniaba las hazañas de las tropas cubanas en África y que por esa misma razón se ausentaba con tanta frecuencia de Cuba por cuenta oficial, para documentarse y empaparse de todo cuanto luego tomaba por escrito en las mismas trincheras de Angola.

Cabeza Pulpo había dejado los estudios empantanados para siempre. Afirmaba que el acci-

dente que había tenido de joven le provocaba ahora
fuertes dolores de cabeza y se estaba transforman-
do poco a poco en un tipo cuya grisura de espíritu
molestaba ya a algunos miembros de la Tribu. Su
petición para entrar en el Partido Comunista Cubano había sido rechazada y, aunque en el alma le
había crecido un alarido de rencor que se le notaba demasiado en la mirada esquiva y lateral, ahora
se dedicaba a hacer méritos para entrar en la Seguridad del Estado y era ya de los que se había aprendido
de memoria (y lo repetía en todos lados) que el cubano que no tenía un hierro en la mano era un comemierda, un pendejo, un bugarrón, un poeta inútil o un maricón que no sabía donde estaba parado.

Solar, por su parte, estaba a punto de acabar
sus estudios en la CUJAE. Intuía, y lo anhelaba
desde ese momento, que tras una breve estancia
en La Habana lo enviarían a Moscú para seguir estudiando ingeniería electrónica en la Lumumba.
En cuanto a la Botellita de Licor, Zeida Olivar,
había desarrollado un cuerpo armónico, elegante,
finísimo y atlético que disciplinaba entrenando
todos los días durante horas, pero tropezaba una y
otra vez con los obstáculos que ella misma iba inventando de manera inconsciente y que le impi-
dieron ser después la bailarina de Tropicana que
todos habían vaticinado desde que la conocieron
cuando era todavía una niña.

Petra Porter me contó en mi último viaje a
La Habana, antes de encontrarme en el Sloppy
Joe's de Cayo Hueso con Harry Solar, que su viaje
a París se había retrasado durante meses de mane-

ra incomprensible por trabas que la burocracia cultivaba inveteradamente con todo el mundo, hasta el punto de haberse convertido en una de las bellas artes del régimen castrista, pero que de todos modos significó al mismo tiempo una frontera en su existencia. Sabía que la distancia geográfica era la separación de Harry Solar, y probablemente por eso sobrevendría el olvido o la tibieza de su pasión viva por él, o algo que en sus reflexivas ensoñaciones se parecía mucho a la incómoda amalgama de todos esos sentimientos. Además me dijo que intuyó en el mismo brindis de despedida, adivinando el futuro prácticamente inmediato, que la primera noticia que le llevarían hasta París los heraldos habaneros meses más tarde de instalada en Montmartre sería el casorio de Odette Tejera con Harry Solar, aunque en esos momentos no tuviera datos concretos ni sospechas remotas de la existencia de aquella joven en la vida del futuro ingeniero.

—Fue un pálpito repentino, muy fuerte, una agujita aquí, clavada un segundo. Se me alteró la respiración —me dijo con el vaho de una sonrisa triste dibujándose en sus hermosos labios—. Debía habérmelo figurado antes de que se me volcara el cráneo y el corazón en esa fiebre.

Después incluso lo soñó todo con la impudicia irritante de los celos, no porque se lo hubiera pedido a alguna deidad de las suyas, Cachita, tal vez, Santa Bárbara e incluso Olorum, la manifestación sagrada de Olofi y Oloddumare, con quien hablaba de viva voz en el ñangareo del amanecer, no importaba que estuviera en París y lejos geográficamente de Guanabacoa, o a quien ella decía moyugbar para estar segura de cuanto iba a pasarle durante el día, con velas encendidas, humo flotando en toda la habitación, aguardiente para el orisha, y ofrenda de fuego, carne de puerco y flores frescas, sino porque le nació de repente y desde muy adentro la nítida sensación de orfandad que advertía del inminente vacío con señales inequívocas.

—Era sin duda —me dijo Petra Porter, los ojos abiertos, mirándome, confesándose con la convicción de la certeza— el final de mi cercanía sentimental con él y el inicio de otra vida distinta dentro de mi misma vida.

Aunque no la conocía ni la había visto jamás antes del sueño, vio la figura de Odette Tejera entrando en su fantasía, acercándose desnuda a la cama de un hombre moreno, joven y hermoso, a quien no acababa de reconocer físicamente porque una máscara de cera blanca le ocultaba el rostro. Pero Petra Porter sospechaba que era su hombre. Lo identificaba desesperadamente en su sueño por el olor corporal que ella conocía muy bien, de manera que no le costaba trabajo intuir quién era realmente. El hombre seguía acostado sobre la cama, sin ropa, el cuerpo espléndido y la piel brillante llamando a morderlo. Esperaba la llegada de la mujer a su lado. Llamaba a Odette entre susurros y respiraba el preludio del placer con un jadeo sensorial que alcanzaba a oír Petra Porter desde la cercanía de su sueño. Desde donde estaba situada lo veía todo. Vislumbró a Odette completamente desnuda acercándose a la cama del hombre al que en todo ese sueño no pudo verle la cara y de quien se le desdibujaban los contornos de su cuerpo cada vez que intentaba examinarlo de cerca para reconocerlo del todo y salir de las dudas que se resistían a desaparecer. Mientras caminaba lentamente hacia la cama del hombre, Odette se acariciaba con las yemas de los dedos la mata de vello azabache, rizado y brillante de su pubis, abría y cerraba los labios de su papaya rugosa, color rosa oscuro, húmeda por la incandescente fastuosidad del placer, y escuchaba la respiración sofocada de Harry esperándola tendido sobre las sábanas blancas.

—Menos la cara de él, lo vi todo, como te estoy viendo a ti ahora. Duró un minuto de eternidad, ya sabes como son los sueños pero todavía lo siento, aquí, intensamente, Marcelo, como una agujita —me dijo Petra Porter removiendo con suave voluptuosidad su cuerpo en el sillón.

Yo estaba escuchándola con atención, tendido de lado sobre la cama inmensa de mi suite en el Cohiba, con las dos manos debajo de la almohada y tapando parte de mi cuerpo con una sábana ligera de algodón blanco.

La vio de espaldas, las rodillas, las piernas y las nalgas de Odette completamente abiertas, abierta ella por entero, boca abajo su cuerpo, tensa y temblorosa, entregada sobre el lecho a la penumbra concupiscente, las manos del hombre rodeándole desde atrás su cuerpo endurecido hasta alcanzar los hermosos pezones de Odette ahora erizados, recibiendo las caricias lentas de los experimentados dedos del hombre, que susurraba en sus oídos, le pasaba la lengua y la saliva por el cuello, la nuca, le mojaba las orejas y le mordía la barbilla. El cuerpo de ella se movía convulso y rítmico, levantándose y arqueándose, doblándose y extendiéndose, casi flotando en el sueño, agitado por espasmos concéntricos que el hombre de la máscara blanca le provocaba sin parar. Sus bocas jugaban a encontrarse en el vértice más sensible de sus lenguas de fuego húmedo, correteaban la una hacia la otra, jugaban en la punta como si fueran serpientes enroscándose, reconociéndose, acariciándose, excitándose, palpándose y huyéndose en un baile de turgencias que anunciaba y proponía nuevos hallazgos, más allá de los labios mojados. Gemía y hablaba Odette cada vez más alto, como una oración las sílabas de Odette o una súplica, como ella misma lo hubiera hecho, recordaba Petra Porter, y era su mismo tono de voz en la oscuridad el que hablaba al oído de Harry. A veces gritaba y respondía a los golpes de pasión con los que Harry entraba en su cuerpo hasta rasgarlo, hasta que el estremecimiento de ambos se volvía un torbellino imparable, epiléptico y animal.

Me dijo que hubo un momento en que sus cuerpos despedían un fuerte olor a almizcle que llenaba el cuarto y a perfumes que emborrachaban los sentidos. Entonces tuvo la certeza dentro mismo del sueño que Odette y Harry la veían desde la cama, que sabían que ella estaba allí observándolos y sin perderse cada uno de los detalles en los que ellos dos se debatían encendidos como teas; que veían su silueta sombreada en la curiosidad y el apetito del amor en sus ojos, y que se daban cuenta de que su cuerpo negro estaba ya tan mojado por la visión del sueño como el de ellos mismos.

—Entonces —me dijo Petra Porter bajando su voz—, decidí entrar en el sueño de los dos. Al fin y al cabo, estaba allí para eso, para entrar con ellos dos en la cama y gozarlos como ellos se gozaban.

No lo había podido remediar. Fue un impulso que venía de otro lugar. Ni de los celos, ni de la ira ni de la angustia del sueño, sino del futuro mismo que estaba viendo Petra Porter en el sueño. Se acercó a la cama en la que los cuerpos del hombre y la mujer brillaban de sudor en todos sus ángulos como estatuas de ébano vivo. Él lamía los grifos abiertos y sonrosados del cuerpo de Odette, bebía sus aguas dulces y quemadas, y ella se dejaba hacer. Ayudaba al hombre con jaculatorias interminadas, sílabas nada más de entendimiento que quedaban en el aire donde ella se doblaba de nuevo, se arqueaba una vez más, se alongaba hacia el final del abismo. Entonces Petra Porter vio su propio cuerpo caminando de puntillas por el piso de la habitación y entrando en esa misma cama. Ahora jugaban los tres en la misma penumbra de su sueño, se revolcaban lentamente confundidos los tres en el amasijo placentero de sus humores, sus líquidos y sus cuerpos. Se vio besando, lamiendo, mordiendo la boca abierta del hombre sin dejar de oler su sudor, hablándole incluso con la respiración para reconocerlo, para que él la viera por fin incorporada a sus juegos y la besara con fuerza, la mordiera y lamiera como estaba haciendo ahora con Odette. Se vio chupando la piel del hombre, pellizcándole las tetillas y los muslos, se vio hurgándolo, frotándolo, mojándolo con la punta de su lengua caliente, se vio hundiendo sus labios en el alma del hombre, en sus axilas, entre sus nalgas y sus piernas. Pero ni el hombre ni la mujer la tuvieron en cuenta, porque ella no era allí más que una convidada de piedra, la sombra de una muerta a la que nadie había llamado a entrar en el banquete de placer de ellos dos. Como si no molestara ni existiera en su propio sueño, no llegaron a echarla, pero la ignoraban por completo mientras seguían entregados a sus gritos y caricias, pendientes del espasmo mutuo que iba a estallar dos segundos más tarde al fundirse los dos en el instante supremo del final que ya estaba a punto de llegarles.

—Era una señal que no admitía respuesta, sino que lo decía todo en silencio —me dijo Petra Porter—, porque adelantaba el futuro y el abandono con una precisión sensorial clarísima. Todavía siento el recuerdo en mi piel.

Ese viaje a París la separaría también del resto de la Tribu, a la que hasta entonces estaba muy apegada porque casi todos se conocían desde el colegio o desde los primeros años universitarios y habían crecido juntos sin dejar de verse en el Malecón, a la altura de la Rampa, casi todos los días. Pero se había preparado (incluso sabía que la habían preparado, porque además de un honor era un servicio a la Revolución) para ese paso, y tenía en sus manos convertirse en lo que había soñado

desde la adolescencia: ser una de las primeras modelos y tal vez el sex symbol de toda una época del
mundo parisino.

El resto se quedaría en Cuba y las noticias que
iban a llegarle a París, a pesar de la nostalgia de La
Habana y de la ausencia de los olores, el paisaje del
mar y la piel de Harry Solar, se irían paulatinamente difuminando en el tiempo de la Ciudad Luz.
Además, estaba segura de que otros intereses la estaban esperando en Europa durante una temporada de la que Petra Porter desconocía la duración
y la intensidad a pesar de sus poderes oraculares.

—Todo eso fue antes de mis viajes a Moscú
y a Managua —me dijo mientras regresaba a la realidad.

Se levantó del sillón y caminó despacio hacia uno de los ventanales de la suite. Desde ese
lugar se veía con claridad meridiana el océano inmediato, todo Miramar, Siboney, Jaimanitas y más
allá, el oeste verde y pardo de La Habana, hasta
perderse la vista a esa hora de la tarde en la que todavía el crepúsculo no ha empezado a dibujar de
sombras movedizas el paisaje de la noche inmediata. Noté que dejaba el sueño a medias, que se
escapaba del recuerdo para que yo imaginara el resto
de su relato por mi cuenta. Seguramente porque
su intención no era otra que señalarme el punto
de la ruptura y hacerme ver que lo que ocurrió después, la distancia, París, Odette, lo había descubierto ella en sus mismos sueños, y que todo había
pasado como estaba previsto, sin violencia ni rencor alguno.

De su iniciación en los ritos de santería, cuando era tan sólo una adolescente en Guanabacoa, y de su consagración posterior a las reglas antiguas, se hablaba poco o nada entre los miembros de la Tribu y sus restantes amigos, pero todo el mundo en torno al que se movía domésticamente Petra Porter lo daba por hecho de una manera natural. Sobre sus poderes mágicos para curar los males del cuerpo y las dolorosas manías de la cabeza, así como para moyugbar en cualquier ceremonia donde ejerciera de santera y hablar con los dioses inmediatos, y ver, interpretar, predecir y leer el futuro, tampoco había duda alguna ni dentro ni fuera de la Tribu, aunque ella no tenía la costumbre de alardear en público ni de recordar en privado algunos de esos dones que la tatuaban con los símbolos de una autoridad sagrada.

En la parte de La Habana que manejaba la información y la influencia de las élites revolucionarias del castrismo, Petra Porter era conocida de sobra por su nombre. En las diferentes mutaciones o metamorfosis de su existencia cumplió a carta cabal su papel con un rigor y una disciplina verdaderamente tan exigentes que nunca levantaron ninguna sospecha entre sus mandos. Para decirlo en la jerga oficial, con un gran sentido revolucionario y patriótico. Pero, en el fondo, en Petra Porter luchaban entre sí dos espíritus distintos que se rechazaban mutuamente y cuyas posiciones distaban por igual de la sumisión humillante de las mayorías (es decir, las masas que se habían acostumbrado a adorar a Castro como si fuera no sólo el Gran Brujo y padre de todos los cubanos, sino el único dios verdadero de la verdadera religión) y de la mediocre y cínica hipocresía de las élites del régimen, fuera de cuya sombra era difícil sobrevivir frente a la nada cotidiana en La Habana y en toda la isla de Cuba. En esa duda estuvo siempre, antes y después de París, y seguía moviéndose ahora, cuando Harry Solar era un recuerdo del pasado que se había instalado en Nueva York tras abrir el mismo negocio que había mantenido durante más de dos años de intenso trabajo en la Yuma, primero en Los Ángeles y después en Las Vegas: un taller de reparación de computadoras y, sobre todo, de máquinas electrónicas de juegos de casino, que había ido ampliando hasta convertirlo en un importante establecimiento del ramo.

—Así somos los cubanos —me dijo Petra Porter—, fuera de la Isla nos comemos el mundo, y aquí...

—Él se lo come todo y ustedes tienen que aplaudirle su larguísima digestión —le interrumpí provocativo.

—Aquí no nos dejan, mi chino —contestó sonriéndose—, ni movernos. Los únicos negocios que a veces nos permiten son los de las jineteras y las paladares, pero a mí no me interesa ninguno de los dos. El resto, vamos, para que me entiendas, es para ustedes, los jugadores de las grandes ligas, los extranjeros, los españoles, los italianos, los mexicanos, los que manejan los verdes, negro. Y para esto casi cuarenta años de paraíso.

En la espléndida madurez que no presagiaba todavía el principio de la decrepitud que a esa edad comienza a percibirse en tantas mujeres tropicales, Petra Porter había ganado elegancia, clase y nobleza con los años. Su voz, sus palabras, el modo de expresar con su cuerpo la semántica de su discurso, los mismos gestos de su rostro, habían cobrado ahora la dimensión de la seguridad en sí mismos y delataban la solvencia de un carácter recio y sobrio, capaz de abrirse camino en cuanto el castrismo firmara el acta de su defunción. Se daba cuenta de que el final estaba muy próximo pero no como habían pronosticado todos aquellos a los que les habían entrado las urgencias repentinas cuando cayó el muro de Berlín. Se daba cuenta y lo traducía con sus propias palabras.

—Se morirá de viejo, en la cama y triunfante, ya lo verás —afirmó—. Hasta entonces, lo mejor es prepararse con paciencia para lo que viene, que todavía es muy largo.

No era la expresión de un pensamiento desiderativo, ni todo lo contrario. Petra Porter se había acostumbrado a analizar las situaciones límite con una pericia de experto y nunca se dejó llevar por los miedos truculentos de algunos de sus más cercanos amigos, hubieran tenido o no con ella relaciones sentimentales y pasiones amorosas. De todos ellos sabía cada uno de sus pasos en La Habana y a los que se fueron les seguía las huellas con una precisión sorprendente. Las clases que daba Tano Sánchez en Albany, por ejemplo, no eran más que un subterfugio, una coartada, exactamente un sucedáneo de su destino (me dijo ella entre susurros, como si estuviera pensando en alta voz), un

trueque del que él mismo desconocía las fronteras.
Todo cuanto iba a hacer y a escribir cuando fuera
libre (seguía Petra Porter susurrando como una si-
bila desde su cueva) parecía olvidado, como si lo
hubiera dejado atrás, en la memoria de la Isla, como si ahora fuera incapaz de recordar las promesas que se había hecho a sí mismo y a los demás.
Ni el documento de Angola había visto nunca la
luz brillante de las librerías, aunque se comentaba
que había sido editado en Miami, ni sus muchas
novelas y libros de cuentos que no le habían permitido escribir ni publicar en Cuba estaban todavía escritos en otro lugar que no fuera el de sus
ensueños ilusos. Después lo supe por Harry Solar:
Tano Sánchez perseguía al fantasma de Elvis Presley por todo el Estado de Texas, obsesionado con
resucitar en carne y hueso al mito más grande y
universal del rock and roll. ¿Sería verdad que cuando los cubanos se iban de la Isla dejaban atrás la
memoria y la voluntad, se castraban, que una parte del alma donde estaba encerrada la facultad de
ser libres se quedaba paradójicamente cautiva en
Cuba esperando el regreso de su dueño huido a la
Yuma o a España?, se preguntó Petra Porter.

Se lo preguntaba sin mirarme. Estaba de pie,
de espaldas a la cama de la que yo no me había movido mientras ella hablaba consigo misma para que
yo la oyera y supiera lo que realmente pensaba.
Había estado mirando hacia el oeste de La Habana pero desde hacía unos minutos había cambiado de ventana. Ahora tenía delante la inmensidad
del mar fundiéndose en plata con el horizonte y, a su

derecha, podía verse parte de la línea fronteriza del Malecón hasta perderse en el Parque Maceo y más allá, frente a la embajada de España.

La esbeltez de su cuerpo no se había percudido ni ajado con los años, sino que su silueta a contraluz transparentaba, junto al enorme ventanal por el que miraba, unas formas físicas que no perdieron la turgencia con la edad sino que se habían mantenido firmes, con los músculos milagrosamente atléticos y jóvenes. La piel tersa y mate de su cuerpo, sin arrugas ni huellas de celulitis en sus muslos, estaba todavía cubierta por una pátina de terciopelo suave y juvenil. Sus nalgas, su vientre y sus pechos esenciales no parecían haber sufrido gran cosa en las batallas de pasión y desamor en las que habían intervenido, ni mostraban las cicatrices ni los signos de la destrucción que acuciaban a las mujeres de su misma edad. Un chorro de luz le caía transversalmente sobre su corto cabello negro en el mismo momento de volverse para mirarme. Dejó de hablar por un instante (como si mantuviera en el aire de la suite del Cohiba el enigma inminente de su voz), enlazó sus manos a la espalda, y me miró. En el brillo de sus ojos bullía una fijeza imperativa. No sé si ese gesto me llamaba a renovadas complicidades, pero entonces supe que de manera inconsciente yo mismo había estado esperando que me preguntara por él desde que la cité para encontrarnos ayer tarde en el bar del Inglaterra, en el Paseo del Prado.

—Hablando de él, tú, ¿qué es de su vida? —dijo con un deje de altivez en su voz, sin duda

ni temblor. Levantó ligeramente la barbilla y se quedó esperando mi respuesta, inmóvil y quieta como
una vestal antigua. La luz entraba desde arriba y
por detrás de ella, hasta sombrear su cuerpo de
pie, crecido frente a mí.

Petra Porter no sabía nada de Carlos Tabares
desde el momento en que abandonó la embajada
española en La Habana. Al nuevo representante diplomático de España no sólo no lo conocía, sino
que había perdido toda la relación que había tenido en el pasado con los funcionarios, agregados y
secretarios de la embajada. Tampoco era ya invitada a las recepciones oficiales ni a las fiestas que se
organizaban en la residencia de Cubanacán, pero
no parecía que le importara nada que se hubieran
disuelto los lazos de privilegio que había mantenido con los diplomáticos españoles cuando Tabares
era el embajador. Toda esa memoria se había quedado atrás y difuminada en su pasado desde que
Carlos Tabares había dejado la embajada de España en Cuba.

—Está en Portugal, de cónsul en no sé qué
ciudad, en Lisboa, creo —contesté—, pero no sé
nada más de su vida. Me lo encontré una vez en un
restaurante de Madrid hace tiempo y me dijo que
echaba mucho de menos las veladas con Pedro Infinito.

No le dije explícitamente que Tabares no me
había preguntado por ella. El diplomático se había avejentado físicamente, había engordado unos
quilos que llenaban su cuerpo de pesadumbres y
temblores, y una sombra de tristeza blanqueaba la

piel de su rostro. Esperaba que le hablara de La Habana, de Cuba, de los amigos. Y de Petra Porter. Me limité a saludarlo con protocolaria amabilidad y cuando me preguntó por mis últimos trabajos ya intuí que finalmente no podría escaparse de la tentación de preguntarme por Cuba.

—¿Has vuelto por La Habana? —me preguntó con la respiración conteniendo sus nervios.

Desde que comencé mis secretas investigaciones por el original del cuento inédito de Hemingway, sospeché que Tabares era precisamente uno de los eslabones de la cadena en la que se perdía el documento del escritor (quizá pudo intentar sacarlo de Cuba en valija diplomática; tal vez se lo llevaba consigo en el instante de marcharse de la Isla). Quizá fuera ésa la oscura razón que levantó las protestas diplomáticas del Ministerio de Exteriores cubano para que el gobierno español diera por terminada la labor de Tabares en La Habana. Nunca le habían acusado de nada, pero al final se trataba de que Tabares abandonara la embajada de España para evitar mayores problemas o el recrudecimiento de ciertos escandalosos negocios casi olvidados en los que, según los murmullos oficiales, estaban implicados algunos miembros de la Tribu y, desde luego, el embajador Tabares.

El caso de los muertos en el jardín de la residencia de Cubanacán había sido el detonante final. Nunca lo declararon *persona non grata,* subterfugio del que los cubanos echaban mano a cada rato para dejar clara la postura del castrismo en cualquier conflicto con otros países con los que mantenían relaciones diplomáticas. Ni siquiera lo satanizaron cuando las investigaciones de las vidas y las muertes de Tobías Baragaño y el cubano Orestes López, el mayordomo de la casa del embajador, llevaron a la policía y a los expertos sabuesos de la Seguridad del Estado cubano a conclusiones difíciles de ocultar. Se rumoreó que los dos asesinatos respondían a un ajuste de cuentas de bandas que negociaban con los fondos que muchos cubanos exiliados habían dejado en la Embajada de España y que estaban depositados en unos enormes sótanos, cerrados a cal y canto, de la residencia del diplomático en Cubanacán, sorprendentemente situada en el centro de un triángulo geográfico cuyos vértices ocupaban el palacete habitado por el encargado de la oficina de negocios de los Estados Unidos de América, el chalé de protocolo que fue durante años residencia del científico francés André Voisin y un cuartel de Tropas Especiales, en el que el murmullo popular situaba la casa familiar del mismo Fidel Castro en La Habana.

Tabares había caído bajo sospecha por sus amistades peligrosas y, cuando ocurrió la tragedia del jardín, arguyó en informe secreto ante su propio gobierno que toda la trama era parte de un montaje para desprestigiar a España dentro de Cuba en un momento en que la caída del muro de Berlín hacía presagiar tiempos peores y la llegada de la temida Opción Cero. Era (explicó Tabares) un chantaje y los cubanos buscaban con el escandaloso episodio un trato de privilegio político mayor del que sin duda ya tenían. El canciller Baragaño

fue el encargado por Tabares para seguir discreta-
mente los pasos de Orestes López por todo el recinto de la residencia, e incluso fuera de su jurisdicción geográfica, porque desde hacía tiempo se
venía sospechando de sus actividades delictivas (no
se supo nunca si cultivadas y toleradas por los segurosos del Estado cubano), una de las cuales era
el saqueo sistemático de los fondos de ricos objetos depositados en los sótanos de la residencia por
cientos de cubanos pudientes, que habían marchado al exilio desde el 58 hasta finales de la década
de los setenta.

Pero las autoridades cubanas estaban a su
vez sobre los pasos de los tres miembros más signi-
ficados de la Tribu o lo que quedaba de ella, Petra
Porter, vuelta de París un tiempo antes, Tano Sánchez e Hiram Solar, regresados los dos ya de África
(antes de que lo hicieran años más tarde la totali-
dad de las tropas que habían luchado en Angola
bajo el mando del general Ochoa). Sospechaban
de ellos, de su relación cercana con Carlos Tabares
y de su creciente disgusto frente a la marcha de la
Revolución. Por eso situaron en un lugar de privilegio de las investigaciones sobre el caso a alguien
que los conocía muy bien: Cabeza Pulpo.

—Tú lo sabes, pero quiero decirte con toda
certeza que ni él ni yo tuvimos nada que ver con
esa trama de gánsteres ni con las muertes de los
dos hombres —dijo Petra Porter con gesto grave—. Nada que ver, nadie de la Tribu tuvo nada que
ver. Ni Tano ni Hiram, por mi madre, de verdad,
créeme.

Me dijo que sabían (o sospechaban, porque para cualquier aparato de la Seguridad del Estado, y mucho más en Cuba, la sospecha es certera e irrefutable certidumbre) que Tano Sánchez había decidido marcharse clandestinamente, que se lo comentaba a todo el que quisiera escucharlo en cualquier reunión diplomática o doméstica, y que Hiram Solar, más discreto y eficiente al menos en apariencia, intentaría por su cuenta la misma experiencia. Harry no esperó mucho tiempo a que lo llamaran, sino que se metió debajo de la tierra sin salir de La Habana, sin dejarse ver de nadie y oculto siempre de los ojos de quienes pudieran delatarlo. El único contacto del que dependía en toda la supervivencia mientras dibujaba el *Progreso* en los solares de Lawton y Guanabacoa era precisamente Petra Porter. Pero Tano Sánchez, acostumbrado en exceso al trato con las élites del partido, del gobierno y los circuitos diplomáticos e internacionales, proclamaba imprudentemente sus irrefrenables ganas de marcharse de Cuba para siempre.

—Por eso lo atracaron en su propia casa —dijo en un susurro Petra Porter.

Se movió unos centímetros del lugar que ocupaba su cuerpo delante del ventanal de la suite del Cohiba y dejó entrar otro chorro de luz que me alcanzó de lleno en los ojos, hiriéndome durante unos segundos y obligándome a cambiar de lugar en la cama para evitar el deslumbramiento. El de Petra Porter era un gesto que buscaba llamarme de nuevo la atención para que atendiera con más interés lo que iba a contarme. Durante los últimos

minutos del relato, yo había adoptado una actitud de cierta displicencia que debió interpretar por
incomodidad, cansancio y desinterés, aunque en
realidad mi acidez gestual y mi aparente ausencia
respondían a esa especie extraña del celo que aparece repentinamente, sin ninguna razón para ello,
y se va adueñando como un gas letal de todos los
sentidos del organismo hasta esclavizar la voluntad que hace unos minutos se mostraba tan libre
como sosegada. Me dominaban los celos enfermi-
zos, irrefrenables y absurdos que despertaban en mí
todos aquellos nombres de fantasmas, toda aquella
ralea de sombras y voces sorprendentemente odio-
sas que entraban y salían continuamente de nuestra conversación, de todos aquellos hombres que
giraban en la vida de Petra Porter como caballitos
de feria, de Carlos Tabares, de Tano Sánchez, de Hiram Solar, incluso de Jean-Paul Belmondo, al que
no conocía sino por las películas (en ese momento no
recordaba más que *Las tribulaciones de un chino en
China,* junto a Ursula Andress), como tampoco conocía al nicaragüense del que Petra Porter me había hablado sólo por encima y en alguna de las
visitas anteriores, uno de las decenas de coman-
dantes sandinistas que creyeron en su eterna heroicidad a la caída de Tacho Somoza.

No me habían importado nada sus amoríos,
sus pasiones ni sus empates hasta ese momento en
el que estábamos juntos y solos los dos en la suite
del Cohiba. Todo lo contrario. Conocer de sus propios labios un detalle, un dato nimio o un episodio
completo de su vida, de sus amores ocultos o co-

nocidos, había hecho crecer la complicidad entre
nosotros dos durante esos años de encuentros y
desencuentros, desde que la conocí hasta ese mismo instante del Cohiba. Toda mi persecución de
Petra Porter había consistido en una lenta y dilata-
da conquista que se amparaba en el triunfo final,
el momento de esa cita en el bar del Inglaterra sin
que nadie pudiera ya evitarlo, ni Jean-Paul Belmondo, ni el comandante sandinista del que no
conocía el nombre, ni Harry Solar, ni Tano Sánchez, ni Carlos Tabares, desperdigados en la geografía del mundo, lejos de La Habana, en París,
en Managua tal vez, en Albany, en Nueva York y en
Lisboa. Y nosotros dos allí, así en La Habana como en el cielo, los dos solos, ella y yo, que habíamos
vencido uno a uno a todos esos fantasmas que en-
torpecían este encuentro de ahora, en la suite del
Cohiba, después de tanto tiempo y de una noche
larguísima que yo por lo menos no olvidaría ya jamás. No hubo un plan preconcebido, ni por su
parte ni por la mía, sino que los dos confluimos
lentamente desde el pasado a ese instante de ahora,
ajeno a los fantasmas que sin embargo regresaban,
iban y venían en nuestra conversación. Hasta que
consiguieron estallar, y ahora los celos quebraban
el equilibrio de mis gestos, desordenaban mis nervios y aceleraban incómodamente mi respiración
en cada latido. Ella se movió entonces, seguramente
para sacarme de mi ostracismo anímico y provo-
carme el interés que había ido perdiendo por la conversación. La luz me cegó de nuevo la visión y busqué una postura más cómoda en la cama.

De modo que habían atracado a Tano Sánchez en su propia casa. Eso era toda una noticia, un hallazgo, un episodio que yo desconocía por completo. Podía intuir que la cercanía de Tano Sánchez con el coronel De la Guardia y el Departamento de Moneda Convertible, con algunas de sus operaciones más arriesgadas y clandestinas, lo habían transformado en un personaje tan influyente como sospechoso. Buscaban (me dijo Petra Porter) documentos comprometedores, papeles, pasaportes, joyas, oro y plata, objetos de valor, fotografías, cuadros (me acordé del Lam y del Portocarrero que yo había visto sobre los testeros del salón de su casa años atrás), divisas, dólares sobre todo. Quizá buscaban papeles de Ochoa, o tal vez seguían los rastros del inédito de Hemingway donde en clave literaria se responsabilizaba a Fidel Castro del asesinato de Manuel Castro. Recordé la casa de Tano Sánchez en Miramar y mi fiesta de despedida, los regalos que le hice, el bikini rojo y el perfume Alicia Alonso en su exótico y parisino envase de alabastro. Recordé su voz de entonces («¡En la vida pude imaginármelo!, ¡Alicia Alonso en perfume parisino!»), y la vi de nuevo en mi memoria moviéndose al compás de la música, el ritmo de una guaracha al principio, y más tarde siguiendo el sonido de los cueros en un guaguancó que Petra Porter bailó con un frenesí salvaje, concupiscente y enloquecido para que tal vez entendiera yo así, violentamente, sus secretos deseos por mí y diera los pasos que me correspondían desde ese momento en adelante.

—Fueron tres tipos —me dijo.

Levantó la mano derecha, unió el pulgar y el meñique y los restantes tres dedos hacia arriba se recortaron en la luz que entraba desde el exterior por el ventanal y bañaba la moqueta color frambuesa de mi suite en el Cohiba. Hizo un gesto de afirmación con la cabeza, moviéndola de arriba abajo.

—Tres —repitió.

Tano Sánchez estaba lejos de la casa cuando los tres tipos entraron en ella cerca de la medianoche. Ni su mujer ni sus hijos estaban en La Habana en esa temporada porque hacía algunos días que habían viajado a Pinar del Río para estar junto a su suegro, que atravesaba una grave crisis de salud de la que se esperaba un pronto y desgraciado desenlace. Para entrar en la casa de Tano Sánchez los tres tipos no violentaron cerradura ni puerta alguna, o al menos no había indicios de ello en la investigación que la policía abrió después de la denuncia que Tano Sánchez presentó en la comisaría de Playa. Nadie vio luces encendidas antes de que Tano llegara a la casa de Miramar, al filo de la una de la madrugada. Tampoco ningún vecino se acordaba de haber oído ruido en el interior del palacete. Todo estaba en calma. El cielo de esa época del año estaba completamente desnudo de nubes, las estrellas bailaban entre luces en lo más alto del firmamento y tan sólo una brisa tropical muy leve acariciaba la vegetación de Miramar haciéndola bailar, meciéndola con suavidad de un lado a otro, como si fueran sombras vivas que se movían al compás de una música callada y secreta. Tano Sánchez miró hacia ese mismo cielo tras aparcar el Lada beis delante mismo de la puerta del palacete y bajarse del coche. Respiró hondo y el aliento de alcohol le avisó de repente de sus excesos dipsómanos en los últimos tiempos, después de regresar de Angola con la última y precisa documentación para escribir el libro sobre las tropas cubanas en África. En ese momento nada le hacía sospechar que estuvieran esperándolo en el interior de su propia casa.

Mientras Petra Porter me contaba el atraco a la casa de Tano Sánchez, después de ganar de nuevo toda mi atención, yo me perdía en el interior del palacete de Miramar y rebuscaba en mi memoria el salón, la escalera que subía a las habitaciones superiores y a los servicios. Vi la cocina de nuevo en el piso inferior y sentí la música de entonces entrando ahora en mi recuerdo con un estruendo amortiguado por el paso del tiempo. Era yo ahora quien caminaba solo, como si fuera el mismo Tano Sánchez, y abría la puerta de la casa. Cuando encendió la luz de la sala (dijo Petra Porter), todo estaba en orden y la casa olía a hueco vacío. Tano Sánchez caminó hasta el cuarto de baño de servicio. Sin encender la luz orinó largamente y después se lavó las manos. Salió de nuevo hacia la sala y allí se encontró con los tres encapuchados. Aunque los tres tipos iban armados, sólo dos lo estaban apuntando. Tano Sánchez terminaba de abotonarse la portañuela de sus pantalones. Se quedó seco, paralizado en la puerta del baño que daba

directamente a la sala, sin reaccionar ni tener todavía conciencia de lo que estaba pasando.

—Te estás quieto ahí mismo, no me des ni
un paso, comemierda, o te mando de un tiro solo
para casa del carajo —le dijo lenta y claramente
una voz ronca, gutural, distorsionada voluntaria y
profesionalmente para no ser reconocida por nadie.

Mientras el que había hablado, que iba armado con una escopeta de cañón recortada de las
que utilizan los gánsteres en las películas yanquis,
se quedaba apuntándolo, los otros dos se acercaron a él y lo llevaron amenazantes hasta el centro
de la sala. Tano Sánchez estaba agarrotado, sin
pensar, sudaba por todos los poros de su cuerpo y
el instinto de supervivencia le señaló el peligro inminente en el que ahora se encontraba. Nunca en
su vida había estado en una trinchera de semejante riesgo ni se le había pasado por la cabeza que
eso pudiera ocurrirle en su propia casa de Miramar. En La Habana y en toda Cuba, incluso en los
momentos más críticos, siempre había tenido una
sensación de seguridad que ahora se rompía in-
dicándole que durante los meses precedentes había estado bajo vigilancia. Porque aquel atraco (eso
le dijo a Petra Porter) no era propio de delincuentes, ni de marginales ni de ninguna de esas bandas
que comenzaban a circular con una sospechosa libertad por algunos barrios de la ciudad, asaltando
turistas, residencias de extranjeros y mansiones al-
quiladas por las empresas que habían invertido de
nuevo en Cuba tras el desmerengamiento del blo-
que socialista.

—Dos de los tipos —dijo Petra Porter— eran altos, atléticos, estaban entrenados, vaya, Marcelo, para que me entiendas. Y el otro, el que nunca apuntó a Tano ni habló una palabra, aunque no mostraba un físico especialmente fuerte, exhibía una autoridad superior a los otros dos. Ordenaba cada movimiento de los otros con un gesto de la mano en la que llevaba una pistola cargada y se movía por la sala con la soltura del conocimiento directo del lugar. De manera que Tano Sánchez sospechó entonces que podía ser un amigo suyo, algún hermanito de costa, un policía de alta graduación de los que seguramente habían estado ya en su casa en algunas otras ocasiones.

O un amigo más cercano (añadió Petra Porter), alguien que conocía muy bien las costumbres de Tano y su propia casa de Miramar. Los otros dos lo llevaron hasta una silla que el que ejercía de jefe en el atraco trajo hasta el centro de la sala, ahora completamente iluminada.

—Siéntate, y estáte tranquilo. No tiembles, comemierda, que no te vamos a hacer nada —dijo el mismo que había hablado cuando Tano salía del cuarto de baño.

Cada uno tenía asignado su papel en la función. El jefe esgrimía su poderío dando las órdenes sin pronunciar palabra, los otros dos cumplían cada paso del plan como si lo hubieran ejecutado muchas veces. Uno de ellos era el interlocutor y el otro se limitaba a ayudarlo con sequedad profesional. Ninguno dudaba en sus atribuciones. El jefe se sentó entonces detrás de Tano Sánchez, que lo perdió de vista mientras los otros dos sujetos lo ataron fuertemente con cuerdas a la silla de madera donde lo habían sentado para colocarlo en el centro de la sala. El jefe debió de hacer un gesto ordenando a sus sabuesos que subieran al piso alto y encontraran cuanto habían venido a buscar. Los dos hombres desaparecieron escaleras arriba subiendo con rapidez los peldaños, de tres en tres, como si llevaran prisa. Tano Sánchez trató de recuperar la calma, aunque su mente le repetía la intuición que había ido ganando terreno conforme pasaba el tiempo: iban a matarlo.

—La única esperanza de Tano es que no se quitaban el capuchón de la cabeza —me dijo Petra Porter—, pero ¿quién iba a convencerlos de que no había reconocido a alguno de ellos, en alguno de sus movimientos, al caminar por la casa o al mover las manos o el cuerpo, quién podía garantizarles que Tano no se había dado cuenta realmente de quiénes eran ellos tres? Vamos a ver, ¿por qué lo habían atado a la silla sin vendarle los ojos, permitiéndole que su mirada de terror se paseara por la sala ahora en silencio, con el jefe detrás observándolo todo, respirando a un par de metros detrás de Tano? Lo normal era pensar que les importaba muy poco que los reconociera porque al finalizar la operación iban a matarlo. Eso pensaba Tano.

Desde la sala, Tano Sánchez oyó el estropicio que llevaban a cabo los dos sabuesos abriendo y cerrando puertas. Se imaginó que sacaban todo de los armarios y los roperos, que revolvían la ropa

tirándola por los suelos, que entraban a la biblioteca y echaban al suelo los libros, que se detenían
ahora (en un segundo de silencio) delante de sus
computadoras y sus archivos. Oyó que sus discos
de Elvis Presley, sus cassettes, y sus compacts de
música clásica caían al piso de cualquier manera.
Quiso hablar, decir cualquier cosa que calmara la
furia creciente de los buscones, quiso hacerles ver
que no tenía nada de valor, nada que pudiera in-
teresarles a unos atracadores vulgares. Pero no se
atrevió a decir ni una palabra. La respiración del
jefe le llegaba en silencio atravesándole los oídos y
la espalda agarrotada. Giró levemente la cabeza
y vio en su lugar el Portocarrero a la derecha del
salón y, en la pared de enfrente, el Lam que le había
regalado Tony de la Guardia junto a algunos de
los cuadros pintados por el coronel. Toda esa operación de desvalijamiento duró casi dos horas, el
mismo tiempo en que el jefe ni siquiera se movió
de donde estaba sentado a sus espaldas. Sólo respiraba hondo, y de vez en cuando chasqueaba la lengua con cansancio y un deje de resignado fastidio.
Tal vez aprovechaba ese momento para cruzar las
piernas y continuar allí, a sus espaldas, sentado con
toda comodidad.

—Se llevaron el Lam y el Portocarrero —dijo
Petra Porter caminando ahora por la suite del Cohiba. No dejaba de mirarme mientras hablaba—. Los
dos hombres bajaron, con un saco lleno de objetos
y cosas. Miraron al jefe, que debió hacerles señas
hacia los cuadros de valor y procedieron a bajarlos
de las paredes. Los sacaron de la casa y volvieron

otra vez a buscar el saco. Tano me dijo que él no se movía, ni hablaba ni nada, porque estaba seguro de que iban a matarlo. Se llevaron todos los disquetes de computadora que encontraron y muchas cosas de sus archivos y le destrozaron todos los discos de Elvis Presley. Pero ni la televisión, ni el video, ni más nada se llevaron. Sólo algunos documentos y los cuadros de Lam y Portocarrero. Y se fueron.

—¿Y...? —gesticulé animándola a que siguiera hablando.

—Lo dejaron atado a la silla, con la luz apagada. Eso es todo. A la mañana siguiente vino la mujer de la limpieza y se lo encontró allí, agotado, engarrotado, lleno de mierda, amarillo, los ojos idos y una mirada de loco errático, con la baba cayéndosele de los labios, todo mojado y temblando. Durante todo aquel tiempo, no intentó siquiera moverse, romper las ataduras, cualquier cosa, porque me dijo después que nunca estuvo seguro de que se hubieran marchado los tres juntos. A lo mejor se había quedado alguno para vigilarlo, yo qué sé, en esos momentos no hay lucidez, debe embargarte un pánico que te paraliza hasta el más mínimo sentido común, la sospecha de que queda alguien allí, detrás de ti, para matarte en cuanto intentes pedir ayuda o te muevas para algún lado.

—¿Y...? —repetí sin cuidado.

—Oye, chico, no seas bobo, que lo hacen así, mi chino, ¿tú sabes? —contestó ella incómoda—, para que te enteres de quien manda, y después tú vas a la policía y le dices lo que sea y ellos toman nota y comienza una investigación en la que tú eres el primer sospechoso. Ahí ya estás matao. Así que tú tenías en tu casa todo eso, le dijeron, una fortunita prohibida, las minas del Rey Salomón, fíjate tú, qué listo nos ha salido este cubanito. Cuadritos buenos, obras de arte, una televisión del carajo y un video de lujo, último modelo, y tantos disquitos del maricón de Elvis Presley y muchas botellas de ron y whisky, tan bien surtidito que estás, de dónde habrás sacado todo esto, ¿eh, carajo?, eso es la vida, mi hermano.

—Pero ¿encontraron algo de lo que iban a buscar? —inquirí de nuevo.

—No, nada, pero así le avisaron de que estaban buscando cualquier cosa sumamente importante para ellos que creían que él tenía —contestó sarcástica Petra Porter.

Nueve

Iban enfundados en chándales grises y encapuchados de negro, armados con escopetas de cañón recortado y pistolas, con sus cuerpos atléticos y su agilidad felina para llevar a cabo operaciones rápidas y repentinas, podían ir buscando cualquier cosa, sobre todo si Tano Sánchez se creía todavía libre de toda sospecha. Eso le dijo Petra Porter al embajador Carlos Tabares cuando le contó el suceso del atraco a la casa de Tano Sánchez en Miramar. Desde algunos documentos no necesariamente peligrosos, aunque tal vez relevantes, que Tano Sánchez alardeaba tener en su poder, hasta cierta cantidad importante de dólares que debió ser entregada en depósito por algún miembro dirigente del clan de la Candonga para que fuera Tano Sánchez quien los guardara en su casa, cualquier asunto de esos podían estar buscando, además de meterle el pánico en el cuerpo y de advertirle de que estaba en la lista negra. No sabía si algunos datos, reportajes y testimonios de la guerra de Angola, quizá opiniones, criterios y juicios del mismo Arnaldo Ochoa sobre Castro, sobre la deriva de la Revolución antes y después de la caída del Muro de Berlín, o detalles (desconocidos para el Estado Mayor de La Habana) de la batalla de

Cuito Canavale, que el estratega militar cubano ganó precisamente por llevarle la contraria al Comandante cuando quiso dirigir la guerra desde los mapas que tenía extendidos sobre su mesa en el MINFAR, La Habana, Cuba, a miles de quilómetros del escenario de los hechos. En todo caso, ése era uno de los métodos. Actuaban así cada vez que querían avisar a alguien importante de que estaba al borde del abismo.

Petra Porter me dijo que el embajador Tabares la oyó con atención, con el ceño fruncido, el rictus facial cariacontecido y los gestos dibujando nerviosas muecas de intranquilidad en su rostro. Por fuera el diplomático español aparentó con torpeza evidente una falsa calma a lo largo de toda la conversación en la Cancillería, con la silueta del Castillo del Morro asomando por la ventana como la proa de una carabela flotando sobre el mar, exactamente igual que una postal que podía acariciarse con la mano. Como era su costumbre diaria de la media mañana, aunque su semblante se mostró preocupado desde el principio del relato que Petra Porter le hizo detalladamente, no dejó de fumar su Bolívar lonsdale, Gold Medal, terroso y un tanto especiado (al menos para mi gusto del tabaco, las veces que he probado ese módulo del Bolívar), pero espléndido, redondo y consistente, con una huella de húmeda blancura que invadía el ambiente cerrado del despacho. A veces, la acidez del humo le hería la mirada cegándolo por unos instantes, pero inmediatamente volvía a centrar la atención en todo lo que ella le comentaba.

No hacía ni cinco meses que el episodio de los dos muertos en la mansión que fuera de los Ward lo había señalado como un diplomático cuyos días en La Habana estaban contados. Ahora, mientras escuchaba la voz de Petra Porter, hacía memoria del sarcasmo de Tano Sánchez antes de que todo comenzara a rodar hacia el abismo. «Embajador, cuanto vayan a tronarte», ésa era la voz de Sánchez en el recuerdo, «nosotros nos enteraremos antes que tú, ni te preocupes de darnos la noticia». Nunca supo si el canciller de la embajada Tobías Baragaño unía a su condición de diplomático con gran fama de capacidad para la maniobra una segunda y secreta característica: la de miembro activo de los Servicios Secretos españoles en una misión que ni siquiera él conocía, aunque tenían obligación (su gobierno y el mismo canciller) de comunicárselo. Sus trajes de alpaca brillante, impecablemente planchados, su figura alta y altiva, con el mentón dispuesto a hacerle frente a un ciclón monzónico, sus corbatas finas, anudadas al cuello del que sobresalía la nuez como si fuera un visor siempre en guardia, su cabellos peinados hacia atrás, con una dosis de brillantina de olor muy fuerte y su mirada siempre bajo aquellas gafas Ray-Ban de montura dorada, delgada, metálica y los cristales ahumados de verde oscuro, lo convertían en una figura singular que a veces parecía salida de un cómic de última hora o de una secuencia de cualquier película del James Bond de Ian Fleming.

Cuando Baragaño le confirmó sus sospechas sobre Orestes López, el embajador Tabares tomó

la confidencia de su subordinado como un sínto-
ma enfermizo de la paranoia, seguramente provocada por el celo de la misión secreta en la que debía estar trabajando sin su conocimiento. Incluso
le dijo a Petra Porter, en un alarde de imprudencia
personal y profesional, y ella me repitió el dato en
la noche del Cohiba, que quizá más que como enlace con una oposición política interior debilitada
y confusa, Baragaño estaría dedicado a investigar
la red de etarras que se habían refugiado secretamente en La Habana, lo que en todo caso era una
verdadera locura política, según Carlos Tabares. Desde ese momento, el embajador español comenzó
a ver en Orestes López un enemigo cotidiano.

En el espejo, cuando se rasuraba todas las
mañanas, se le dibujaban los rasgos faciales de un
ingenuo al que algunos de sus subalternos se las in-
geniaban para ocultarle la importancia de sus misiones secretas en La Habana. Lo que realmente le
ocurría a Carlos Tabares es que había perdido los
asideros de la seguridad con los que había llegado
a La Habana, su propia familia (que ya estaba en Madrid, de regreso, y con la que se comunicaba muy
mal en ese momento), y su pasión por Petra Porter,
que al principio fue una tabla de salvación, después un secreto a voces y, finalmente, un escándalo
de dimensiones grotescas que derivaban en murmullos, en comentarios y en sospechas que no le habían beneficiado nada ni en su carrera profesional
ni en su estabilidad sentimental.

Si Carlos Tabares se dejó llevar hasta la Tribu de la mano de Tano Sánchez, a quien había co-

nocido en una recepción diplomática en la embajada de Canadá, fue primero porque el mismo Sánchez exaltó su condición de insular canario y le
habló de Pedro Infinito, el isleño que había sido durante dos décadas el patrón del *Pilar* de Hemingway.

—Embajador, carajo, el viejo te va a gustar
—le dijo Sánchez, los dos sentados en un mullido
sillón de bambú en el jardín de la embajada de
Canadá—. Y si te gusta el mar, mucho más te va a
gustar el viejo. Te voy a llevar a Cojímar para que
se conozcan. Nos vamos un día a verlo y nos echamos unos tragos en La Terraza.

A Tabares le pareció que tal vez había ido a
La Habana a encontrar en su destino a aquel viejo
que se movía entre las sombras fantasmales del
mito de Hemingway y su propia leyenda, sus muchos años en el mar y su relación con las islas Canarias. La verdad es que conocer a Pedro Infinito
le importaba más, le llamaba más la atención y le
interesaba más por lo que le contara de su vida en
Gran Canaria antes de llegar a Cuba y hasta que
conoció a Papá (todos esos episodios de su leyenda
que habían quedado sepultados en el olvido desde
el momento en que entró en la mitología con-
temporánea junto a Ernest Hemingway), que los
cuentos que sin duda iba a echarle como a tantos
otros, siempre con Hemingway en primer plano,
llevando el timón del relato a sotavento o a barlo-
vento, según le interesara al viejo en cada momento, embustes a medias, mentiras mixturadas con
verdades de las que quizá no fuera Infinito el pro-

tagonista, epopeyas que podía atribuirse libérrimamente, sin que nadie ya se atreviera a contradecirlo en ningún detalle geográfico ni histórico. Pero, en segundo lugar, que pasó a ser el primero desde que la conoció, el embajador Tabares se ligó amistosamente a la Tribu por Petra Porter, que ahora estaba en su despacho explicándole el principio del fin (o él, Carlos Tabares, se lo barruntaba así), tras el atraco y el robo de los cuadros de Lam y Portocarrero en la casa de Miramar de Tano Sánchez.

Por esas mismas fechas, Harry Solar se decidió a desaparecer. Esconderse en La Habana no era entonces ni es hoy fácil para nadie, pero mucho menos para un ingeniero electrónico al que se consideraba uno de los funcionarios más cercanos a los hermanos De la Guardia (y, por tanto, en la lógica castrista, al mismo general Ochoa). No porque Hiram Solar tuviera una especial complicidad con quienes ya comenzaba a sospecharse que serían las próximas e inmediatas víctimas del castrismo, sino porque el régimen cada cierto tiempo necesitaba sacrificios rituales, víctimas que aparecieran en el momento exacto emparentadas todas con esa misma sospecha que recalaba en los turbios negocios de la guerra de Angola y, sin que nadie se atreviera a decirlo en público ni en los círculos privilegiados del sistema, en el narcotráfico cubano del que el FBI y la CIA culpaban a altos funcionarios del castrismo. En todo caso, Harry sabía muchas cosas, aunque en realidad no supiera nada, o casi nada, y era un componente de primera línea de la Tribu, íntimo amigo de Tano Sánchez que, a su vez, era íntimo amigo del *Pintor*, el coronel Tony de la Guardia. Era suficiente para alguien que como Harry Solar había desarrollado a lo largo de sus últimos años un olfato de hurón desconfiado, que olisqueaba a quilómetros de distancia y con muchos días de antelación al suceso los riesgos graves que podía llegar a correr en medio de la selva burocrática y totalitaria del castrismo.

Además, allí, en cada esquina, en cada conversación y en cada frase estaba la sombra perenne de Cabeza Pulpo, empecinado en su persecución, empeñado en llevarlo una y otra vez a los interrogatorios de Villa Marista para terminar inculpándolo en cualquiera de los casos que se inventaban a diario los jefes segurosos, otorgarle en primera instancia la nefasta condición de insociable y, finalmente, declarar la suya una evidente conducta contrarrevolucionaria y acusarle de diversionismo ideológico, cómplice de la CIA y de los enemigos de Cuba. Conocía cada paso del proceso y conocía perfectamente la manía de Cabeza Pulpo. Por eso decidió su fuga definitiva de la Isla, antes incluso de que Tano Sánchez fuera marcado con el símbolo de los apestados cuando se iniciaba el desvelamiento público del caso Ochoa y los hermanos De la Guardia. No se olvidaba tampoco de que había sido testigo del desprecio militar de Ochoa por Castro, en la defensa de Cuito Canavale y que, por eso mismo, sería reclamado con toda seguridad como cómplice y testigo en el juicio que se llevara a cabo contra el clan de la Candonga. Por eso no había tiempo que perder.

Petra Porter me contó esa noche del Cohiba que lo primero que hicieron con él fue aplicarle el primer grado de sospechoso. Ningún privilegiado tenía derecho a quejarse del sistema que lo había convertido en un miembro de la élite. ¿Lo había olvidado el negrito de Trinidad?, dime, carajo, ¿acaso tú te olvidas de quién eres nieto, ingeniero, cómo se llama tu abuelo Pancho el Viejo, qué te recomendaba cuando eras un niño nieto de negros esclavos, con las marcas en las patas, en las orejas y en la nariz?, Venga, chico, dime, ¿de quién tú eres nieto? Eso le gritaba Cabeza Pulpo en los interrogatorios de Villa Marista, me dijo Petra Porter y ella lo sabía todo directamente por Harry Solar.

—¿Tú te crees de verdad que el muro de Berlín se cayó ahora mismito? —le preguntaba sarcástico Cabeza Pulpo. Estaban en la celda que le habían destinado en los descansos de los interrogatorios, después que fue conducido hasta Villa Marista una vez que lo detuvieron en Piti Fajardo con Alcides Morán.

—Tú me conoces, hermano —contestó Harry—, no tengo ambiciones políticas, no me interesa la política.

—¡Coño, coño, coño! —gritó Cabeza Pulpo paseándose por la celda, tan reducida de espacio que tenía que girar sobre sí mismo cada dos pasos, con las manos en los bolsillos, los hombros levantados, el pecho fuera y una sonrisa de franca satisfacción cayéndosele del rostro—. Noticias frescas.

Al negrito comemierda que lee poesía no le interesa la política, si nos joden o no los cabrones americanos, si nos matan o no con el bloqueo los yanquis, si hay leche para los niños de pecho o no hay
leche para los niños de pecho, si hay medicinas
para los viejos o hay que dejarlos morir tirados
por las calles. Bueno, chico, para que tú lo sepas,
yo tampoco soy político, yo soy revolucionario y
por eso estoy aquí, para despedazarte en cuanto
saques los pies del tiesto, por tu madre que lo voy
a hacer. Pero, contéstame, negro del carajo, no te
hagas el comemierda porque te parto la cabeza,
¿de verdad tú te crees que el muro de Berlín se
cayó ahora, de verdad tú lo crees? No, hombre, no
seas ignorante, el Muro se cayó el día que los mismos falsos comunistas de mierda, sí, hombre, sí,
los niños bonitos de Occidente, los idiotas europeos,
comenzaron a cagarse en Stalin. Al día siguiente
de que acabara la guerra mundial, entérate, comemierda del coño, empezaron a hablar mierda de
Stalin y la Unión Soviética, ahí se jodió todo, ingeniero.

En ese instante, Solar era más que un sospechoso. Cuando lo destinaron a Güines, a un proyecto de ingeniería electrónica cuyo único objetivo era sacarlo de La Habana por una temporada,
el tiempo suficiente para que se cansara, para que
estallara y provocara el conflicto que lo llevaría
hasta el infierno, no le permitieron que se fuera a
vivir a esa localidad. No sólo no le dieron casa, sino
que casi se la prohibieron al recomendarle que ni
siquiera la pidiera.

—Chico, coño, mira que tú eres abusador —le dijeron—, ¿no sabes todavía lo del bloqueo o qué? Resuelve tú el problema, nosotros no tenemos nada que ver. Vete en guagua o en bicicleta, chico, como todo el mundo.

Petra Porter me aclaró que Güines estaba a veinte quilómetros de La Habana por carretera.

—¿Y la guagua, el tren o lo que sea? —le pregunté.

—¡Pero qué guagua, Marcelo, ni qué tren, chico, tú eres loco de verdad! —me contestó Petra Porter levantando el tono de su voz.

Primero (me dijo) no son guaguas. No hay guaguas en Cuba desde hace años (me dijo casi gritándome), lo que hay son *camellos, camellos* viejos, chico, viejos motores de camiones militares soviéticos casi todos estropeados o rotos mil veces, tirando renqueantes de las estructuras de lo que fueron las guaguas, lo que queda de ellas. Segundo, se quedan por el camino la mitad de las veces, bufando exhaustos, con la última boqueada, por ahí, por San Francisco de Paula, por Guanabacoa, sin apenas salir de La Habana, y nadie llega nunca donde dice que va. Pero, chico, Marcelo, ¿tú no has visto *Guantanamera*?, ¿y tú te crees que es una película, que eso es un invento de Titón y Tabío? Eso es la verdad de Cuba, mi hermano, un fracaso, todos los planes son mentira, un fracaso total, la verdad de todos los días y se queda chica. Tercero, la miseria que le pagaban a Harry Solar como jefe del proyecto de juguete al que se le había destinado para entretenerlo, para provocarlo y aburrirlo no le daba para el *camello,* ni mucho menos, se tenía que gastar toda la plata en ir y venir. Y cuarto, el tren, qué sarcasmo, ni hablar, eso es como el plan de Camarioca y el plan de San Germán, mi chino.

—¿...? —le mostré mi sorpresa interrogativa en silencio.

—Camarioca —se sonrió relajándose al explicármelo— es un pueblito pesquero que el Hombre habilitó para que se fueran en los sesenta los primeros contrarrevolucionarios para Miami. Entonces el Hombre parecía otro, era muy joven, tenía una popularidad inmensa, nadie le llevaba la contraria ni con el pensamiento. Era, chico, por tu madre, como el Gran Kan, cómo decirte, porque ya sabía quiénes eran los que no estaban de acuerdo con sus planes, ¿me comprendes? Y el que quería irse se iba por Camarioca, como después se fueron por el Mariel y hace nada por todos lados, como tú has podido ver bien. La gente entonces se lo tomó con humor ¿Qué iban a hacer, sublevarse, protestar?, de eso nada de nada, ya lo ves, hasta hoy, y se inventaron el chiste con la cartilla de racionamiento. Venga, tú, dime, decían, ¿por qué plan quieres tú comer hoy, mi hermano, por el plan de Camarioca o por el plan de San Germán? El plan de San Germán es que cuando te toca no hay y el de Camarioca es que cuando hay no te toca. O sea que no comes de ninguna manera. Ésa es la cosa, Marcelo. Tuvo que ir y venir en bicicleta todos los días desde La Habana a Güines. Una tortura más. Aguantó menos de un mes y se pasó a la oscuridad, eso es lo que hizo Harry con todo sentido, ¿lo entiendes bien ahora?

Para entonces Hiram Solar llevaba ya casi un año separado de Odette Tejera y las trazas de los amoríos con Petra Porter habían crecido como un murmullo que no terminaba de apagarse en torno a ellos. Yo la veía ahora contándomelo, reflejada su silueta mulata en el cristal luminoso del Hotel Cohiba sobre el que el sol rompía sus rayos. En el interior de la suite, el aire acondicionado mantenía una atmósfera agradable, suavemente perfumada hasta la placidez, como si en realidad no nos encontráramos en uno de los lugares más ardientes de La Habana y en el punto sin retorno del castrismo. La veía moviéndose con una concupiscente levedad que inoculaba en mí la irritante curiosidad que llegaba sin esfuerzo a los fondos mismos del deseo, cambiaba el ritmo tranquilo de mi respiración y alteraba mis nervios. Ahora la traducía tal como ella era y quería ser: un proyecto interminado de la Cuba revolucionaria que se había quedado a medio camino, entre la patria prometida del himno nacional y la muerte cantada cotidianamente y recordada por los eslóganes revolucionarios.

Veía a Petra Porter hermosa y mía, sólo mía siquiera en aquellas horas de la mañana placentera del Cohiba (y así la recordaré siempre). Sentía en mis entrañas la ominosa urgencia de los celos cabalgándome un pequeño e incipiente dolor de cabeza. Deseaba que salieran a flote todos sus recuerdos, que incluso se hiriera al contármelos, se abriera del todo y completamente, dejando en mis manos y en mi mente los dibujos de sus amantes.

Quería de repente saberlo todo de ella como un método expeditivo (y definitivamente resolutivo) para poseerla. Tal vez había un ansia oculta de dominarla, doblegarla a mi voluntad de hombre libre que se marcharía de Cuba cuando le diera la gana, un deseo desesperado de verle por dentro las costuras de su alma y reconocerla en sus huellas más secretas, ya lejos de todos aquellos amoríos que a lo largo y ancho de su vida la habían mantenido viva en la esperanza. Ahora me daba la impresión de que le quedaban por contarme muchas cosas que podían ser importantes. Sentía que quería de verdad contármelas no sólo porque yo intuía que ella había decidido convertirme en su último cómplice, aunque se jugara la vida y quedara desprestigiada a ojos de la élite revolucionaria a la que había pertenecido y no sabíamos en ese instante, ni ella ni yo, si seguía en realidad perteneciendo, sino también porque esa confesión se había convertido en una necesidad, un trueque, una forma de entrega silenciosa y pacto tácito entre los dos.

A Pedro Infinito lo trajo Tano Sánchez en su Lada beis hasta la residencia de Cubanacán para que Carlos Tabares lo conociera. «Es el dueño del mar, don Pedro Infinito», le dijo Tano Sánchez a Tabares en el momento de presentarle al viejo.

Petra Porter vio que los ojos marineros del pescador de Cojímar se empequeñecieron, como si se replegaran para atender mejor los gestos del personaje que estaba conociendo. Después se en-

cendieron al encontrarse con los de Carlos Tabares, como si se hubieran visto antes de este momento, al borde de la piscina, al final del jardín de
la residencia del embajador. No es que los isleños
se reconocieran por encima de latitudes, tiempos
y geografías. Y mucho menos en la isla de Cuba,
donde la historia de las emigraciones formaba
parte de la consanguinidad cotidiana, y entraba y
salía del océano Atlántico atravesándolo con mayor certidumbre de supervivencia que el paseo por
la muerte que tantas veces significaba tirarse al
mar para nadar la estrecha franja desde Cuba a Key
West. Tampoco Infinito se caracterizaba después de
tantos años de penurias y resistencias por una ingenuidad dispuesta a deslumbrarse ante personalidades que no venían a importarle nada en el fondo, sino que su mente estaba ya salada del todo por
una pátina de desconfianza que demostraba durante
unos segundos en la primera mirada que echaba
a sus nuevas amistades.

Al fin y al cabo Pedro Infinito estaba acostumbrado a ser un eslabón más que importante
en la leyenda de Hemingway. Era él y nadie más en
toda la isla de Cuba la legalidad del mar de Hemingway. Nadie podía llevarle la contraria en su
certeza de los mil recovecos que no se conocían
con claridad sobre la vida oculta de Hemingway.
Realmente era él quien sabía bien de las manías
del escritor, quien conoció realmente a sus mujeres,
a sus amantes y a sus verdaderos amigos. Él era
quien lo había salvado de una muerte irremedia-
ble cuando se cayó desde el puente de mando del

Pilar en plena travesía y se abrió en la frente una brecha de más de diez centímetros que lo dejó sin conocimiento durante unos largos minutos en alta mar, en una madrugada fría y con mar de leva cuando pescaban agujas de cientos de libras en medio del Gran Río Azul del estrecho de la Florida. Él, al fin y al cabo, podía inventarse lo que se le viniera a la mente sobre Ernest Hemingway en Cuba y fuera de la Isla. Podía confirmar o negar como quisiera si Hemingway estaba borracho cuando se cayó en el *Pilar* o fue un golpe de mar lo que lo tiró sobre cubierta al borde de la asfixia y la muerte. Por eso venían a verlo a Cojímar infinidad de investigadores de todo el mundo, hasta japoneses, embajador, y, bueno (me contó Petra Porter que Pedro Infinito le explicaba a Tabares), cienes y cienes de curiosos, miles para decirle la verdad, embajador, que le sacaban fotografías y lo hacían hablar durante horas, eso es como se lo cuento y no le miento nada, mi amigo, y de gentes que querían conocer la huella del héroe que había vivido junto a Hemingway durante tantos años.

Entre pescadores, militares y cazadores cualquier hazaña era posible. Entre ellos se aceptaba el invento por descabellada que fuera la historia, con tal de que la leyenda luciera siempre teñida con los colores necesarios e hiperbólicos de la verosimilitud. Ernest Hemingway había sido las tres cosas, llevaba sobre sus costillas esas tres escuelas de la exageración que a la postre resultan verbalmente inexpugnables: la guerra, la caza y la pesca. Y de esas mitologías intrincadas el único que podía contarlo todo con pelos, señales y tatuajes, cuando y como le diera la gana, era el viejo Pedro Infinito, el dueño del mar. De modo que para el pescador isleño conocer a Carlos Tabares no significaba un añadido de nada, al menos en principio. Si estaba allí, fuera de su doméstica ocupación de Cojímar, era porque Tano Sánchez, del que se fiaba casi por completo, se había empeñado en llevarlo hasta La Habana porque le había dicho que el nuevo embajador de España en Cuba era isleño como él, y que lo había invitado a conocerlo en su propia residencia. Tano Sánchez le dijo que no podía negarse, y por eso Infinito había ido a la casa de los Ward aquella tarde, a conocer al embajador español Carlos Tabares.

Desde el principio, al segundo de encontrarse sus miradas, nació la complicidad que se mantuvo incólume hasta que el embajador de España Carlos Tabares tuvo que abandonar la isla de Cuba. El dueño del mar había llevado unas rodajas de aguja muy frescas que debían de asar a la manera del Confital, la playa de piedras lisas, rocas y arena negra donde el viejo Infinito había nacido para marcharse de su isla hasta la Tierra Firme del Nuevo Continente. «Mi tierra prometida, don Carlos», le dijo después de tres tragos de ron seco Arechabala. Lo miraba de frente de vez en cuando, mientras preparaba el fuego en la barbacoa de mampostería junto a la piscina con leña muy seca de arbustos y matojos. Nada de aceite y nada de nada, dijo el viejo Infinito. Sólo un poco de sal fina después de limpiar las rodajas del pescado. Lo de su tierra prometida me lo contó a mí también Pedro Infinito exactamente igual, con los mismos detalles y los mismos espejismos, con parecidas ilusiones y con los adjetivos y exclamaciones de rigor en medio de su propia historia, tan sólo unos meses más tarde de aquel día en casa del embajador Tabares. Se había escapado, embajador, huyendo de la miseria de aquella isla y de la tuberculosis que acechaba en todas las esquinas para cortarle el resuello a cualquiera, pero sobre todo a los más pobres, a ésos siempre les cae la tormenta encima, qué le voy a contar a usted que no se sepa de memoria, ¿eh, mi hermano? Mucha miseria en aquella tierra. No se podía vivir ni del contrabando, tan sólo de la carga blanca en el puerto. Ésos sí, pero únicamente los que contrataban los mayordomos de los patrones, que eran unos abusadores, unos matones del carajo, eso es lo que recuerdo, mucho abuso, carajo, con el cielo y el mar tan limpios y bellos, que querría uno cogerlos por la mano para besarlos y comérselos. Ahí, en la costa del Confital, frente a la playa amarilla de la gente bien, con las olas mojándome al chocar contra las piedras negras de la orilla, aprendí yo desde chico a asar el pescado. Si salía de aquel pedazo de respiro, embajador, era para llegarme al atardecer con mi padre hasta los cafetines de La Puntilla, eso es lo que recuerdo mejor, a comer mojo con morena y pejines secos que daban después una sed del carajo, que no la apagaban ni los bomberos echando agua a la garganta, y en las madrugadas la mar subida amenazaba con llevarse la casa de maderas y cartones en la que vivíamos en la orilla misma de la playa. Eso es lo que más le gustaba de chico a Pedro Infinito: jugar con su padre, estar con su padre, que su padre le descubriera los incontables secretos de la mar, que le hablara de las leyendas de la costa africana, donde dicen que había hasta piratas berberiscos, eso decía la gente de las islas, y donde tanta gente se había perdido en la tempestad. Aquellos relatos iluminaron su imaginación hasta arrancarle a su padre la promesa de que un día lo dejaría acompañarlo, lo llevaría a su barco, al *Progreso,* en una de las temporadas de pesca cerca del Sahara. Y ese día llegó fatalmente, después que Infinito insistiera una y otra vez. En ese entonces no contaba más de seis años.

Contó que no sintió nunca miedo cuando su padre estaba en casa, con la familia, pero que se llenaba de un terror de mil demontres cuando el viejo se le iba a navegar a la costa y estaba fuera hasta dos meses. Una barbaridad, embajador, eso me parecía a mí entonces. Y no sabía si lo iba a volver a ver, porque había recalado finalmente como cocinero en el *Progreso,* un pesquero de nada, un falucho a vela y sin motor alguno, que faenaba en el banco canariosahariano, figúrese usted en aquella época antigua, mi hermano, eso era ir a la deriva por la costa africana.

—Lo vi morir sobre la cubierta del *Progreso,* coño, el pobre, de mala manera, de noche, como un perro callejero, como si no fuera nadie, ¿me entiende usted?, un tormentón de casa del carajo —dijo de repente—. Fue la primera vez que oí cómo chillaba el alma del mar desde la profundidad, un ruido del infierno, con toda la oscuridad de la tormenta cayendo sobre aquella barcaza inútil. El palo mayor crujió y se partió con un alarido de estruendo que todavía me despierta en las noches con mal sueño. Le cayó encima al viejo, lo aplastó como a un mosquito y le partió en dos el cuerpo. Por la mitad. Lo desmigajó del golpe. Le vi la cara ensangrentada, lo vi sólo un instante, embajador, el pobre viejo que me había llevado con él para enseñarme los tesoros de la mar, desfigurado todo el rostro por el palazo y después lo arrastró la mar fuera del barquillo, lo levantó y se lo llevó hasta tragárselo como si nada. Coño, visto y no visto. Allí debe estar todavía, por los fondos de la costa a la que juré no volver nunca más, embajador, Ahí perdí al viejo. Claro que grité, que si grité, coño, coño, coño, pero carajo, no solté ni una lágrima, eso sí que no, ¿eh, eh?, él me lo había enseñado, los hombres, carajo, no lloran nunca jamás. Estaba temblando de frío, de miedo, de pena, era peor que ver al diablo en persona. Me meaba como el pendejo que era, y ahí supe de verdad lo que era el terror, aquel ruido viniendo desde el fondo del mar y ahogándolo todo sin que nadie pudiera pararlo. Tenía seis o siete años, más o menos, y me dije, me cago en la mar, esto a mí no me va a pasar nunca, lo juro por mis muertos, que esto a mí no me va a pasar nunca.

En ese momento, Infinito juró también fugarse de Gran Canaria. Nadie iba a permitírselo y por eso a nadie iba a confesarle su determinación y sus verdaderos planes para marcharse a su tierra prometida, a América del Sur, a la Argentina, al Uruguay, por ahí mismo, lejos de la miseria, el hambre y la tuberculosis. Se había inventado, al fin y al cabo marinero genético, un paraíso al otro lado del mar porque todas las noticias que llegaban de aquella parte representaban la salvación, la otra cara de la vida, lejos del infierno isleño, un lugar edénico donde apenas existía la enfermedad, había tierras de cuatro cosechas que no tenían dueño y ni siquiera había que regar porque lo hacía el cielo protector por su cuenta, con agua de lluvia serena y limpia, y con una continuidad poco menos que milagrosa. Eso era un paraíso. Todos los que llegaban de paso o de regreso al Puerto de la Luz de Gran Canaria se lo contaban a quienes quisieran escucharlo, y en los cafetuchos puteros de La Isleta crecía el espejismo de esa leyenda de la Tierra Firme con más verosimilitud que la miserable y cotidiana servidumbre en la que se veía esclavizada en la isla la gente de la mar.

Al cambullón no podía acercarse nadie que no estuviera en la confianza de la masonería portuaria, una jarca que soñaba salir de la pobreza repartiéndose en la venta al por menor el festín de los barcos de carga extranjeros que despertaban el ansia de la novedad en los más pobres. Nada más atracar en la punta del muelle, el cambullonero encargado de la compra de todo cuanto traía el barco saltaba a bordo para tratar con el capitán extranjero, cuya lengua siempre era un inglés de rara expresión que resultaba imposible de entender para los isleños del puerto. Se jugaban la vida apos-

tando la compra al por mayor en muy pocos minutos, no fueran a adelantársele otros más avispados,
que podían hacerlo tumbando al de delante. Tenían que andar listos, una simple ojeada a las bodegas, a los fardos en venta, y la confianza en la
palabra del capitán. No había que dudar ni un segundo: o se quedaban con todo o se marchaban por
donde habían venido con las manos vacías, hasta
que llegaba otro más serio, más acostumbrado a la
trata al vacío, a la apuesta a ciegas, husmeaba más
que ojeaba los tesoros que había en la oscura ba-
rriga de los cargueros, le daba la mano al capitán,
pagaba el trato cerrado en dinero contante y sonan-
te, y entonces comenzaba la estiba, la descarga de
lo que el barco había traído del mundo hasta el Puerto de la Luz, y el traslado clandestino a los galpo-
nes perdidos en el fondo de La Isleta para su posterior detalle y venta segura.

—Se perdía o se ganaba dinero —dijo Pedro
Infinito—, hasta verdaderas fortunas de aquella
época de miseria, según el ojo del cambullonero,
de eso se dependía. Si se equivocaba, coño, coño,
coño, se iba para casa del carajo, proa al marisco, a
la ruina, pero si andaba con tiento se hacía rico.
Millonarios he visto yo, embajador, millonarios
con un par de barcos en el cambullón he visto yo
hacerse en lo que el diablo se restriega el ojo, por
mi madre. Pero no todo el mundo podía acercarse
allí, ni mucho menos. Todos cuantos eran contratados para esa labor eran de confianza, gentes silenciosas, muy oscuras, coño, muy obedientes, eso
era necesario para salir de la miseria aunque fue-

ra por una semana. Nunca tuve la suerte de ir al cambullón, todo eso lo supe por cuentos de gente mayor que lo contaba a media voz, entre murmullos. Eso era el cambullón, más riesgos que el carajo, tantos que a veces, eso decían, eran preferibles las penurias y los miedos de la mar en la costa de África.

Pedro Infinito se había escapado dos veces de la isla. Con suma facilidad porque nadie podía imaginarse que un chiquillaje que no levantaba tres palmos del suelo tuviera arrestos suficientes para meterse con lo puesto en la sentina de un barco que no conocía y hacerse a la mar hasta llegar al paraíso, al otro lado del océano. La primera vez lo descubrieron a los dos días de navegación, muerto de hambre y hecho una piltrafa entre los fardos de la bodega. Lo devolvieron al llegar a puerto desde Buenos Aires a Canarias, ese mismo día, en un vapor italiano que estaba a punto de zarpar para Europa. Y en ese viaje de vuelta Pedro Infinito recordaba que pudo andar por cubierta libremente como si fuera un pasajero más, pero no lograron arrancarle de la cabeza que en cuanto llegara de nuevo al Puerto de la Luz volvería a intentar la aventura ahora frustrada.

Toda la travesía la dedicó a aprenderse de memoria el camino de los barcos sobre la mar, porque había llegado a la insólita conclusión de que el agua y la tierra eran la misma cosa a pesar de las apariencias, su distinción era un embuste de la ciencia y sólo se necesitaba una voluntad férrea de estudio, aplicarse con todos los sentidos a com-

prender las señales de la geografía, de las estrellas y del firmamento, los ruidos de los vientos al
rolar, las órdenes del capitán y los gestos del con-
tramaestre, la cercanía de los temporales y el olor
de la costa antes de que apareciera a la vista de los
marineros. Pasó, apenas sin hablar, ensimismado
en la baranda de cubierta, días y noches enteras
dedicado con pasión a esa tarea de iniciación, re-
copilando datos confusos y ambiguos que luego
archivaba en su memoria recién descubierta como
un privilegio divino. Cuando llegó al Puerto de la
Luz, la policía de la isla lo estaba esperando para
entregárselo a su madre, pero Pedro Infinito era ya
otro hombre, un marinero hecho y derecho, su piel
había comenzado a curtirse al sol y la sal. Había
decidido ser hombre de la mar para siempre.

    —La vieja, coño —contó Infinito con sor-
na—, me dio una tollina del carajo. Me sacó a pa-
los la mierda del cuerpo, la pobre me mató a golpes delante de la policía del muelle. No se me
olvidará en la vida. Esa vez no me encerraron en el
reformatorio, eso fue después.

    La segunda vez que se escapó de la isla, fue
a tener (así lo dijo Pedro Infinito, con ese desparpajo verbal) de nuevo al puerto de Buenos Aires,
porque ése era el destino final que se le había
metido en la cabeza. Ni La Guaira ni Montevi-
deo, Argentina, eso es lo que quería Pedro Infinito, y allí llegó por segunda vez para ser de nuevo
repatriado a la isla. No dieron con él hasta que el
hambre lo sacó de las bodegas del vapor también
italiano, como la primera vez, y él mismo se dela-

tó en la medida en que temió seriamente por su propia supervivencia en el mar. Fue una suerte de entrega, aunque confió ilusamente en que el capitán del barco entendiera la decisión que había tomado. No le hicieron caso, lo encerraron en un camarote fuera de uso, de tres metros cuadrados, lleno de trastos, herrumbre, humedad y mal olor, y lo entregaron en Buenos Aires a la policía de fronteras. Al regresar a la isla después de algunos días de espera, lo metieron de hoz y coz en el reformatorio del barrio de Guanarteme porque no se podía hacer legalmente otra cosa con un reincidente cuya contumacia se saltaba las leyes como si no existieran más que como un lujo de papel. De la estancia en ese correccional de menores, Infinito no le contó nada a Carlos Tabares, y tampoco a mí, que no creí de importancia preguntarle por ese tiempo pasado en la cárcel de menores. Pero en cuanto salió de allí, con el juramento sagrado de no volver a las andadas ni soñar más con el paraíso del otro lado del mar, fraguó la singladura definitiva.

—Fue en el *Argentina*, un vapor del carajo —sonrió al recordarlo Pedro Infinito—. Claro que me descubrieron, embajador. Un polizón sin cómplices a bordo está perdido en muy pocos días, y yo no tenía ni un peso para sobornar a ningún marinero, ¿me entiende usted? Pero, claro, les dio pena, eso me dijeron, después de telegrafiar a la isla y conocer mi historia. ¿Y este pendejo de mierda se ha escapado tres veces ya?, eso dijeron. Les dio pena, pero yo sé que por dentro me admiraban, porque yo era como ellos con muy pocos años todavía. Estaba muy sorprendido, porque mi valentía ponía de mi parte a los viejos lobos de mar. Yo les dije, lo hago por escapar de la miseria de la isla y de la tuberculosis, que está en todas las esquinas. Eso les dije. Yo creo que por eso me dejaron deambular por cubierta y por todos los andurriales del barco, incluso trabajé algún día que otro en las calderas. Fíjese, para ese momento yo ya era un galletón de verdad, con catorce años encima, pero hablaba como si fuera un marinero de toda la vida, que eso es lo que ya era en realidad.

El *Argentina* hacía una escala de veinticuatro horas en La Habana y Pedro Infinito no lo dudó esta vez. Nada más divisar desde cubierta la sombra pardusca de la costa cubana, organizó en silencio su huida del barco. Aunque corriera todos los riesgos del mundo, había que jugársela como se juega la vida porque de todas maneras estaba completamente seguro de que lo devolverían desde allí mismo a la otra isla.

—Por ahí no iba a pasar —dijo Infinito contundentemente—. Me tiré al mar nada más entrar el *Argentina* en la bahía de La Habana. Era de noche, todo estaba oscuro y yo no tenía ni idea de donde me metía ni lo que me iba a ocurrir. El agua me supo a gloria, bueno, el que quiera lapas que se moje el culo, ya sabe usted lo que dicen. Margullé como un tiburón que no quiere dejarse ver en la superficie, nadando a brazazos debajo del agua y saliendo hasta allá arriba lo imprescindible, para coger aire, y otra vez para abajo. Así me quedé aquí y me hice cubano. Pero, fíjese lo que le digo, embajador, si llego a saber desde el primer viaje que Cuba estaba tan cerca de Canarias, por mi madre, carajo, que hubiera esperado un barco que me trajera hasta aquí y me hubiera ahorrado tanto pacá y pallá, la policía, la tollina de la vieja y los años de reformatorio, una calamidad de las ciertas. Si le digo la verdad, cuando estaba nadando hacia no sé qué sitio, guiándome nada más que por las luces de una ciudad que no conocía de nada y sin saber a qué sitio iba a tener, el corazón me daba golpetazos en el pecho, como si me avisara de que me faltaba el aire y estaba a punto de ahogarme. Quería saltárseme del cuerpo, coño, yo lo veía así. Pero, se lo juro por mi padre, yo ya me sentía que era el dueño del mar, porque, no me vengan a joder de ninguna manera, ¿quién con nada más que catorce años podía decir que se había mandado tres veces las millas que van de una tierra a otra, usted conoce a alguien, embajador?, no no, claro que no.

Mientras el dueño del mar hablaba de su pasado isleño, el olor del pescado asado en la barbacoa de la piscina inundó la atmósfera vespertina del jardín del embajador, a pocos metros de donde un par de años después aparecerían los cuerpos desangrados y sin vida del canciller español Tobías Baragaño y el mayordomo Orestes López.

Petra Porter me dijo después que la investigación oficial que llevó a cabo el gobierno cubano concluyó, también oficialmente, que se habían matado entre sí en una trifulca sangrienta que no implicaba a nadie más, a ningún otro ciudadano cubano ni a ningún otro miembro, trabajador o diplomático de la embajada. Dijeron que había sido un desgraciado y accidentado azar el que el canciller Baragaño hubiera descubierto a Orestes López, del que no en vano se sospechaba desde hacía tiempo, robando obras de arte, joyas y otros valores depositados en los sótanos de la residencia diplomática por los cubanos que decidían en los sesenta marcharse al exilio por culpa de Saturno. Aclaraban explícitamente y con todo detalle que Orestes López actuaba por su cuenta y riesgo en tal delito criminal, gravísimo para la legislación vigente en Cuba, sin ayuda de nadie ni en compañía de otros de los que pudiera sospecharse vinculación alguna con el mayordomo. Del mismo modo se comunicaba que la investigación en curso no acabaría ahí, en las conclusiones sobre las dos muertes, sino que seguiría con el máximo rigor y ahínco por parte de la policía para encontrar los valores robados del depósito por Orestes López. De modo que se perseguiría hasta al final, hasta encontrar a los que hipotéticamente fueron los compradores de lo robado, tras cuya pista ya se estaba trabajando. Por último, se reprochaba al embajador español, Carlos Tabares, no haber dado parte a las autoridades cubanas de la sospecha de robos continuados en su propia residencia, suceso que finalmente había terminado con la muerte en el jardín de aquellos dos desgraciados.

—Chico —me dijo Petra Porter—, fue así, tal como te lo estoy contando, ¿qué tú quieres que yo te diga? Cabeza Pulpo estuvo en el caso lo suficiente para saber que nadie de la Tribu anduvo involucrado en ese asunto tan turbio. No pudo meter a nadie en el ajo aunque lo hubiera querido. El resto del asuntico este lo llevaron muy rigurosamente. Tanto que nunca se supo nada de lo que robó realmente Orestes en los bajos de la residencia, ni a qué lugar llevó la mercancía, ni quién o quiénes se lo compraron, ni cuánto le pagaron, ni nada de nada. Todo se perdió en el monte, chico, y nunca más se supo ni nadie habló del asunto. Así son estas cosas en Cuba.

De sus amoríos con Tabares me dijo poco, como si realmente no hubieran tenido nunca mayor importancia. Tal vez simples escarceos, vértigos, una elemental convergencia de humores en un tiempo exacto para los dos, una mirada tal vez encendida de ella en los ojos de él, que ya estaba vacío y a la espera de que Petra Porter lo mirara para fascinarlo, seducirlo y conquistarlo Pero ¿había sido importante Carlos Tabares para ella? Siempre tuve la impresión de que esa relación no fue del todo verdad, que en todo caso el embajador se había quedado sólo en las puertas de la sensualidad de Petra Porter, deslumbrado por la luz interior de la muchacha y sin atreverse a entrar del todo en el templo secreto. A Harry Solar no me atreví a preguntárselo ni con insinuaciones, pero las veces que el ingeniero nombró a Tabares en nuestra larga conversación del Sloppy Joe's en Cayo Hueso, quise notar en los gestos con los que acompañaba sus frases un deje de sarcasmo y desdén hacia el diplomático español. Si al principio lo interpreté como la respuesta de los celos contra Tabares, muy pronto me di cuenta de que a Harry el embajador español y sus supuestos o reales amores con Petra Porter le habían traído sin cuidado. Como que siempre había sabido que esas relaciones eran un ardid inventado por la muchacha para mantener viva en Harry una hoguera de la que ya no quedaban más que leves rescoldos. Ella había sido la primera en saber que terminarían apagándose definitivamente.

Mientras Petra Porter seguía demostrándose ahora, en la mañana luminosa de la suite del Cohiba, que su poderío erótico y pasional no había menguado con los años de la primera madurez (que en ella parecía más que un periodo especial una segunda adolescencia, y quizá lo fuera, con una carga de experiencia muy estimulante), sino que se había acrecentado notable y expresivamente como uno de lo elementos esenciales de su vida, el embajador Tabares había pasado a ser solamente una referencia de su pasado más o menos tumultuoso en asuntos de amoríos, una mínima y no siempre felizmente recordada estación del amor en Petra Porter.

Los dibujé en mi mente, juntos en un lecho que no me podía imaginar del todo, ni me atrevía a situar en medio de mi calentura. Los imaginé escondidos, ocultos, clandestinos, secretos, escapándose furtivos y temblorosos de todo el mundo en esa Isla cerrada a cal y canto por unos y por sus contrarios (que paradójicamente resultaban sus verdaderos aliados), huyendo sus sombras de una Isla de la que casi todo el mundo buscaba escapar sin poder llevar a cabo su aventura. Quise verlos juntos, fornicando a destajo sus dos cuerpos desnudos en esa cama secreta de la que Petra Porter tal vez deliberadamente había evitado hablarme siempre. Pude al menos por un instante meterme en la piel de Carlos Tabares para entender la primera exaltación, el tacto de la piel de Petra Porter en las yemas de sus dedos, el sabor ardiente de la lengua de la muchacha en sus labios excandecidos por el turbión pasional que lo había hipnotizado, todo lo que significó el descubrimiento de aquel tumulto salvaje que apareció repentinamente en su vida diplomática, organizada y perfectamente ordenada. Tal vez todo aquel periplo iniciado desde su juventud por propia voluntad, aquella vocación diplomática que terminaba por encontrar su destino en La Habana, Cuba, tenía un oculto sentido que nadie, y mucho menos Tabares, había previsto: encontrarse con Petra Porter, amarla con el rumbo extenuante de la demencia (o creer que la había amado de verdad), realizar el sueño y la fantasía de un hombre que no había traducido con tiempo, hasta llegar a La Habana y en el momento de conocer a Petra Porter en el jardín de su residencia diplomática, los avisos y las señales de humo que le habían advertido de la inminencia del hallazgo.

Desde esa tarde en la que Petra Porter llegó con Tano Sánchez y Pedro Infinito a su casa de Cubanacán, Carlos Tabares sintió que aquel deslumbramiento era el tábano ansioso e irritante de una enfermedad que lo había marcado con una picadura mortal. Estaba ya en la mitad de su vida, tal como después le sugirió Pedro Infinito, de modo que entonces pudo percibir con claridad, pero ya sin poder evitarlo, que Petra Porter no sólo venía a facilitar sin remisión el finiquito más o menos previsto de su matrimonio ya casi inexistente, sostenido sólo por la costumbre y por su posición diplomática, sino que su entrada en la escena significaba el final de otras muchas tradiciones consuetudinarias, adquiridas de manera natural a lo largo de muchos años. Empezando por la discreción proverbial con la que se distinguía en los círculos endogámicos de la Carrera, al menos hasta llegar a Cuba y darse cuenta de que todo caería desde ahora por tierra, a beneficio del descrédito que se le venía encima con el escándalo de sus relaciones con Petra Porter.

—Chico, Marcelo —me dijo Petra Porter restándole importancia—, no fue nada, más que amorío fue amorpío, chico. Mucho ruidito y pocas nueces, hombre, por tu madre, parece mentira que tú seas tan pepillo que no te des cuenta de las cosas.

Le había insinuado a Petra Porter que al encontrarme a Tabares en Madrid ni siquiera la había nombrado. No se lo dije expresamente, pero ella había entendido el sentido de la elipsis y mi intención al no extenderme en el recuerdo del embajador español. Al fin y al cabo, todo era cuestión de simpatías personales y en ese momento no me sentía demasiado interesado en hablar del diplomático. De todos modos Tabares había demostrado una suerte de rara y valiente heroicidad incluso en los peores instantes, una sensatez personal y profesional fuera de toda duda, y un equilibrio de madurez que no le tuvieron en cuenta desde el Palacio de Santa Cruz para su posterior reivindicación. Cuando le dije a Petra Porter que lo que realmente el embajador Tabares echaba de menos después de irse de Cuba eran las conversadas con Pedro Infinito y las cuatro o cinco salidas al mar que habían tenido juntos en el *Coral Negro* hasta llegar al Gran Río Azul, no tuve verdadera intención de herirla, ni de enfatizar ningún recuerdo especial, sino de relegar a Tabares al lugar en donde a mí me parecía que debía estar ahora, frente a la mujer cuya silueta concupiscente hasta la lascivia yo seguía admirando mientras el sol le daba en su espalda perfecta desde el exterior de la cristalera de nuestra suite del Cohiba.

—Que yo sepa, chico — me contestó Petra Porter con toda seguridad—, el viejo Infinito llevó a Carlos al Gran Río Azul sólo una vez y más nada. Me recuerdo muy bien que el viejo no patroneó el barco. Ni siquiera salía ya a la mar, estaba retirado y demasiado anciano cuando eso, sino que fue Miguel Coello, el verdadero capitán del *Coral Negro,* el que llevó el mando. Bueno, un hombre, chévere de verdad, de pies a cabeza, lleva treinta y cinco años en la mar, saliendo todos los días de la Marina Hemingway y conoce la costa como nadie. Me lo recuerdo bien porque yo hice los trámites para que tuvieran listo el barco y no hubiera problema a la hora de zarpar. Carlos quiso llevarme en la excursión, pero ya sabes como son las cosas aquí. Se piden un par de papelitos de permiso y se arma una bulla mundial. Se levantan las sospechas por nada, ya estaba bueno con la que se había armado desde que supusieron que estábamos empatados, una bobería, de verdad, chico, por tu madre.

Acabaron de comer pescado asado cuando la noche se había cerrado por completo en La Habana. Si hubieran estado en el mar, frente a La Habana y acercándose a tierra, habrían sentido el terral soplando de dentro de la Isla hacia la mar. Un viento fresco movía las sombras de las palmeras reales sobre la cara del agua de la piscina, como si bailarinas tropicales de todos los colores ondularan sus siluetas atléticas e inalcanzables bailando bajo la luz lejana de la luna. Acabaron con el viejo Infinito cabalgando incansable sobre sus mismas palabras, inventándose guerras verbales en el mar, en medio de la borrachera de aguardiente, y prometiéndole a Carlos Tabares que él, se lo juraba por lo más sagrado del mundo, lo llevaría al centro del Gran Río Azul para que el embajador pudiera ver con sus propios ojos que el dueño del mar (abría las manos teatralmente, gesticulaba el viejo Infinito, llevaba las palmas abiertas de las manos a su pecho de pescador consumado y las dejaba allí, como si rezara una plegaria antigua y ya olvidada a los dioses del mar) no exageraba en nada de cuanto le estaba contando, embajador. Acabaron esa noche mirándose a los ojos Petra Porter y Carlos Tabares, deseándose y atrayéndose con la mirada acuosa, los labios mojados, los nervios reprimidos en muecas que no terminaban de expresar su verdadero contenido. Sufrían los dos con la obligatoria abstinencia del momento, invitándose y oliéndose con la mirada el perfume de sus cuerpos por descubrir y desnudar, limitado a los ojos el deseo insistente (como si los dos hubieran bebido esencia de cantárida durante toda la tenida, en lugar de ron con yerbabuena), ante la sorna atropelladamente aguardentosa de Tano Sánchez, que intuyó desde el principio el riesgo que desde ese instante iban a correr los dos, Petra Porter y el embajador Tabares, recién destinado a La Habana, Cuba.

Diez

A pesar de su sobrenatural olfato marinero y aunque diez años más tarde se sabía de memoria (como si hubiera nacido allí mismo, en el hilero, en las aguas de la corriente) todos los secretos, los parajes más escondidos y los pasadizos para entrar y salir sin mayores riesgos de esa latitud distintiva para los marineros y los pescadores del castero, la aguja y el merlín, el dueño del mar no había reparado en el Gran Río Azul durante sus tres viajes a América, enfundado como estaba en su clandestina calidad de polizón. Ni sabía de la sombra veloz y oscura en el rostro del agua ni jamás había escuchado a los pescadores del Confital, al otro lado del mar y en la otra isla, ninguna referencia sobre su leyenda o sobre la existencia real de su pertinaz e incesante peregrinaje sobre el Atlántico, sino que lo había descubierto casi de repente, sin que nadie le dijera antes lo que era, al verlo por primera vez pocos meses después de haberse escondido en La Habana tras saltar desde la borda del *Argentina* y perderse margullando en las oscuridades contaminadas de las aguas de la rada portuaria, a la vista de los que le gritaban que regresara al barco.

Difícilmente entonces Pedro Infinito podía saber en el instante mismo del hallazgo que ese territorio fantástico y huidizo del Gran Río Azul iba a convertirse para él años más tarde en una geografía llena de tesoros, y tan conocida y doméstica como lo serían para esas mismas fechas el mar de Cuba, el *Pilar*, el puerto de Cojímar, la barra y las mesas de madera de La Terraza, y las largas tardes tropicales, a orillas del mar, que diluían su luz en las conversadas de los pescadores del lugar y los tragos de ron.

Me puse por un instante en su lugar, cuando hicimos el reportaje sobre el barco de Hemingway varado con toda su majestad marina y para siempre en un galpón de la Finca Vigía, en San Francisco de Paula. Me imaginé por un momento al *Pilar* navegando rumbo al hilero a la caza del merlín más hermoso del mundo. Vi a Pedro Infinito llevando el timón de la lancha de Papá mientras el escritor oteaba el horizonte con mirada melancólica, perdida en sus recuerdos de la guerra, de la cacería africana y del riesgo que siempre buscó como un destino vertiginoso y necesario. Vi a Hemingway con una Hatuey en la mano y al viejo Infinito ocupándose de la deriva del *Pilar*, tan majestuosamente extraordinario el lanchón navegando en alta mar como yo mismo lo estaba viendo ahora, en su espléndida tumba abierta de la Finca Vigía. Fue fabricado estrecho de proa para que hincara el pico en la cara del agua como un ave marina y la hendiera con la certeza de su autoridad. La popa del *Pilar*, por el contrario, semejaba una sala de reunión al aire libre, un lugar de tertulia en alta mar, espacioso y amplísimo, porque casi siempre se pasaban allí horas los pescadores, ejecutando sus esforzadas maniobras tirando de la liña para sacar la aguja desde el hondón. El *Pilar*, se lo oí decir siempre a Pedro Infinito, era un barco cómodo y muy seguro en el mar, muy marinero, decía el viejo Infinito, en cuyo interior y traspasado el puente de mando había tres compartimentos que se escalonaban adecuadamente. Dos literas, dos closets y algunas gavetas componían el primero; el segundo era para el baño y la cocina del barco y el tercero, como me dijo Tano Sánchez muerto de la risa cuando me llevó a ver el barco, se llamaba el «Departamento Etílico», porque era la despensa donde Hemingway guardaba sus provisiones de alcohol, sin las que resultaba del todo imposible que se hiciera a la mar durante los días de pesca. El *Pilar* contaba con cuatro relojes situados tras el timón, dos de los cuales marcaban el nivel de aceite y la temperatura del motor, mientras que los restantes correspondían al tacómetro y al amperímetro. A la izquierda del timón estaba la pizarra con los botones de las luces y detrás, en el mostrador, las palancas para acelerar o cambiar las marchas del motor, junto a la placa de bronce que recordaba que el *Pilar* había sido construido en Brooklyn, en 1934.

—Coño, gallego, tú no te puedes imaginar lo que era ese barco —me dijo con nostalgia Pedro Infinito en una de nuestras tardes de Cojímar—. Volaba sobre la mar, mi amigo, y no había quien le pusiera freno, palabra de hombre. Podía largarse por ahí en un radio de más de quinientas millas, ya te puedes figurar lo que era, un caballo de verdad al galope tendido sobre el agua si le daba la gana, y podíamos llevar siete u ocho personas a bordo como si nada. Los almacenes, mi amigo, eran del carajo, con depósitos para más de trescientos galones de gasolina y ciento cincuenta de agua potable. Casi nada, para darle la vuelta al mundo. Bueno, para qué te cuento, ese barco se fabricó para enfrentarse a la mar gruesa, ni se movía, fíjate si quería le podía meter una velocidad de ocho nudos, llevaba dos motores del carajo parriba que le daban una fuerza que ni te cuento, un Universal de cuarenta y cinco caballos y un Chrysler de noventa, ¿tú sabes lo que eso significa? Mi hermano, echa fuego que da miedo y no hay quien le ponga freno.

A pesar de ir equipado con motores de gasolina, el *Pilar* era una gran embarcación marinera. Pedro Infinito tuvo mucho tiempo como un gran orgullo que una de las principales características del barco era que siempre estaba limpio, como los chorros del oro (decía el viejo Infinito), óyeme bien, porque una de las virtudes de un buen patrón marinero (añadía levantando el dedo índice para hacer hincapié en su afirmación) es tener el barco limpio, siempre, siempre, lo que yo he visto por ahí, que se creen unos patrones del carajo y no son nada, con el barco que parece palito de gallinero, lleno de mierda por todos lados y oliendo a tripas de pescado. Coño, mi amigo, te lo digo de verdad, la mar es así, no hay que olvidarlo nunca, y ellos ahí, los patrones, no jodan, en la barra de La Terraza dale que te pego, trago va, trago viene. En mi vida, por ésta misma, vaya (y besaba la cruz improvisada con sus dedos índice y pulgar), en mi vida me he pegado yo ni un buche de ron en ningún cafetín antes de tener como los chorros del oro a ese roble negro americano, te lo juro, y todos los días sin dejar ni uno de limpiarlo. Eso es así, o se pudre todo poco a poco. Y el motor, no jodan, carajo, el motor estaba siempre afinado, dispuesto para volar al hilero cuando Papá lo mandara, para eso era el amo.

Ahora el *Pilar* sigue ahí, en el aire detenido de Finca Vigía, entre el jardín y la piscina de la casa de Hemingway en Cuba. Como si navegara en un océano de helechos, ceibas, bambúes, mangos, matas de plátano y toda una floresta que ha ido creciendo hasta convertir el jardín de La Vigía en una selva atractiva y cuidada para el turismo. Yo lo vi ahí, en el silencio de una mañana, acompañado por Tano Sánchez, que había estado trabajando en esa casa durante mucho tiempo en un documento de investigación sobre la vida de Hemingway en Cuba. Y escuché el eco de la voz del viejo Infinito la noche anterior, en su casa de Cojímar, doliéndose de los años que le habían caído encima al *Pilar*. Ya no puede caminar ni un par de millas de bojeo (se quejaba el dueño del mar), lo echa uno a la mar y se jode del todo. No sería la primera vez que se suelten las cuadernas, las tablas, y, bueno, ya sabes lo que pasa cuando ocurren estas cosas, se jode todo para el carajo, se desarbola el armazón de toda la embarcación y se va para casa del carajo. Mejor que esté ahí, encerrado en La Vigía para que lo vea quien le dé le gana y lo recuerde como era.

El primer protector de quien luego sería el dueño del mar en Cuba, Raúl Mediavilla, le cayó del cielo al muchacho, deambulando esquinado, huérfano de todo y maltrecho por los cuchitriles de Casablanca, porque por allí había saltado a tierra Pedro Infinito con la voluntad de quedarse en la Isla durante un tiempo, aterido de dudas que le paralizaban sus instintos más vivos al aconsejarle en silencio que no se moviera a mucha distancia del puerto. De modo que acabó por querenciarse entre las sombras de aquellos callejones a los que la brisa del mar refrescaba por la noche a través de las rendijas que dejaban las construcciones de una sola planta, y desde donde se vislumbraba como en un espejo lejano una parte de la ciudad de La Habana al otro lado del muelle de San Francisco, y algunas colinas circundantes que marcaban la frontera de la ciudad, más allá de las cuales el joven Infinito imaginaba el campo de plátanos y papas, el monte oscuro y la selva interminable con sus pantanos transitados de caimanes y cocodrilos.

Sin saber dónde realmente se encontraba y con los ojos perdidos en la nada, muerto de hambre, exhausto y harapiento, el joven Infinito se puso desde entonces en las manos de Raúl Mediavilla. De manera que se dejó contratar de lo que quisiera el patrón porque se agarraba a un clavo ardiendo para volver a respirar un poco de aire. Mediavilla lo enroló aparentemente como grumete en una vieja goleta de su propiedad, que se llegaba en la clandestinidad a la costa norte de Florida con las bodegas cargadas de aguardiente y whisky de garrafón desti-

nados a paliar la ley seca con la que los gringos habían decidido condenarse durante unos años.

En la primera salida a las aguas del Estrecho,
zarpando a la medianoche desde la playa de Jaimanitas, al este de La Habana, con el terral tibio
en popa e hinchando las velas de la goleta para
adentrarse en el mar con rumbo al Norte, cuando
todavía su destino no le había enfrentado del todo
con su vocación de pescador y dueño del mar, y
el contrabando de alcohol era su único y peligroso
medio de vida, penado además por la ley con la
cárcel y el extrañamiento, Pedro Infinito quedó extasiado al contemplar por primera vez el Gran Río
Azul en una madrugada que nunca repetiría el
milagro, ni con los mismos colores en la cara del
agua (gris marengo, azul oscuro, violáceo, plata,
azul celeste, verde malaquita y, con el sol ya subiendo el horizonte, verde esmeralda con incrustaciones
de oro viejo flotando en la superficie, sucesivamen-
te), ni con las mismas formas del mar ondulando
ante sus ojos y abismándolo hasta el espejismo.
Allí estaba el Gran Río Azul perdiéndose en el horizonte y dejando claramente a la vista de los marineros ese otro mar distinto que navegaba dentro
del Atlántico miles de millas, como si fuera exactamente un mar que había tomado su camino pero dentro del océano Atlántico, de continente a
continente, sujeto tan sólo a la invariable tenacidad de su rumbo. Allí estaba ahora, ante los ojos
del joven Pedro Infinito absorto por el asombro del
hallazgo, la corriente del Golfo reptando suavemente sobre el agua a una velocidad superior a la

del océano, como un animal vivo y con su propio sentido de la orientación.

En realidad, para nadie es ya un secreto que el Gran Río Azul impulsa desde su origen, en un lugar remoto al suroeste del cabo de San Antonio, un movimiento mágicamente circular que sigue dibujando en su periplo a lo largo del océano Atlántico. Llega a tocar suavemente la isla de Cuba por el norte, pero inmediatamente después despliega toda su majestad de pavo real azul oscuro al nadar por delante y a pocas millas de Cayo Hueso, tras dejar atrás las costas y los cayos de Miami al sur de la Florida y las cercanías llenas de pájaros del cabo Hatteras, antes de encaminarse con la misma tenacidad y memoria en la dirección estenordeste para proseguir su camino impertérrito, inmune a los ciclones, a los rabos de nubes y a los temporales. Desde esa dimensión atlántica, nadando en la soledad del centro del mar, el Gran Río Azul se dirige sin apenas difuminarse hacia Europa bajando hacia las islas Canarias, en el trópico de Cáncer y muy cerca de las costas africanas, en cuyo banco de pesca sahariano había perdido la vida el padre de Pedro Infinito, mientras faenaba de cocinero en el *Progreso,* un falucho con poca capacidad marinera, en el turbión de una mar gruesa interminable que había provocado un temporal de viento y agua.

Cuando alcanzó a conocerlo bien después de años de frecuentarlo y surcarlo con sus lanchones de contrabando y pesca, el joven Infinito llegó a saber que el Gran Río Azul nunca duerme, ni se desmaya, ni desmadeja, ni se cansa ni aquieta. Tiene el mismo vicio de las especies de tiburones más activos, dinámicos y mortíferos, sean dientusos o cabezas de batea, y no puede dejar de moverse sobre sí mismo ni un solo instante hasta el punto de que desconoce por completo el sentido de la paciencia, la posición del descanso, carece de estática y reniega de la respiración de la calma. De modo que su sombra oscura camina noche y día, invierno y verano, en la tibieza encalmada de los mares tropicales y entre los hielos que se atraviesan en su camino por el Atlántico Norte, en un peregrinaje incesante por encima del mar como una mancha inagotable que se desplaza sin tener en cuenta leyes geográficas ni normas climáticas de ninguna categoría, sino que inventa su propio viaje marino al margen de costumbres y sugerencias, guiado solamente por su instinto secular y su olfato de corremares, cuyo oficio, suplicio y condenación estriban precisamente en no cansarse jamás de recorrer el mismo camino a una velocidad superior a la de la inmensidad del mar sobre el que cabalga.

No llega del todo a tocar con sus urgencias azules las gélidas costas del norte de Europa, pero desde esas latitudes tan lejanas y extrañas a su origen americano, y como si de repente hubiera recuperado el recuerdo secreto que lo obliga genéticamente a volver sobre los pasos de su memoria, inicia el retorno por el Atlántico Norte y se dirige de nuevo al Caribe, a la búsqueda de las Antillas. Avanza velozmente (como si tuviera que cumplir con una promesa sagrada a plazo fijo) en dirección suroeste hasta encontrarse otra vez con la costa pe-

ninsular del Yucatán, la fuente de su origen, besarla de frente en sus espumas más limpias y marcharse otra vez mar adentro, volviendo al eterno
regreso marino, a cuestas con el mismo recorrido
a lo largo y ancho de su destino.

Cuando en su salida hacia el alta mar océa-
nico el Gran Río Azul pasa por delante de la ciudad de La Habana en dirección este no se detiene
ni un instante a contemplar en la lejanía las siluetas desdibujadas por la distancia de la Estambul
antillana, ni los ruidos metálicos de la música ni
las voces mágicas de las mujeres de piel oscura que
recuerdan en sus cánticos de palenque los ritos del
Dahomey, del Níger y del Congo. En ese momento, a muy poca distancia del Castillo del Morro y
rumbo al este, la anchura del Gran Río Azul puede llegar a las sesenta millas aproximadamente. Camina a una velocidad de crucero de un nudo y medio que se duplica en ciertas zonas, ritmo que se
acrecentará perceptiblemente conforme se adentra
en la mar y aumenta la profundidad del suelo marino, por encima del cual corre sin miedo el cauce
vivo de la serpiente, cuya tonalidad de agua es mucho más azul que el mar que lo rodea. Los expertos en mares y océanos, geógrafos, marinos y pescadores saben que al llegar a la altura de Varadero, el
Gran Río Azul cumple uno de sus caprichos enigmáticos y, sin detenerse en la contemplación de las
arenas amarillas de los cayos y las playas, se des-
vía hasta alcanzar el rumbo estenordeste con el que
se adentra en el océano transportando a su paso
y con su movimiento empecinado yerbajos, sarga-

zos, basuras y objetos de todo tipo que las corrientes arrastran hasta abandonarlas en alta mar.

En las correrías del contrabando por esas mismas zonas cercanas a la desembocadura del río Jaimanitas y mar adentro, el joven Infinito aprendió a encontrar las puertas exactas de la corriente del Golfo a su paso por La Habana. La primera vez que mientras anochecía sobre la Isla vio las barcazas de la basura de la ciudad enrumbar el alta mar para arrojar en el seno mismo del Gran Río Azul las toneladas de desperdicios producidos durante el día, asistió al espectáculo tan absorto y escandalizado como cuando descubrió la fuerza de la corriente en la cubierta de la goleta de Raúl Madiavilla. Todavía a esa hora el sol jugaba con la cara del agua sobre la que caían las basuras de La Habana que las barcazas transportaban lejos de la ciudad y de la Isla para que se perdieran en la corriente que terminaba por engullirlas y digerirlas en la inmensidad azul oscura de sus profundidades.

—Tenía que haberlo visto usted, embajador —le dijo el viejo Infinito a Carlos Tabares.

Iban en esa ocasión en el *Coral Negro* de Miguel Coello, que hendía las aguas verdosas a la altura del lugar marino por el que antaño las barcazas de la basura habanera entraban al mar para llevarse hasta la frontera del Gran Río Azul su carga de basura maloliente.

—Las barcazas iban repletas. Coño, coño, coño —decía Infinito—, parecían vacas lecheras chapoteando en el agua, preñadas con la mierda del día que La Habana desechaba. Yo qué sé, embajador, era del carajo la cosa, animales muertos, restos de pollos y gallinas, gatos ahogados, plumas, huesos, se encontraba de todo. Como si fuera un mercado flotando en el agua, se lo juro por mi padre, embajador, ropa vieja, zapatos, fruta podrida, las cajas de piña maleada por el calor, las naranjas, los plátanos, las botellas de cristal, la mierda de las casas que se recogía para llevarla hasta la entrada de la corriente. Por allí mismo, entraban por ahí y descargaban la mierda allí, donde le estoy marcando con el dedo, fíjese bien, ahí delante.

El viejo Infinito señalaba con seguridad una ligera línea que se iba haciendo visible a poco menos de una milla de donde cabeceaba ahora el *Coral Negro,* el punto exacto en el que según su olfato de lobo de mar se marcaba la nítida frontera entre la corriente del Golfo y el océano Atlántico. El embajador Tabares quiso atisbar desde el puente de mando del *Coral Negro* esa línea sutil que para Infinito era parte de su misma geografía vital. Miró primero a proa buscando el horizonte hacia el que señalaba con una certidumbre imperativa el índice de la mano derecha del viejo Infinito. A su lado, el patrón Coello confirmaba con un gesto suave de su cabeza, sin quitar los ojos del rumbo del barco y sin pronunciar una palabra. Después, apenas sin entrever esa línea mágica en la que nacía el Gran Río Azul, el embajador Tabares debió mirar a estribor (primero con disimulo, casi de reojo; después abiertamente) para ver entre las brumas del alba la silueta creciente de la ciudad de La Habana desperezándose un día más de su pesadilla nocturna para encontrarse de frente con la ruinosa realidad de su destino. Algunas columnas humeantes se elevaban hacia un firmamento que clareaba en la lejitud de la ciudad. Delante mismo de los ojos del embajador Carlos Tabares flotaban los edificiones perfectamente reconocibles del Habana Riviera, el Meliá Cohiba, y un poco más a su derecha, el Focsa, emboscados todavía en la grisura del amanecer. Vio desde lejos la sombra del Habana Libre y, sin mover los ojos, abarcó el Hermanos Ameijeiras irguiéndose hacia el cielo, y vislumbró la cúpula del Capitolio detrás de la silueta del hospital. En primera línea, como si estuviera al alcance de la mano, recorrió de un tirón con sus ojos encendidos el Malecón, ese muro visible que actúa como frontera última de la ciudad contra el océano, donde los habaneros de todas las edades se sientan de espaldas al mar, mirando sin tapujos ni ambigüedades hacia la ciudad, porque seguramente cualquiera que se quede ahí, del otro lado, embebido con detenimiento en la contemplación de la belleza del mar abierto y cercano hasta la lejanía del horizonte, pudiera ser considerado sospechoso, antisocial, contrarrevolucionario, gusano, reo de conspiración para la huida. Como si un instinto reflejo les prohibiera soñar mirando al mar desde el muro que ha marcado el territorio prohibido para cualquier ciudadano cubano durante los largos años del castrismo.

«¿Te lo puedes creer?, nunca he visto La Habana desde el mar», le había dicho Petra Porter a Carlos Tabares, «salvo Tano Sánchez que ha podido

ir a pescar con el *Pintor* y otros *raulitos* un montón de veces, ninguno de nosotros ha visto nunca
La Habana desde el mar, y Harry mucho menos»,
recordaría en estos momentos el embajador las palabras de Petra Porter, mientras el dibujo de la ciudad crecía en la lontananza y se le clavaba en sus
ojos. Carlos Tabares recordaba esa confidencia de
Petra Porter mientras miraba a un lado y a otro del
mar abierto, a estribor y a babor, a La Habana y
hacia el horizonte cada vez más limpio, claro y luminoso. Imaginaba a los balseros que huían desesperados de la locura y la pobreza, luchando a brazo
partido con ese mismo mar ahora mismo idílico y
encalmado, buscando la entrada en la corriente a
favor, para que los llevara rápidamente hasta las playas y los cayeríos del sur de Florida, y tratando de
escapar del ámbito en el que la corriente, dejando
atrás las Antillas, se lleva hacia el interior del Atlántico todo cuanto encuentra a su paso.

Pero ahora el embajador Tabares navegaba
en el *Coral Negro,* junto a Pedro Infinito, al patrón
Miguel Coello y los dos marineros que disponían
en popa los aparejos de la pesca de la aguja, Braulio Méndez, enjuto pero fuerte, hecho a la mar
desde pequeño, con rostro barbado picado de viruela y la mirada esquiva (siempre con el cabo del
cigarro colgándole de la comisura de los labios) y
un prieto musculoso, serio y lleno de silencios, con
el cabello crespo y gestos duros, que respondía a
las llamadas de Infinito y Coello con el nombre
de Filo, y de quien Petra Porter sospechó siempre
que era un soldado de Tropas Especiales. Por cuanto

sé de él y lo que luego quiso contarme Petra Porter, el embajador Tabares nunca se sintió especialmente atraído por el deporte de la pesca, aunque
desde su llegada a Cuba demostró ser un apasio-
nado gastrónomo del pescado. Su familia era ori-
ginaria de un pueblo pescador de la costa de Gran
Canaria y, como para Pedro Infinito, el pescado
era una parte inolvidable de su paladar infantil. Esa
salida al mar en el *Coral Negro* fue por una parte el
cumplimiento de un ritual que Pedro Infinito le había prometido vivir con él en aquellas aguas. Y, en
cierta medida, con esa singladura se sometía por su
propia voluntad al cumplimiento ceremonioso de
la curiosidad que había despertado en él la leyenda de Infinito y el Gran Río Azul desde que había
llegado a La Habana.

—Allí es —oyó de nuevo la voz ronca del
viejo Infinito. Vio el dedo índice del pescador insistiendo en señalarle el punto exacto de la entrada en el Gran Río Azul.

Habían pasado por delante de La Habana y
veía ahora el Castillo del Morro irguiéndose hacia
el firmamento azul como la proa levantada de un
galeón intemporal. Ante los ojos deslumbrados de
Carlos Tabares, el disco del sol apareció en lo alto, bañado por una espuma brillante de color oro
viejo por detrás de las Playas del Este de La Habana. Mientras miraba hacia el paisaje estremecedo-
ramente hermoso, Tabares atendía a las palabras del
viejo Infinito y de vez en cuando y picado siempre
por su propia curiosidad echaba una ojeada a popa,
donde Braulio y Filo se afanaban para tener el cu-

rricán listo. El *Coral Negro* se adentraba exactamente en la zona en la que había mandado Pedro Infinito, bisbiseando apenas sus consejos con un par de palabras entrecortadas que Miguel Coello tradujo sin duda alguna.

—Ése es el sitio —dijo Infinito—, ése es el pesquero, y hay buena corriente. El viento está bien, aquí hay que merodear, dale vuelta, Coello, vete ahora para abajo.

Para Tabares el lenguaje de los marineros habaneros encerraba un código cifrado que no tenía ninguna intención de estudiar ni investigar, pero se daba cuenta de que Infinito era una consumada autoridad del mar, a la que todo el mundo obedecía sin entrar en matices porque no en vano era uno de los pescadores que mejor y más profundamente conocía la deriva de la aguja al pasar por las costas de la Isla.

—El pescado, mi amigo, la aguja sobre todo, corre de este a oeste —le había dicho Pedro Infinito a Tabares el día que se conocieron en su residencia de Cubanacán—, para abajo, carajo, y a mí que los demás hagan lo que les salga de adentro. Lo mismo me da mango que mamey. Y lo que quiera la ciencia, bueno, pues está bien dicho, sólo faltaba, pero en la mar, embajador, el pescador soy yo. Yo soy el que sé bien y mantengo lo que digo por encima del Hombre, si hace falta, para que se enteren. Y en ese pesquero se salen a mi favor, embajador, si lo sabré yo, se salen de su carretera porque se meten en el hilero a comer, ahí vamos a ir a buscarlas nosotros, a ver si tenemos suerte, se lo juro que lo voy a llevar. La aguja siempre camina para arriba, pero aquí, ni hablar, dobla, recula y va para abajo, viene a comer, eso es lo que es. Años me pegué ahí, con Papá en el *Pilar,* venga parriba y pabajo, me lo sé de memoria el recorrido del pescado, hasta ciego voy, por el olor, mi hermano, cuando las barcazas echaban la mierda de La Habana. Bueno, bueno, un par de horas más tarde, ahí estaba la manada en el hilero, a comer de todo lo que se le antojaba.

El dueño del mar sabía que el pesquero al que había llevado ahora al embajador Tabares tenía aproximadamente una milla. Para entrar en sus dominios una vez que habían dejado a estribor y casi a popa el Morro y La Cabaña, Pedro Infinito se había guiado toda la vida por la corriente del mar y mirando hacia la costa por las coordenadas que le marcaban a la vista la Casa del Cura, un edificio avejentado cuya imagen el sol devolvía en la distancia con un color rosado. Así no había modo de equivocarse (eso decía el viejo Infinito) y encontraba de frente el hondón de Cojímar, que sigue siendo un buen abismo para la aguja y el castero. Pero en esa jornada no hubo suerte para los pescadores. Ni las maldiciones, ni las imprecaciones, ni las plegarias, ni los barruntos de Infinito traduciendo las señales del cielo, la velocidad del viento, el color del mar y la fuerza de la corriente consiguieron nada ante la cerrazón silenciosa del hondón. Sólo al final de la mañana, cuando el sol había calentado la cara del agua y las agujas se habían abismado en el fondo hasta el próximo oscurecer, el curricán cantó la presa en uno de los anzuelos y el carrete largó liña hasta que Braulio lo agarró y lo manejó despertando el interés del embajador Tabares.

—Una mierda —dijo el viejo Infinito desconsolado, nada más ver el oleaje que crecía mientras Braulio tiraba de la presa—, es una picúa de nada. Y encima es siguata, ni para comer sirve. Embajador, una mierda.

—No pescaron nada —me dijo Petra Porter—. Ésa fue la única vez, que yo sepa, que Carlos salió al mar con Infinito. Lo demás, chico, créetelo, tú, por tu madre, es leyenda, pura invención, ¿por qué te iba yo a engañar a ti, qué necesidad tengo de eso?

Once

Ella lo sabía todo. Ni lo sospechaba ni lo intuía, sino que su sentido de la certidumbre se había desarrollado desmesuradamente hasta convertirse en un visor mágico a través del cual observaba con anticipación cuanto estaba a punto de ocurrir o había sucedido hacía tanto tiempo que todo el mundo lo había olvidado.

Petra Porter se levantaba de la cama por la mañana como si no hubiera dormido, fresca, juvenil y sin mácula. Cuando sabía que el sol estaba a punto de saltar por Oriente y veía desaparecer las sombras del firmamento para que la luz coloreara la isla entera de Cuba, abandonaba las sábanas tocadas de su piel nocturna y se echaba al mundo dispuesta a enfrentarse con el tiempo para que, en su oficio de destrucción, no acabara también por doblegarla a ella. Con esa gimnástica anticipación ritualizaba el cumplimiento de una ceremonia natural que ella misma se había impuesto como una necesidad a lo largo de los años, porque sabía adivinar lo que quería decir y callar con su silencio lleno de visajes cada uno de los elementos cotidianos que le servían de apoyo para la supervivencia.

Miraba al mar desde los ventanales de su casa, abiertos de par en par, porque sabía reconocerlo hasta el horizonte, y también sabía verse ella misma mirando desde el fondo de la Isla hasta dibujar en sus ojos el color plata que iba tiñendo la cara del agua con la luminosidad del alba. Como si tarareara un bolero antiguo cuya letra llevaba tatuada en su aliento el calor y la luz azul de la esperanza, sabía sentir el soplo del aire fresco de la mañana barriendo con murmullo suave las calles envejecidas del santuario en ruinas. Sabía traducir sin mayor esfuerzo las señales que le llegaban en la amanecida desde todos lados, las tramas cromáticas que anunciaban con sus guiños crecientes las luces del día, el olor a recuerdo de la noche fundiéndose con la fragancia de las flores que ascendían de los jardines para perderse en el cielo, las gotas del rocío humedeciendo las paredes de los edificios y sombreando el asfalto cuarteado de las calles de La Habana. Sabía sobre todo inventar la vida de ese día que comenzaba sin alterar su energía de intérprete privilegiada.

En todos esos años de penuria y sordidez, cuando el deterioro de los contenidos se hizo tan fastuoso como imposible de ocultar con las máscaras de una resistencia revolucionaria, tan a la vista de cualquiera estaban los errores, tan a ras del suelo estaban las cosas; y cuando desde el castrismo comenzaron a buscar coartadas para detener el hundimiento del viejo galeón cuya deriva venía marcada por el capricho y la insolvencia, Petra Porter había aprendido a descifrar la mayoría de los oráculos ocultos del fracaso y se había convertido ya a esas alturas postreras y ruinosas en una intérprete insobornable de los hechos visibles y de los lenguajes cifrados por los que se regía la vida cotidiana de La Habana.

Lo sabía todo de los grandes dirigentes convertidos ya en los restos empantanados del gran naufragio, mascarones envejecidos y absortos que veían pasar el tiempo y chapoteaban ante el temor al final siempre inminente, los mismos que trataban de justificar el fracaso a la vista de todos con la carátula de la resistencia frente al Imperio abusador, una tropa dirigente descorazonada tras la caída del muro de Berlín y del infarto masivo del campo socialista, un ejército de burócratas sobreviviendo en la incertidumbre cotidiana, una tribu de jerarcas que en las postrimerías interminables se miraban desconfiando los unos de los otros, aunque simularan lo contrario, vigilándose aterrorizados por la carcoma de su propia obra revolucionaria y sin saber cómo había qué salir del túnel laberíntico en el que poco a poco se habían metido hasta quedar ellos mismos amarrados, amordazados, enjaulados, una jarca de gurús a los que se les había hecho demasiado tarde para cambiar.

Sabía que ellos también lo sabían todo y que por eso no podían hacer otra cosa que la que estaban haciendo, ganándole años al tiempo para alejar los fantasmas que llegaban del horizonte de Miami y mantener incólume el silencio interior que habían conseguido a pulso a lo largo de décadas. De modo que sin esconderse del todo sólo se dejaban ver en las ocasiones magníficas en las que sus cargos mantenidos tantos años exigían su presencia marcial, sus mentones altivos, sus pechos hinchados por la euforia de un triunfo que había desaparecido desde hacía decenios en toda la Isla. Subidos en ese escenario teatral se reconocían a salvo y por eso no se bajaban de ahí en los congresos del partido, en las conversaciones gubernamentales, en las reuniones diplomáticas de la más alta escala, en las visitas de jefes de Estado o altos dirigentes extranjeros. Y, sobre todo, en las grandes paradas militares de La Raspadura, en los conmemorativos desfiles que ya habían perdido el brillo, la frescura marcial y la emoción juvenil, hasta el punto de que no eran más que una caricatura patética de aquellos otros de los primeros años de la Revolución, el momento de los exaltados e interminables discursos de Fidel Castro, siete, ocho, hasta nueve horas de largo palabrerío y aplausos multitudinarios que levantaban la tramoya mitológica hasta elevarla a los cielos bajo un sol implacable o un aguacero apocalíptico, para terminar por asumir siempre como un sacrificio la arenga del Líder Máximo con propuestas y promesas que no sólo no se cumplieron jamás sino que determinaron la ruina, los errores y la turbiedad sistemática de la tiranía.

Ella sabía que después del fusilamiento de Arnaldo Ochoa y de Tony de la Guardia el final de ese estado de cosas estaba cerca, en una inminencia que no acababa de llegar sino que se alargaba en un presente colgado en el aire de La Habana hasta conseguir que el tiempo detuviera su marcha y sacara a la Isla fuera del mapa del mundo, como si no existiera la vida más que con el ritmo de respiración temerosa y asmática que marcaba los caprichos imperativos de un director de orquesta cuya música sonaba desafinada y asfixiante.

Sabía que el final residía en la espera paciente e interminable del acabamiento y que por eso, porque nadie sabía cómo firmar el acta de defunción, ni quiénes interpretarían los papeles de los dolientes, quiénes el de los deudos y quiénes los personajes de los herederos, ese final no estaba tan cerca como Tranquilino Sosa, alias general Mendruguito, le había pronosticado a Harry Solar en los primeros meses de su estancia en Miami. Mendruguito pensó que sin duda Harry era una gran conquista que se dejaría convencer y se enrolaría en uno de los movimientos militares de los cubanos de Miami cuyo objetivo era precisamente el final, la invasión para borrar el castrismo de la isla de Cuba, antes se hubiera dejado arrastrar, eso te lo juro yo (me dijo Petra Porter), desde Pinar del Río hasta Caimanera y más allá, hasta Maisí, ni desangrado se iba a vestir Harry con un uniforme militar.

De la misma manera clara y contundente que lo sabía Harry, ella sabía que ese objetivo encerraba en sí mismo su propio desastre porque estaba edificado sobre falsos, ilusos y mentirosos cimientos. Como una mala copia de los revolucionarios de antaño se fabricaban los espejismos quienes se entrenaban en los pantanos de los Everglades, como si estuvieran ya tomando posiciones en la Ciénaga de Zapata para marchar desde allí sobre La Habana, iluminados siempre por la soberbia utópica de los que capitaneaban el proyecto de invasión militar de la Isla, los falsos héroes de la liberación de la Isla que no se dejarían ver nunca ni en la vanguardia ni en las trincheras pantanosas por donde iban a entrar las fuerzas de la libertad. Nunca consiguieron hasta ahora entrar por ningún lado y ni siquiera encabezaban las encendidas y frecuentes manifestaciones radicales de la Calle Ocho, en la Little Havana de Miami. Creían simplemente en brujerías si pensaban de verdad que una invasión, ideada por los estrategas que se habían acartonado en la idea de ese delirio tanto o más que los jerarcas del castrismo en el suyo, se convertiría en la bomba de espoleta retardada que daría lugar a una sublevación del mismo ejército cubano contra Castro. Entre otras cosas, Elegguá estaba dentro de Cuba y no fuera, y eso lo sabían los chamanes del castrismo a los que se les estaba acabando su gran cuarto de hora. Sabían que el caballo de Troya estaba en la paciencia de todas las ciudades de Cuba, pero que la sublevación interior era sin duda un sueño de la sinrazón. ¿De dónde habían sacado semejante disparate? Y si no era verdaderamente un disparate, ¿cómo es que no habían llevado a cabo la invasión más que con grotescas operaciones de desembarco que se saldaron patética y trágicamente, mientras esperaban inútilmente el levantamiento de una parte importante del ejército cubano contra Saturno? ¿Cómo podían desconocer los líderes del exilio cubano, con tanta información, tanto fula y tantos medios para no equivocarse como según ellos se equivocaba Fidel Castro, lo que en realidad ocurría en La Habana y en toda la Isla?, lentamente leyó Petra Porter la letra estilizada de Harry Solar, haciendo hincapié en el tono interrogativo de cada frase, mientras al escucharla echado en mi cama del Cohiba yo recordaba los muchos años que durante el franquismo los comunistas españoles se pasaron dando gritos en París intentando provocar una huelga nacional pacífica que hubiera sido (eso sostenían en París los antifranquistas) el principio del final. Una huelga, una revuelta general, un punto sin retorno que no se produjo jamás, sino que fue un imposible histórico porque los líderes del exilio español, tan largo y tan ninguneado entonces como ahora el cubano, no habían caído en la cuenta de la realidad interior ni de la fortaleza del régimen del general Franco.

Como además los dos conocían cuanto pasaba en La Habana y en toda la Isla, ella sabía que Hiram Solar tampoco creyó nunca (y ahora menos, instalado ya en la Yuma después de haberse fugado de Cuba clandestinamente, viendo cara a cara la exaltación patriótica del exilio) en el proyecto militar de invasión de Cuba, para matar a Fidel Castro e instaurar una democracia como la que venían pregonando, propiciando y pronosticando desde hacía ya más de tres décadas de interminable exilio. La misma cantidad de años (eso decía Harry Solar en una de las cartas enviadas a Petra Porter, algunos de cuyos párrafos ella, que lo sabía todo de todo y de todos ellos, me había leído esa mañana en la suite del Cohiba) que llevaban tratando de invadir la Isla inútilmente. Los mismos años vanos que se habían pasado inventando un plán para penetrar hasta el fondo del bosque de Siboney y cortarle la cabeza a Castro para exhibirla como un trofeo en plaza pública y enseñársela al mundo entero clavada en una pica. Ésa era la fotografía que soñaban publicar en todos los medios informativos del planeta, ésas son las secuencias (la cabeza de Castro en primer plano, clavada en la punta de una lanza) por las que hubieran pagado millones y millones de verdes, una montaña enorme de dólares, todo el fula del mundo por la cabeza de Castro (escribía Harry desde Nueva York). Por esa fotografía hubieran dado la vida, se hubieran tirado al mar otra vez, de regreso a la Isla, para acabar en tropel con la tiranía del loco, o eso decían a gritos desde la Calle Ocho, cada vez que el furor patriótico atacaba su imaginación militarizada y sin poderse contener se echaban a la intemperie. Por esa fotografía, con la cabeza de Castro arrancada del cuerpo, chorreando sangre y colocada su odiada efigie en la pica de una lanza que todo el mundo pudiera ver, hubieran dado todo lo que tenían, todo lo que habían conseguido desde la pobreza absoluta en el duro exilio, cuanto habían conquistado en Miami desde que llegaron a Cayo Hueso y se convirtieron en empresarios, financieros, inversionistas, inmobiliarios, trabajadores, profesores de universidad, médicos, arquitectos, ingenieros, cantantes, actores de cine, hasta alcaldes de la ciudad de Miami, desde la pobreza absoluta y desde la desesperanza. ¿Acaso no es verdad que han cambiado Miami, un emporio de dinero ahora mismo, la puerta de América y el espejo en el que se miran desde la línea del horizonte de Key Biscayne los cientos de miles de hispanos de las tierras del sur que invadían pacíficamente la Yuma huyendo del hambre y la miseria, empezando por los mismos cubanos que lo transformaron todo en Miami? Habían dejado en la Isla gran parte de la memoria, el alma desgarrada, casi toda la familia, todo cuanto tenían y Fidel Castro les había arrebatado con la excusa mentirosa y hueca de la creación del hombre nuevo, pero ellos, los exilios trágicos, no cejaban de asediar la Isla, ni cejarían nunca hasta conseguir la caída del tirano.

Todos los días se levantaban en Miami con las primeras luces, respiraban la libertad de la Yuma y miraban al horizonte azul del mar tras el que sin duda se erguía incólume la Isla verde que Castro había convertido en pura manigua. Se quedaban ahí, en la ventana, con el rostro azotado por al aire todavía fresco de la mañana escudriñando en la lejitud las siluetas caprichosas que les devolvía el espejo calmado de la mar a esa hora del día, como si saborearan con los ojos cerrados el dulce murmullo del terral que se acercaba desde la Isla a los cayeríos y a Tierra Firme. Olían la nostalgia de la Isla en el perfume de las flores de las magnolias y el cundeamor, distinguían con los ojos de su melancolía insular la campana anaranjada del tulipán, la flor escarlata del marpacífico meciéndose en el viento mientras en la media sombra aparecía el recuerdo de la ixora blanca que vieron crecer en las casas del Vedado y en los jardines de Miramar. Se

extasiaban soñando con un pasado que se les antojaba futuro inminente, se dejaban llevar en la contemplación imaginaria de la trimeza amarilla, se
enloquecían de nostalgia con el magenta blanquecino de la vicaria, la fragancia del grano de oro, el
color violeta del jazmín trompeta, toda La Habana entre las flores con la luz azul cayendo sobre un
jardín inmenso de palmas reales, cedros, robles, uva
caleta, jagüeyes; toda La Habana en la ilusión radiante de los flamboyanes que habían estallado ya
en rojo y amarillo, toda la ilusión en las florenti-
nas y las barias, y las ceibas enormes y sagradas
elevándose al firmamento hasta acariciarlo con sus
brazos como si fueran rascacielos de la Naturaleza,
La Habana de entonces y el santuario sagrado re-
flejándose como una acuarela dibujaba por la melancolía en el amanecer de cada uno de los cubanos
de Miami, La Habana de hace nada y tanto tiempo, cuando ellos estaban allí, cuidaban de las piedras con las que habían construido durante siglos
los alcázares y castillos, las murallas, las columnas, los
palacetes, las iglesias, las plazas, hasta convertir la
ciudad en la más hermosa del mundo, la Estambul del Caribe cuando ellos estaban allí y civiliza-
ron los jardines, cultivaron las plantas y las flores
de La Habana que ya hoy es una ruina.

Eso decía a gritos Mendruguito en su casa
de Key Biscayne, y lo repetía como un eco Harry
Solar con su letra clara y ordenada para que Petra
Porter me lo leyera a mí esa mañana, y ahora es una
miserable heredad en descomposición, un bosque
de sigua de mierda con Castro como cunuto al fren-

te. Eso decía Mendruguito en el salón de su casa de Key Biscayne. El ataque de ira que le enrojecía el rostro y se lo llevaba casi al abismo del infarto, le sobrevenía en cuanto hablaba dos minutos de la Isla. Sus gritos desmesurados y epilépticos asustaban al rey de la casa de Key Biscayne y el caniche mimado ladraba y lo miraba con ojos de llorón, eso repetía en su carta Harry Solar, con su letra clara, concisa y elegante para que Petra Porter me lo leyera con la lentitud y la seriedad de las cosas de verdad. Se quedaban ahí, como estatuas de sal en las ventanas abiertas al mar de sus casas de Miami City, de Coral Gables, Key Biscayne, en toda la Sagüesera y en la Little Havana, con la esperanza de volver mañana mismo, dentro de cuatro o cinco horas, echarse al mar en un lanchón para celebrar la libertad en el Malecón tras bailar la rumba Rampa abajo y llegar en procesión a la frontera de La Habana Vieja, bordeando la escollera y viendo en la cercanía el Castillo del Morro cara al mar y bajo el sol.

«La isla del doctor Moreau, mi china, eso es lo que ha hecho el Barbatriste con Cuba, y ya tú sabes» (leyó Petra Porter, y con los ojos entornados yo escuchaba la voz de Harry Solar), «que eso es Cuba para ellos, una nostalgia loca, hasta que regresen de una vez, y quizá tengan bastante de razón estos jodedores. Un tipo loco, eso es lo que dicen del Hombre, fíjate tú, quería romper los lazos históricos con los americanos, ¿y qué cojones es lo que ha conseguido?, eso se preguntan estos jodedores, bueno, eso dice el general Mendruguito, pues ha conseguido que seamos norteamericanos sin dejar de ser cubanos, eso es lo que dicen. Él se creía el problema y ahora nosotros somos el problema para él, porque nosotros somos Miami. ¿Qué más ha hecho el loquito? A ver, qué más. Ha logrado que toda Centroamérica plante, cultive y labore el tabaco industrialmente, quiero decir, mi hermano (le decía Mendruguito a Hiram Solar), que ahora las marcas y las anillas históricas, desde Por Larrañaga hasta el Hoyo de Monterrey de José Gener andan regadas por todos lados y se cultivan las hojas en tabacales de todos esos paisitos nuestros, en todas esas finquitas inclasificables, ya tú sabes, chico, hasta siniestros son ellos, qué tú quieres que te diga, Costa Rica, República Dominicana, fíjate tú, Nicaragua, Guatemala, lo que en la vida se les pasó por la cabeza hasta qué el diablo demente éste bajó de la sierra a darle candela a la Isla por todos lados, y se cargó el azúcar antes de tiempo con tanta zafra y tanta mierda, que ni ron hubo en Cuba para casi nadie durante años, pero, chico, ¿cómo puede ser eso?, no jodan ustedes, los recién llegados, a quién se le ocurre, convertir Cuba en un campo de concentración (y ésa es una verdad que nadie puede negar a los jodedores, mi amor lindo, añadía Harry en su carta) para hacer un experimento con la gente de la Isla, para crear otra juventud, otra humanidad que no tuviera nada que ver con Cuba, con la Cuba de antes que ese tipo llegara a La Habana. Chico, de Birán y de gallegos directamente, no jodas, quita pallá eso, Hiram, un oriental de casa del carajo (eso le dijo Mendruguito), que se la cogió enterita para él, para arruinarla y joderla para la pinga. Y ahora está ahí como el dueño de la finca, no hay quien lo mueva, todos le tienen miedo, vaya cosa, qué grande es el mundo, mi hermano, tienen miedo de que los joda y tienen miedo de que se muera de repente, piensan que va a ser peor que se muera a que los mate de a poquito, ¡cómo se va a entender eso, en qué cabeza cabe ese disparate de mierda! Así mismo dice Mendruguito, pero qué cosas te estoy escribiendo yo ahora que tú no sepas desde siempre, mi negra, ésa es la otra cabrona verdad, se la cogió para él solito, para cambiarla y ahora Cuba es una mutación, el hombre nuevo de Guevara, mi vieja, un desastre, eso es lo que es. Estos jodedores, imagínate tú lo que dice, él que es medio mulato, Mendruguito mismo, prieto como él solo y gordito, que parece una masa de puerco cuando camina el pobre hombre de lo grueso que está, de lo glotón que es, a quién se le ocurre, dice que ya no hay blancos en La Habana, y me lo dice a mí que tanto se me da, mi negra, que soy las dos cosas a la vez, aunque para ellos, ya sabes, mi hermana, los negros somos nosotros».

—No le dio ni un chancecito así —dijo Petra Porter tras interrumpir la lectura de la carta de Hiram Solar—, se mandó a mudar de Miami para Las Vegas sin que apenas se dieran cuenta. Chico, ¿te fijas tú qué ridículo?, el pobre Mendruguito que aquí no era nadie, ahí lo tienen, hecho un macho, todo un guapo del capitalismo, un negocio de electrodomésticos en la Flagler, pero céntrico, céntrico, no te vayas a creer, una casa con piscinita en

Key Biscayne, un jardín con cundeamor cubriendo las paredes, y parterres de gardenias ¡en Miami!, ¿qué te parece?, y césped, chico, mucho césped. Y ¡un caniche!, el rey de la casa, dice Harry que la mujer de Mendruguito sienta al perro a comer en la mesa junto con ellos, no quiero ni imaginarme la escena. Y le sirve tortilla, jamón, pollo deshuesado y un vaso enterito de jugo de naranjas, eche usted y no derrame, mi hermano. Dice Harry, tú te fijas y te quedas bobo, que Mendruguito se pasa el tiempo libre cortando y regando el césped de la piscina, con un horario para todo, para regarlo, para cortarlo y para mirarlo, pero nunca lo vio revolcarse en el césped, revolcarse en el verde, lo quería sólo para verlo, ni pisarlo podía nadie, ¿pero, oye, muchacho, dime tú, para que se cuida un césped si no es para divertirse luego encima de él, dime, chico?, la bulla que le metió a Harry porque se lo encontró una tarde tumbado en el césped, una siesta, muchacho idiota y todo eso, quítese de ahí, comemierda, eso le dijo, ignorante, ¿que tú no sabes que el césped cuesta dinero? Yo me muero de la risa imaginándome la cara de Harry, salte de ahí, negrón inútil, le dijo, que me lo vas a estropear y Lina me mata, la mujer, claro, chico, ¿tú sabes quién dice que era el único que podía pisotear, corretear, jugar y acostarse en el césped?, el perro, chico, el rey de la casa, el caniche, ése era el amo de la casa, no sé si reírme del escándalo o hacerle un homenaje.

Siempre supe que Hiram Solar no se iba de la Isla a enrolarse en ningún movimiento militar para invadir Cuba ni desde Miami ni desde ningún otro lugar del mundo. Nadie de la Tribu creía en el triunfo de ese objetivo, pero mucho menos Hiram Solar que además sabía a ciencia cierta que la guerra nunca sería la solución final para los males de los cubanos, los del exilio y los del interior de la Isla.

Durante años había vivido demasiado cerca de las entrañas del terror cotidiano de Saturno y conocía muy bien sus mecanismos de alimentación como para dejarse llevar por un nuevo espejismo y prestar servicios, enrolándose como soldado en el Alpha 66 o en cualquier otra organización militar del exilio cubano en Miami, que no eran más que paradójicas piezas de apoyo al juego macabro de la tiranía. Sabía que ellos, los jefes económicos de los campamentos militares de los Everglades, no creían de verdad que con ese escenario estaban en realidad llevándole la contraria a Castro, sino que aquel teatro formaba parte del negocio del exilio, que explotaba los sentimientos de los cubanos para sacarles los dólares que ganaban en sus trabajos de Miami. Recuerdo ahora la voz irónica de Petra Porter en la suite del Cohiba añadiendo chistes y choteos a la carta de Harry, y me acuerdo de lo que el ingeniero me contestó cuando le pregunté por la solución real de Cuba tan sólo unas horas antes de salir de Cayo Hueso y separarnos por última vez.

—Coño, chico, el hambre es el arma invencible del Hombre —me dijo Harry—. Por el hambre lo consigue todo, ése es el gran argumento para su política de cerrazón. Con el hambre tiene el homenaje, el repudio, la glorificación, el martirio. El hambre le articula el terror de todos los días, porque déjame decirte que él es el dueño de la Isla, el que reparte lo poco que hay entre los suyos y el que le quita el sueño al que le da la gana con el terror. Con decir que no hay nada ya lo tiene todo de su parte. Que se va la luz, un apagón del carajo todas las noches, bueno, ahí lo tienen, dice el Hombre, un sabotaje contrarrevolucionario, terrorismo puro, dice el Hombre. Que el bloqueo, que los Estados Unidos, que los norteamericanos, lo que sea, va e impone el terror con un salpafuera del coño de su madre. Todo sospechoso es un contrarrevolucionario, un antisocial, un gusano, un traidor a la patria, un balsero de mierda, un muerto en potencia, la pila de cosas, lo que a él se le antoje, que para eso es el campeón de las grandes ligas.

Me dijo que lo peor de todo es que desde fuera no se daban cuenta de que utiliza el hambre como le da la gana y que por eso los comemierdas andaban todo el día jugando a lo que él quiere, a una guerra siempre pendiente que nunca se llevaría a cabo como sugieren los campamentos de los Everglades. Castro, decía Harry Solar, aprieta un botón desde el Laguito y zas, aquí en la Yuma, en Miami y en Washington se ponen a bailar al ritmo que él les manda, es para no creérselo, mi hermano, saltan como cucarachas tocadas por un mecanismo automático que él tiene previsto desde su estrategia y creen que le hacen la guerra. Incluso había llegado a pensar que lo sabían, que esa estrategia enloquecida e histérica de armar una guerra en la Calle Ocho para que el Congreso, el Senado y la Casa Blanca se encendieran y apretaran al Hombre hasta hacer que lo yugulaban formaba parte esencial del gran negocio.

Mendruguito fue delegado por algunas organizaciones militares para convencer a los fugitivos del *Progreso* de que se integraran como soldados en los movimientos que trataban de liberar militarmente la Isla, con una invasión siempre inminente que nunca se había cumplido. Desde Playa Girón venían suspirando con ese proyecto que jamás acabó de cuajar más que como telón de fondo de una tensión activada casi siempre artificialmente, pero Mendruguito y otros cientos de agentes, incluido Leonel Lagarto Padrón León, llevaban décadas contratados en ese apostolado estéril porque les iba en ello precisamente el negocio. Sabía como otros muchos que si se acababa la tensión y las cosas cambiaban, si aflojaba el griterío y comenzaba a desinflarse el globo que habían formado en Miami los genios del exilio con emisoras de radio, paseos militares, teatros bélicos y manifestaciones de guerra inminente en cada esquina de la Calle Ocho, el negocio se vendría poco a poco abajo y las cuestiones más candentes entre los Estados Unidos y Cuba comenzarían a resolverse. Por eso la estrategia de la tensión les servía igualmente a las dos partes para mantener en alto las espadas y convertirse en el contrapunteo necesario del uno frente al otro, Castro de Mas Canosa y de todos los demás, y Mas Canosa de todos los demás y sobre todo de Castro.

De los balseros del *Progreso*, Tranquilino Mendruguito trató de contratar a Harry y a Yudelkis Solar, pero puso mucho más ahínco en Iván Luis Bermúdez, Jorge Luis Camacho, Vladimir Marxlenin y Florindo García, Cachopenco. La experiencia militar de los dos últimos los hizo presas fáciles de Mendruguito, que no tuvo muchos problemas para convencerlos. En realidad, no sabían hacer otra cosa más que vestirse desde la mañana a la noche el uniforme militar; no sabían más que dar y obedecer órdenes ciegamente y a toda hora del día, y lo único que tuvo que hacer Mendruguito con ellos dos fue llevarlos a desayunar un par de veces al Ayestarán, en la Ocho, y enardecerles unos ánimos que ya estaban dispuestos para la batalla contra el tirano al que habían servido con otro uniforme militar hasta unas horas antes de tirarse al mar en el *Progreso*. Además, su biografía militar era más que suficiente para que dentro de un par de meses fueran elevados de rango, tenientes o capitanes, coño, ¿qué más quieren?, eso depende de ustedes, de los méritos que hagan de ahora en adelante, les dijo Mendruguito, si se comportan como coños de madre se van para casa del carajo en lo que el diablo se restriega un ojo, aquí no hay contemplaciones, esto es sólo para machos que los tienen en su sitio, pero, mis hermanos, si la conducta de ustedes es la que nosotros esperamos el ascenso está hecho.

A Marxlenin le brillaron los ojos. Llegó a pensar que la vida era una paradoja llena de sorpresas.

Toda su existencia había estado al servicio ciego de la Revolución. Como un fardo lo habían tratado, sí, señor, había sido un fardo que no tuvo ni siquiera la libertad de pensar que no lo era, que en realidad era una persona inteligente y formada, capaz de mandar tropas, sí, señor, mandar tropas él solito, lo que siempre le habían negado en Cuba, en cualquier operación en que había participado dentro y fuera de la Isla, en Nicaragua o en África. No recordaba más que humillaciones y ninguneos, capitanes mulatos, encima mulaticos, que gritaban y que lo pisoteaban sin apenas mirarlo de arriba para abajo, como si él fuera un bicho de manigua y no una persona, coño, un hombre nuevo de esos que le habían dicho que era desde que nació. Lo habían llevado de aquí para allá por nada, por la patria, por la Revolución, por el comunismo internacional, por el Comandante en Jefe. Décadas enteras había gritado en todas partes, como un basilisco, como un energúmeno, como una fiera selvática, eso decía Vladimir en el Ayestarán mientras se comía dos huevos fritos untando en la yema el pan cubano, que la única verdad era la Revolución y el comunismo. Se había ganado a pulso el nombre de Marxlenin, con dos cojones, y ésa era la única medalla que le había dado Castro y su Revolución de mierda, decía ahora, el nombre de Marxlenin y más nadita, ni un ascenso, ni una mínima condecoración, ni una sonrisa siquiera. Y ahora llegaba a Miami y el soldado de Tropas Especiales se convertía de verdad en una persona libre, ¿no era un milagro, carajo?, ¿no había hecho el imbécil durante más de veinticinco años, jugándose la vida para nada, para saltar al final por encima del mar y llegar a la casa del enemigo, que lo recibía con los brazos abiertos y lágrimas en los ojos y, además, lo dignificaba dándole su verdadero rango de militar, de soldado de la libertad?

Por eso le brillaban los ojos a Marxlenin esa mañana en el Ayestarán, porque estaba encendido, embullado, enloquecido por el proyecto de enrolarse en el ejército de la libertad y sentía el orgullo de incorporarse inmediatamente a los campamentos de los Everglades, vestido con el uniforme de la libertad en lugar de seguir con el oprobioso de la dictadura de la que había escapado para recuperar toda la dignidad de Cuba. Por eso era natural el ligero pero evidente temblor de emoción que ahora notaba en todo su cuerpo, mientras se echaba al estómago un café con leche caliente en aquel desayuno del Ayestarán donde lo trataban por primera vez en muchos años como una persona libre, coño, coño, coño, ¿no era una broma? Carajo, no me jodan, decía Marxlenin, ¿qué clase de comemierda había sido hasta hoy?, ¿no era una paradoja todo esto? No, señor, ni una mierda, ya no iba a ser ni un minuto más un chofer de mierda al volante de camiones viejos que no servían para nada, que se fuñían cada dos quilómetros y además terminaban echándole la culpa a él, a Marxlenin, coño, que había sido el mejor chofer de Tropas Especiales en los diez últimos años de resistencia. Desde ahora iba a ser instructor de tropas por lo menos, para algo servía la experiencia, le dijo Tranquilino Mendruguito dándole un golpe de complicidad en el hombro, guiñándole un ojo mientras todos se reían a carcajadas, iba a ser instructor de tropas, Mirta iba a estar por fin orgullosa de él, tanto tiempo esperando para este gesto, y su hija Adalicia lo mismo, iba a estar orgullosa de las gestas militares de su padre.

¿Quién podría negarle la posibilidad de ser un héroe verdadero en la inminente invasión a la Isla? Mejor que nadie sabía Marxlenin, y lo exponía entusiasmado mientras se comía un gran trozo de queso blanco con casco de guayaba, por dónde había que entrarle al Barbatriste y por dónde carajo había que caerle atrás a la Isla esa para que la gente se despabilara de una vez y se sublevara contra el tirano, ¿cómo carajo no iba a saberlo Marxlenin, que lo había estado viendo día a día, cómo se iba debilitando la mentira e iba quedando al descubierto la trama del miedo sobre la que se sostenía la Cuba de Castro?

A todos esos comentarios Cachopenco se limitaba a contestar como un eco de la voz de Marxlenin. De manera que Mendruguito cazaba dos pájaros apenas sin disparar un solo tiro. No tuvo que hacer mucha propaganda del ejército de la invasión inminente. Cachopenco simplemente daba un golpe detrás de otro con la palma de la mano sobre la mesa y un pequeño brinquito en su silla. Ésa era su manera de asentir sin fisura alguna a las palabras de Marxlenin, transfigurado ahora por la euforia de sentirse por fin un héroe digno de la mejor historia de Cuba. Florindo Cachopenco sonreía sacando de su boca una enorme, regocijada y blanquísima dentadura. Su cuerpo daba el brinquito de regocijo sobre su silla, como si lo inundara un hipo repentino, daba el golpe con la palma de su mano abierta sobre la mesa de madera y gritaba a los cuatro vientos, sin parar, para que lo oyera todo el mundo, coño, porque ya soy un hombre libre, ¿no se habían dado cuenta de que era un hombre libre de verdad?

—¡Sí, coño, sí, Vladimir tiene razón, sí, sí, sí, está hablando como un libro de los de verdad —repetía como un autómata cantando un estribillo—, porque la dignidad, carajo, eso es lo principal, Vladimir tiene razón, aquí hay que recuperar la dignidad de cubanos que nos pertenece, hay que ir allá y arrancarle la cabeza de cuajo.

A Cachopenco lo habían movido de un lado a otro de la Isla desde que era un niño. Siempre en misiones militares, todas ellas superfluas, persiguiendo la sombra de fantasmas que estaban a punto de invadir la Isla y que nunca llegaban a la costa. Un día entraban por Cárdenas, después de atravesar por la noche el Gran Río Azul para llegar en la madrugada ante la silueta parda y verde de Cuba, y otro día los gringos estaban a punto de saltar desde la base de Guantánamo, avanzaban sobre Caimanera y abrían paso a un ejército de sombras infernales que esa noche había cruzado las aguas del estrecho de la Florida con todo sigilo para liberar Cuba del yugo de la dictadura. A Cachopenco lo llevaban de un lado para otro, para hacer bulto, lo obligaron a que se aprendiera de memoria la geografía de Cuba desde el Este de La Habana hasta María La Gorda, pero Florindo García no quiso darse cuenta, aunque a veces lo sospechaba, de que no había sido otra cosa más que un bulto vestido con el uniforme verde olivo, un bulto patriótico, heroico y dispuesto a morir por la Revolución, por la dignidad de Cuba, coño, hasta la victoria siempre y un paso atrás ni para coger impulso, carajo, Comandante, para lo que a usted se le ocurra y mande, presente. Le revoloteaban ahora a Cachopenco en su cabeza las órdenes de tantos años, mientras desayunaba y después almorzaba opíparamente en el Ayestarán de la Calle Ocho, tremendo cráneo le había entrado con el Ayestarán, no era para menos, porque en Cuba, carajo, estos restaurantes del capitalismo estaban sólo a disposición de los turistas, los extranjeros y los altos mandos de la Revolución, que se lo comían todo y pagaban en fula, decía Cachopenco, sin levantar los ojos del plato de ternera aporreada, arroz blanco, garbanzos y maduros que el jueves era el predilecto de los cubanos en el Ayestarán.

—Chico, coño —dijo Cachopenco sin dejar de comer, exaltado y sudoroso—, para comer algo parecido a lo de aquí en la Ocho, en La Habana había que ir a una paladar de esas, donde te ofrecían lo que hubiera salido ese día, hermano, ¡vaya clase de comemierdas somos los cubanos!, pero, coño, ¡si aquí hay de todo!

En su cabeza le flotaban como auras tiñosas, fantasmagóricamente, los imperativos cotidianos

de la resistencia, y ellos como comemierdas, seguía
hablando con la boca llena Cachopenco, le zumba
los cojones, diciendo que sí a todo lo que venía
de arriba, sin apenas rechistar, sin pensar lo que estaban haciendo o dejando de hacer, ellos eran revolucionarios y se lo debían todo a Fidel, a la Revolución y a Castro, ¿qué mejor destino que morir
por Cuba, por la libertad de Cuba? Primero le iban
a pegar candela a la Isla entera antes de que los
yanquis y toda esa mierda de Miami entraran a Cuba a darle para atrás al reloj y a poner la hora donde
a ellos se les pusiera en los huevos, y eso sí que no,
para eso estaban allí los guardafronteras, que eran
los ojos de la Revolución, los ojos de Cuba en toda la costa de la Isla, en los cuatro puntos cardinales, porque el enemigo estaba ahí, a noventa millas,
acechando siempre como un cocodrilo hambrien-
to, esperando que se bajara un centímetro la guardia
para entrar por allí, por donde la fragilidad se hacía evidente, e invadir la Isla con los marines del
monstruo imperial violando a las mujeres cubanas,
a nuestras madres, a nuestras hermanas, a nuestras hijas, robándolo todo, y eso sí que no. Un paso
atrás ni cojones, ni para coger impulso. Para eso
estaban allí los ojos de la Revolución, avizorando,
olisqueando, vigilando el mar por donde iban a
venir los comemierdas de Miami, no había que olvidarse de Playa Girón, y estos tipos no estaban es-
carmentados, ¿a quién podía ocurrírsele invadir la
Isla? No jodan, por favor, caballero, como si no supieran ya como son los yanquis, que lo acompañan
a uno hasta la arena de la playa y después le roban

hasta la cantimplora, y ahí te quedas, con las patas mirando para el sol y arréglatelas como puedas, eso fue lo que pasó en Playa Girón, que los norteamericanos los dejaron colgados a los gusanos, vaya bobos, con el culo al aire y preparados para que Castro le entrara a todo el mundo a machetazos.

Ah, ah, ah, pero eso no iba a ocurrir más, se acabó hablar mierda todo el tiempo y negociar mierda con comemierdas, porque eso son los negocieros, habla que habla todo el día, decía Mendruguito mientras Cachopenco se perdía en sus pensamientos, hasta la aviación vamos a llevarla nosotros el día que entremos en la Isla, nada de norteamericanos, para eso estamos los cubanos aquí, seguía declamando Mendruguito, para eso estamos reclutando un ejército de verdad, con un armamento moderno que le va a partir el alma al que se ponga por delante, por mi madre, y para eso los necesitamos a ustedes, a los que tienen experiencia militar, a los profesionales. Y a todos ustedes también, dijo señalando uno a uno con el dedo índice de su mano derecha, a Harry, Yudelkis Solar, Iván Luis Bermúdez y Jorge Luis Camacho, a todos ustedes, repitió Mendruguito.

Fijó sus ojos con fiereza interrogativa en cada uno de ellos mientras los señalaba en silencio. Esa mirada no admitía ambigüedades, ni dudas, ni contemplaciones, sino que traslucía desde ese momento una exigencia, como si en realidad ya estuviera culpándolos anticipadamente de una hipotética deserción, de no querer alistarse en los Everglades para liberar a la patria, de no querer jugar el papel de héroes que el destino les ponía ahora en las manos, recién llegados a la libertad.

—No había alternativa, eso es lo que les estaba diciendo Mendruguito con los ojos y con su dedo índice —me dijo Petra Porter—. Sospechaba que Harry no se había marchado de Cuba para hacerse militar en Everglades, ¿qué te parece el disparate?, ¡una locura, chico, una locura!, y los otros tres tampoco mostraban mucho entusiasmo.

Así que allí, en el Ayestarán de la Calle Ocho, a plena luz y en libertad con el sol cayendo a plomo sobre el asfalto del *downtown* de Miami City y los aparatos de aire acondicionado zumbando en el interior del restaurante, había dos bandos muy claros, siempre ocurría así en la historia grande o pequeña, digna o mezquina de la República de Cuba. Por un lado Mendruguito, Marxlenin y Cachopenco, exaltados por la inminencia del triunfo militar, y por otro, ellos, mudos, sin decir una palabra, a veces mirando hacia otro lado, hacia la calle, hacia los carros que cruzan a toda velocidad los ventanales acristalados del Ayestarán por la Calle Ocho, y otras veces entornando los ojos para que se notara que estaban cansados de aquella monserga de Mendruguito. Y entonces lo dijo, los dejó secos, de una pieza. Mendruguito no se lo esperaba, se le fue el color de la cara, como si el estupor le hubiera cortado la respiración y el infarto de miocardio le entrara primero por el gesto de asombro que le había paralizado los músculos del rostro. A Marxlenin, se le puso a temblequear el labio inferior como si tuviera dentro de la boca una marioneta, así era el

ataque de rabia que no podía contener (me dijo
Petra Porter como si lo estuviera viendo). Y al otro
pobre diablo, a Cachopenco, lo estaba imaginando y viendo igual, mirando para todos lados, levantando las cejas, preguntándose qué estaba pasando. Lo dijo en voz baja, porque Harry hablaba
así, sin levantar la voz, no le hacía falta hablar alto, apenas un susurro para que quienes lo estaban
escuchando prestaran mayor atención. Hablaba así
siempre que buscaba que las palabras tuvieran la
claridad exacta. Pero lo dijo rotundamente para
que no hubiera después ninguna ambigüedad, ninguna flojera, ninguna mala interpretación, esas medias tintas que tanto les gustan a los cubanos, ese
lenguaje a medio camino de todo, interminado a
propósito, seguramente para equivocar a quien es-
cucha, para escapar de la claridad de las palabras y
refugiarse en una vaporosa vaguedad en la que es
difícil para los demás sacar una conclusión cierta.

—Señores, un momentico, por favor, vengan
acá, por favor. Lo siento mucho. Yo lo lamento
muchísimo —dijo Hiram Solar interrumpiendo
el discurso de Mendruguito—, pero yo no he salido
de la Ciénaga de Zapata para meterme en los pantanos de los Everglades esos. En poco tiempo me
voy de Miami, sin hacer ruido y sin pedirles un
fula a los de aquí.

—Se formó un salpafuera que ni te cuento
—me dijo Petra Porter. Se sonreía al hablar, como
si se regocijara al imaginarse la escena que me estaba relatando—. El primero que gritó como si le
hubieran arrancado el rabo, ya te lo puedes imagi-

nar, fue Marxlenin. Claro, estaba jugando el papel de héroe por primera vez en su vida, tenía el escenario perfecto para el teatro, la orquesta tocando la música a su favor, y venía Harry, ¿qué les parece?, el patrón del *Progreso,* precisamente, el que se creía que tenía en su mano el pollo del arroz con pollo, mi hermano, casi nada, el que los había buscado uno a uno para escaparse de Cuba, y ahora decía que no iba a vestirse de militar, oye, ven acá, muchachito, ¿qué cosa tú dices, bembón del carajo, eh, dime, dime, qué tú dices?, eso le dijo Marxlenin.

—Pero, coñodemadre, mierda del carajo —dijo Marxlenin—, ¿qué tú estás diciendo, que te vas a mandar a mudar después de todo lo que hemos pasado, cacho de cabrón, qué dices, eh, dices eso, que te vas a marchar y no vas a seguir con nosotros en el ejército, eso es lo que tú dices ahora? Siempre supe que los negros bembones eran unos desagradecidos, unos bugarrones que cuando llega la hora de la verdad pegan a correr y si te he visto no me recuerdo, y si me recuerdo tampoco te vi, eso es lo que tú estás haciendo ahora, negro de mierda.

Hiram Solar no se inmutó ante el ataque de cólera de Marxlenin. Miró de soslayo a Mendruguito, sin ningún ánimo interrogativo, sino a la espera de que él fuera el próximo en insultarlo. Harry tenía las manos cruzadas sobre el pecho y continuaba en silencio, a la expectativa, sin querer caldear más los ánimos encendidos de los demás. Entonces los ecos de la trifulca de Marxlenin comenzaron a apaciguarse después del histérico bembé que su determinación de marcharse de Miami y no enrolarse

en los campamentos de los Everglades había origi-
nado. Se dio cuenta de que Mendruguito no sabía
qué decir, a pesar de que siempre sospechó que
Harry Solar no se alistaría en las tropas anticastristas de Miami.

De repente, de manera involuntaria, algunos
recuerdos inconexos de su experiencia en la guerra
africana comenzaron a alborotarse en su cabeza.
No hizo nada por evitarlos, sino que se dejó llevar
por la corriente de aquel vértigo de su memoria
hasta el turbio lugar de su mente donde se movían
como sombras chinescas y sin articular los viejos
recuerdos de sus guerras. En realidad, nunca había
estado destinado en ningún frente militar, pero estuvo presente en algún que otro momento culmi-
nante de la batalla de Cuito Canavale, al lado de
los jefes que primero fueron vitoreados como héroes en toda Cuba y luego fueron fusilados al amanecer como delincuentes a los que había que des-
preciar porque Saturno así lo había decidido. Vio
bajo los soportales de los edificios desconchados de
la populosa Calzada de Jesús del Monte, en La Habana, los grafittis de protesta en las paredes despin-
tadas, lamidas por la desidia y la dejación revolucionarias. Un número y una letra, nada más que una
letra y un número en las paredes de los enmoheci-
dos y avejentados edificios de La Habana: 8A, aquí
en la misma calle Línea, 8A, por allá en las paredes
de la calle Obispo, 8A, en las tapias de los jardines
del Nuevo Vedado, 8A, por Pogolotti, por encima de
la 51 y en Ánimas, en Centro Habana; 8A en todas
las paredes de toda la ciudad de La Habana duran-

te casi doce horas, antes de que la policía obligara a borrarlos rápidamente; 8A como un mensaje abierto a los extranjeros, 8A en las paredes de ciertas oficinas de la Séptima, en Quinta Avenida, y Miramar; y 8A en rincones perdidos y vericuetos olvidados de Guanabacoa, Regla y Casablanca. Tres días con sus noches enteras del cartel con un número y una letra mayúscula, 8A corriendo como una serpiente por todos los barrios de La Habana, lo borraban por un barrio y salía por otro, como si un fantasma fuera prendiendo de pintura blanca las paredes de La Habana. Habían fusilado al general Ochoa como si fuera un delincuente, un traidor a la patria cubana y a la Revolución, y nadie pudo hacer nada por evitarlo. Ahora, sentado con los balseros del *Progreso* y con Mendruguito en el Ayestarán de la Calle Ocho, Harry Solar dejaba que sus incoherentes recuerdos se fueran trenzando entre ellos, permitía que se fueran organizando poco a poco en el fondo de su mente hasta que la memoria de su pasado militar le fue dibujando en su alma el retrato del rechazo. Había dado el paso definitivo, se había atrevido a escaparse del laberinto cubano, de La Habana y de Miami. Y no se sentía un desertor ni un fugitivo. Nunca más se iba a vestir un uniforme militar en toda su vida, ni del ejército cubano ni de ningún otro ejército.

Sintió el olor de África en las cercanías de Cuito Canavale, el silencio de la madrugada a la espera del ataque, el sudor entrecortado de la noche sobre su cuerpo agotado y el susurro de la luz del sol levantándose por el horizonte minutos antes del ataque final contra las tropas a cuyo mando estaba el General Arnaldo Ochoa en Angola. Escuchó interponiéndose en su recuerdo africano la voz de Tano Sánchez hablándole en el bar del hotel Cható Miramar, en el mismo edificio en el que hasta hace poco había estado abierto el Departamento América, la oficina internacional de exportación de la Revolución Cubana a todo el continente americano, a todo el mundo, a África, desde la misma frontera del mar con el Oeste de La Habana.

—Coño, Harry, ¿te fijaste, viejo? —oyó que le hablaba la voz de Tano Sánchez desde el recuerdo neblinoso en esa mañana del Ayestarán, en Miami—, si Ochoa le hubiera hecho caso al Hombre, todo se hubiera jodido palapinga, mi hermano. Ni se hubiera salvado Cuito Canavale, ni esa guerra de Angola ni una mierda, hubiéramos quedado como tablilla de gallinero, cagados delante de todo el mundo. Vaya vaina de mierda, ni siquiera el Hombre podría ir ahora por el mundo proclamando que gracias a las tropas cubanas Namibia es libre y la Unión Sudafricana se cargó el apartheid.

Recordaba que poco después se inició en La Habana el proceso contra el clan de la Candonga y el mismo Tano Sánchez cayó en desgracia junto con todos los demás. A Harry Solar le ocurrió exactamente lo que Petra Porter le había profetizado poco tiempo antes con su certidumbre religiosa. Los caracoles decían que lo iban a rozar las balas pero que no le sacarían sangre, que la pesadilla del miedo lo iba a acompañar durante muchos meses, que el eco de los disparos casi lo iba a dejar con una sordera de por vida, pero al final no iba a sucederle ninguna desgracia. «Te vas a escapar, Harry, te vas a escapar», le dijo en secreto Petra Porter cuando Harry sólo vislumbraba esa salida como una lejana y última posibilidad. Y ahora, sentado en el Ayestarán de la Calle Ocho, con los brazos sobre el pecho, dosificando el aire calmado que entraba y salía de sus pulmones, Hiram Solar se escapaba del papel de falso héroe con el que Mendruguito lo tentaba nada más llegar al Edén de la Yuma. No quería participar del negocio del exilio, como no quiso seguir jugando a la resistencia en Cuba. No se arredró porque estaba convencido de que esa postura, equidistante de la tortura heroica de la historia y del torpe negocio de la histeria, aunque en ese momento aparentara ser el rostro de la sospecha, es la que terminaría imponiendo la cordura entre Cuba y los norteamericanos, una vez que el cansancio demostrara la imposibilidad de que esa guerra arbitraria e inútil terminara con unos vencedores y otros vencidos. Pero ni los unos ni los otros daban por perdida la batalla. Ni La Habana ni Miami consentían que se desdeñara la llamada de la guerra continua a la que los dos bandos habían sometido a Cuba por espacio de cuatro decenios, un tiempo irrecuperable para la inmensa mayoría de los cubanos que, en su fuero interno (lo sabía él, Harry Solar, lo sabía Petra Porter, lo supo siempre Carlos Tabares, lo sabían todos en Cuba y en Miami), pensaban como él, como Hiram Solar, y seguían preguntándose cuándo iba a acabarse esa disputa enloquecida, absurda, grotesta y trágica. Él aspiraba a la esperanza. Ni estuvo nunca de acuerdo con el disparate del embargo a Cuba ni había podido resistir los crecientes e interminables disparates de la tiranía castrista. Escogía una bifurcación peligrosa, intermedia, y se aislaba voluntariamente de una guerra que no tenía sentido alguno.

Sorbió un trago del jugo de naranjas una vez que Marxlenin dejó de gritar y la algarabía de voces que se habían levantado en la mesa comenzó a calmarse. No había nada más que discutir, dijo Harry. Iván Luis Bermúdez, Jorge Luis Camacho y Yudelkis Solar habían guardado silencio hasta ese momento. Si al principio habían mostrado una cierta prudencia al no confesar su intención de no alistarse en la guerra del exilio, ahora se ponían con ese silencio del lado de Harry Solar. Les daba igual que Mendruguito los condenara a muerte, que ordenara que los expulsaran del Edén de Miami o les disparara delante de todo el mundo y allí mismo, en el Ayestarán de la Ocho, cuatro tiros limpios que acabarían con ellos. Sólo restaba irse de allí en ese mismo instante, no dar lugar a que se extendiera la discusión sin sentido en la que estaban todos. Y una vez más fue Hiram Solar quien se levantó de su silla invitando a marcharse a los demás. Silenciosamente, con el mismo gesto cauteloso que habían mantenido durante toda la comida, Yudelkis Solar, Iván Luis Bermúdez y Jorge Luis Camacho salieron del Ayestarán por la puerta de la 27 Avenida mientras las miradas de todos los clientes del restaurante se fijaban con dureza en ellos hasta que se perdieron de vista tras doblar la esquina. Dentro del Ayestarán, en silencio, mirándose a la cara y sin dejar de comer, se quedaron Mendruguito, Vladimir Marxlenin y Florindo García, alias Cachopenco.

Harry Solar tampoco volvió a saber nada de la vida de Iván Luis Bermúdez ni de Jorge Luis Camacho. Ninguno de los dos se quedó en Miami, sino que se despidieron de él poco después de su salida del Ayestarán y no dejaron huella alguna de sus respectivos paraderos. La discreción verbal de la que el músico hizo gala en todo momento, impidió una comunicación fluida entre ellos, entre Harry Solar y Camacho, a pesar de la afabilidad mutua que habían desarrollado a lo largo de su amistad para escapar de Cuba. Camacho no se confió a ninguno de sus compañeros del *Progreso* ni siquiera cuando la aventura de la huida hubo terminado con éxito. Su mutismo tal vez demasiado obsesivo y tenaz, y los lacónicos gestos de alegría que exteriorizaba cuando todos los demás fugitivos bailaban un guaguancó a gritos cada vez que las partes del plan encajaban en la realidad, delataban en Camacho un poso de melancolía que se mezclaba en lo hondo de su alma, sentimental y silenciosa, con la acritud del rencor. Solar sabía poco de su vida y de su trayectoria en La Habana, pero a él no lo habían perseguido en Cuba, ni estuvo nunca involucrado en intrigas y acciones contrarrevolucionarias, ni los CDR lo cazaron nunca en ningún episodio sospechoso que lo llevara a responder por su disidencia ante el Tribunal Revolucionario. Tampoco aparentaba ser un tipo neurótico, angustiado o ambicioso, a quien su vocación de compositor en ciernes y quizá ya frustrado había ido trastornando los tiempos y los espacios que en La Habana se repetían todos los días igualmente, vacíos y a la espera de la nada.

Camacho nunca mostró su agradecimiento servil a las autoridades gubernamentales (como ocurría con tantos músicos, como válvula de escape de su propia castración de artista, ésa era aunque indigna la única salida por el momento), porque un fin de semana al mes la Oficina de Turismo de La Habana lo destacaba a tocar el violín componiendo un cuarteto musical en el lobby de cualquier hotel de lujo, mientras los huéspedes y sus visitantes cubanos y cubanas charlaban groseramente en alta voz entre ellos, se reían a carcajadas, sin respeto alguno y sin hacer caso de la música a la que aplastaban con sus gritos bochornosos. Bebían como posesos mojitos, whiskys y daiquirís con absoluto desprecio por la música que gentes que habían estudiado con la ilusión de llegar algún día a tocar en los grandes teatros musicales y auditorios de París, Londres, Viena, Nueva York, Madrid, Los Ángeles, Tokio o San Francisco, estaban interpretando a dos pasos del jolgorio vulgar del turismo, para entretener el ambiente divertido de los privilegiados que no se daban cuenta del sufrimiento de los músicos en esos instantes sino todo lo contrario: les echaban una mirada de displicencia y desdén, sin apreciar siquiera el descomunal esfuerzo de años de estudios, desvelos y angustias en escuelas y conservatorios apenas sin medios y llenos de dificultades hasta llegar allí; músicos profesionales al fin y al cabo, herederos sin duda de Lecuona, pero no menos de Darius Milhaud o de Karol Szymanowsky, Francaix y Markevich, estudiosos de la música más culta y jugadores instrumentales de la más popular de Cuba, desde el bolero a la rumba, desde el son al danzón, desde la samba al mambo, desde la guaracha al guaguancó; músicos capaces de interpretar al piano magistralmente, como lo hacía en los escenarios del mundo entero Frank Fernández o el mismo Vitier, cualquier pieza de Beethoven, cualquier drama de Paul Dukas o las piezas líricamente trágicas de George Enescu; músicos capaces de sacarse de la manga de su inspiración y su inteligencia musical, en el instante exacto de su hambre, el recuerdo de Toña La Negra, Bola de Nieve o Beny Moré; artistas capaces de componer a partir de los esquemas clásicos la mejor música de todo el Caribe en este fin de siglo para demostrar lo obvio desde el principio de la historia: que cada cubano llevaba un músico dentro y que la inteligencia musical de Cuba no hay quien la mate, ni acabe, ni pueda con ella porque no tiene igual en toda América; músicos geniales, capaces de alterar los ritmos clásicos y contaminarlos con otros de ámbitos lejanos para crear otra música distinta, la música de Cuba que se abisma hasta el pasado con el recuerdo vivo y se alarga hasta el futuro en un presente perpetuo, lacio, abusivo y rutinario hasta el aburrimiento; músicos profesionales, compositores en ciernes, como Jorge Luis Camacho, a los que mantenía castrados durante décadas un lamentable estado de cosas, la heroicidad arbitraria de la Historia, la coartada del embargo y la mentira del bloqueo, y a quienes se les pagaba en Cuba a última hora su talento y su paciencia concediéndoles una humillante plaza de músicos de distracción en un hotel de turistas durante un fin de semana, ahí mismo, en la terraza del Sevilla, en el lobby del Inglaterra o del Habana Libre, en la piscina del Nacional, la parrilla del Comodoro o el lobby del Cohiba, lugares de lujo donde podían caer algunos fulas de los bolsillos de algún visitante de oídos elementales.

Petra Porter me contó que durante los largos meses de preparativos para la huida en el *Progreso* y también después de llegar de Cayo Hueso, cuando los Hermanos al Rescate de Basulto los hospedaron durante algunos días al Four Ambassadors del Brickell Point de Miami City, a la espera de las conversaciones con Mendruguito y Leonel Lagarto, Jorge Luis Camacho no cambió de postura, sino que había extremado sus cautelas y se había virado para sus adentros dejando pocas fisuras a la visión exterior. El músico intuía sin embargo, y ése era seguramente su más grande temor en tales momentos, que esa actitud de excesiva prudencia podía levantar sospechas graves incluso entre sus compañeros de huida. Por muy tímido que fuera su temperamento y por muy artista que fuera el músico, tanto silencio y tanto sigilo eran conducta impropia de un habanero que por fin se liberaba de la esclavitud.

Si en La Habana todo el mundo desconfiaba de todos, incluso del propio rostro desabrido que cada mañana se dibujaba al afeitarse ante el trozo de espejo roto y herrumbroso, si todavía quedaba algo de eso en el cuarto de baño de la casa, ya no había motivos para no demostrar siquiera con gestos y palabras que para él, como para los demás fugitivos, todo comenzaba a cambiar desde el instante en que abandonaron el *Progreso* para subir al guadacostas de la Yuma que los llevaría hasta Cayo Hueso. Además, como nunca había sido perseguido por la Seguridad del Estado ni jamás se le conoció ningún atisbo de disidencia, Camacho podía con esa actitud de autista voluntario hacerse sospechoso como confidente o espía secreto que los mismos segurosos habían metido dentro del *Progreso*.

No era la primera vez ni sería la última que uno de los huidos fuera un traidor camuflado entre los tripulantes. Incluso pesaba sobre el músico la sombra de una suspicacia que algunos de los evadidos del *Progreso* conocían de antiguo. Una beca de un alto conservatorio de París lo había llevado, años atrás, en el apogeo propagandístico de la cultura de la Revolución Cubana, a vivir una temporada larga en la Ciudad Luz. ¿Había que preguntarse por qué entonces con tanto viento en las velas el músico que luchaba por ser Lecuona, Vitier y Frank Fernández al mismo tiempo, no había escogido la libertad en las mejores condiciones para exiliarse en París, quedarse allí, en el mundo y conquistar Europa, los Estados Unidos, la música, la fama y la libertad? ¿Se le podía en realidad hacer a ninguno de los evadidos del *Progreso* esa misma pregunta? ¿Por qué no hacérsela al mismo Hiram Solar o a Marxlenin, o a Cachopenco, por qué no al médico Yudelkis Solar por qué no al doctor Salazar, algunos con toda su familia o dejando atrás las huellas de su memoria en un naufragio cuyos restos quizá no recuperarían nunca más una vez que habían decidido escapar de Cuba, como tantos otros miles lo habían hecho antes y lo seguirían haciendo después, atravesando en una balsa las aguas del estrecho de la Florida para acabar enriqueciéndose si había suerte en Miami o pidiendo limosna si no la había en las esquinas de la Sagüesera?

Harry Solar había corrido el riesgo de incorporarlo a la expedición clandestina porque la misma Petra Porter le había asegurado que no había nada que temer del músico. Ella lo sabía todo de todos, y también sabía los verdaderos y secretos motivos de Jorge Luis Camacho para escapar de Cuba. En realidad, aunque lo había visto merodeando con frecuencia en La Habana por los círculos culturales de la Casa de las Américas y en reuniones artísticas y musicales, donde lo conoció de verdad fue en París, cuando los dos residieron en la capital francesa, ella como modelo de alta costura al principio (y luego en la industria avasalladora del *prêt-à-porter*) y él formándose musicalmente con la beca de un conservatorio parisino que lo había convertido en un privilegiado cultural durante una temporada. Camacho sabía que aquella estancia en el cielo era un espejismo, que cuando acabara la función el escenario se derrumbaría y tendría que volver al infierno cotidiano de La Habana. Pero no iba a quedarse en París de ninguna manera, su vida estaba en La Habana, en Cuba, y sin la Isla no podía vivir mucho tiempo. De ninguna manera se le presentaba la tentación de abandonar y exiliarse. En su criterio estaba seguro de quiénes quedaban convertidos en puercos cuando se traspasaba la línea de la cordura y quién era en realidad la máscara tras la que se escondía el rostro pérfido, fascinante y embustero de la bruja Circe. Lo afirmaba convencido del todo, sin que en su voz ni en su determinación se notara temblor alguno de hipocresía o apareciera en medio de la discusión la duda que acuciaba a la mayoría.

—Estaba loco por ella —me dijo Petra Porter—. No había amado en su vida más que a una mujer, una jeva prieta y esbelta, y ésa era toda su vida. Aunque se te haga cuesta arriba, en todo el tiempo de París, no se le conoció ni la sombra de un empate, ¿tú me entiendes como era la cosa? Cualquiera hubiera dudado de él, lo hubiera tomado por pájaro o bugarra, ¿qué sé yo?, pero siempre hablaba de ella, la describía con la brillantez de su mirada llena de nostalgia y se le pegaba a la respiración un asma que lo asfixiaba cuando recordaba su ausencia. Para mí que estaba hechizado, mi chino, que alguien le había hecho un amarre bestial al pobre hombre y tenía un tremendo cráneo con la muchacha. Con decirte que no podía vivir sin ella y no buscaba otra cosa más que el tiempo pasara a toda prisa para volver a La Habana, ¿tú has visto una loquera parecida? Ya tú ves, la música no era lo primero. Componía para ella, eso me decía, que ella era la musa y él nada más el músico.

Todavía lo estaba esperando cuando llegó dos años más tarde a La Habana, me dijo Petra Porter. Pero después vino el desmerengamiento, se acabó el carbón, chico, me dijo Petra Porter, y llegó otra vez el turismo. Nadie podía imaginarse aquí que el turismo iba a volver a Cuba, pero, hombre, si eso aquí estaba condenado a muerte, eso era más pecado que la gusanera, mi hermano, si aquí todo se hizo para que no viniera ni un turista más a aprovecharse de los cubanos y a singarse a las cubanas, eso lo sabe todo el mundo, hasta el último negrito de Guanabacoa, por eso mismo lo iba a absolver la historia al Hombre, a ver qué te crees. Camacho seguía componiendo música, piezas excepcionales que nunca se estrenaban en ningún teatro, en ningún escenario, que jamás tocaba ninguna orquesta. Pero eso en realidad era lo de menos, estaba tan embebido con ella que le daba lo mismo la política, la Opción Cero y lo que fuera. Tampoco se le notaba una mayor amargura porque las cosas fueran a peor, parecía que ni le importaba todo lo que ocurría a su alrededor, con tenerla se conformaba.

—Pero ¡ay, mi hermano! —me dijo Petra Porter—, las sorpresas de la vida son más crueles que la vida misma. Ella no quiso que el músico se enterara por nadie, ya tú sabes, siempre hay sueltas por ahí almas caritativas que quieren salvarte la vida y no les importa matarte para conseguirlo, ¿verdad? Mira tú eso, imagínate, se lo dijo ella mis-

ma, no fuera a ser que en cualquiera de esas veladas musicales de week-end se la fuera a encontrar
arregladita, oliendo a perfume caro, peinadita como una actriz de cine, vestidita de negro y con
zapatos de aguja, todita entera con los regalos de
su cliente español, mexicano o italiano, el que en-
ganchara, ya tú sabes cómo es eso. El hombre tocando el violín, muy serio, muy ensimismado, muy
embobado, ¿qué le importaba que nadie atendiera a lo que estaban tocando si ahora estaba interpretando un momento crucial de su propia gloria
en el lobby del Habana Libre?, y su jeva de jinetera, viejo, una crueldad, su jevita entrando en
ese mismo instante por la puerta del hotel de la
mano del turista, los dos riéndose a carcajadas
de felicidad, agarraditos, haciéndose caricias, chico,
¿tú te lo imaginas? Todo lo fuerte y lo duro que tú
ves al músico, sentimentalmente nada, no aguanta un golpe, es un pepillo. No pudo soportar el
trancazo.

Se lo dijo ella misma para que se despertara
y supiera lo que estaba pasando. Ésa era la encrucijada. No podía dejar de ser jinetera porque con
un día de trabajo bueno, eso le dijo al músico, tres
o cuatro servicios con unos tipos zafios y brutos
que se creían de verdad que se había enamorado
de ellos, que se vuelven locos porque ella les habla
a la oreja mientras singan, ¿no ves que nadie, ninguna mujer, se lo ha hecho antes en toda su vida?,
y después, cuando llega la hora, ella grita como si en
realidad se estuviera viniendo de gusto con el rey
del mambo, tipos a los que probablemente nunca

volvería a ver en su vida, con esa podredumbre de hombres, zas, zas, zas, resolvía el asunto, alimentaba a sus padres y a sus tres hermanos durante casi un mes de penurias. Eso y más nada es lo que le había pasado al músico, y por eso y por nada más se había derrumbado de arriba abajo hasta perder no sólo el hilo sino la hebra musical, mi vida, para que tú veas como es la cosa, me dijo Petra Porter, más o menos como en el capitalismo, la misma mezquindad, la misma miseria, la misma basura.

El último intento de Camacho por recuperar a la jeva fue una temeridad. Tan sólo dos días antes de la partida del *Progreso* fue a verla a su casa de Centro Habana. Llevaba más de un año evitándola y pidiéndole a San Lázaro que no apareciera por el hotel en el que debía tocar el violín el próximo fin de semana. Ahora venía obligado moralmente a invitarla a que se fugara con él. No podía irse de La Habana sin rogarle a ella que aprovechara la oportunidad y rehicieran fuera de Cuba todas las ilusiones que los habían mantenido juntos durante tantos años. Pero la muchacha se negó a marcharse, ahí tienes tú otra. No era por miedo, le dijo, ni porque no lo quisiera, eso le dijo, llevó sus manos a la cara del músico y le acarició el cabello con suavidad. Adujo la misma razón de siempre, la misma que la mantenía como jinetera en los hoteles de lujo de la Cuba de la Opción Cero. Pero él no iba a pensar nunca que ella era una puta de verdad, ¿eh, mi chino?, le daban asco todos esos extranjeros de los que no recordaba ni la voz ni la cara, se lo podía jurar, eso le dijo, porque él ya sabía de sobras lo que estaba dispuesto a hacer por él, ¿acaso no veía que lo estaba haciendo todo por su familia?, ¿por qué no se quedaba, eh?, ¿por qué no se quedaban los dos?, vivirían juntos y ella lo mantendría mientras las cosas continuaran así y él se podía dedicar todo el tiempo a componer la mejor música de Cuba, la jeva tenía genio, ¿le parecía bien, no era un buen proyecto de resistencia que ella se sacrificara así por todos, eh, mi chino?

—Lo que pasa es que aquí en Cuba —añadió— todo se hizo para todo lo contrario. Todo se hizo por la libertad, por la dignidad, por la igualdad, por el pueblo de Cuba. Todo se hizo contra la humillación, contra la esclavitud, contra la injusticia, ¡fíjate tú qué cosas! Y tú sales a la calle, donde quiera que se te antoja y no ves sino eso, indignidad, humillación, injusticia, limosneros y limosneras hambrientas de cualquier cosa. A nadie le importa aquí lo que está pasando, cada uno es cada uno y seis son media docena, así que arréglatelas como puedas cuando el ciclón te caiga atrás, si no quieres que te estampe la cara contra la pared. De vez en cuando, bueno, dan un escarmiento público, van y detienen de repente a algunos macetúos que se exhiben demasiado y a decenas de jineteras, eso es cuando la cosa sube mucho, tú ya sabes, incluso a muchachas que andan ahí, pidiendo botella en el Malecón, y las quitan de la circulación durante un tiempo o las mandan para su casa, para Oriente casi siempre. De vez en cuando hacen un caso sonado, pescan a un ingenuo, un

francés o un italiano, lo llevan a la cárcel, le abren
un proceso por andar con menores, le dan propaganda al asunto, lo publican a través de las agencias internacionales y ya, mi hermano, ya, eso es
todo, un pequeño escarmiento porque ellos pueden hacer eso y lo contrario cuando se les venga
en gana, les va de a pepe cualquier espectáculo de
ésos. Es lo mismo que con las obras de arte, de aquí
no se puede sacar nada. De vez en vez, bueno, zas,
zas, zas, agarran a uno con un cuadrito de éste o
del otro, con un libro del siglo pasado, en fin, y le
dan candela hasta quemarlo como un bonzo, un
escarmiento, y más nada. Al rato, todo el mundo
está de nuevo en la misma bulla hasta que el Hombre se enfade otra vez, así es la cosa.

También lo sabía todo de Iván Luis Bermúdez, el nadador que quiso ir a las Olimpíadas y
cuyas marcas confirmadas en los Juegos Panamericanos lo acercaron al destino que estuvo a punto
de tocar con la mano. Tenía un éxito terrible con las
extranjeras. No importaba que llegaran a La Habana con sus maridos o sus novios. Al contrario,
así resultaba todo más divertido. Se las arreglaba
para que el riesgo fuera un incentivo del placer,
¿qué te parece la cosa? Bermúdez se entregaba sin
contemplaciones a enamorar a las turistas que le
prestaran atención. Nunca daba el primer paso porque tenía terminantemente prohibido los escarceos
ostensibles, él no era más que un empleado de privilegio, porque quien trabaja en el turismo en
Cuba es un verdadero privilegiado en una sociedad
que carece de todo lo normal, ya tú sabes la cosa,

el bloqueo, el embargo, los gringos y tal. El área verde garantiza un mínimo de amistades que se dejan caer con una propina y ese fula se escondía en el bolsillo de Bermúdez. Aunque sus superiores le reclamaban el dinero recaudado por cortesía para el fondo común que debía repartirse entre todos los trabajadores de la empresa, nada, él se lo guardaba para él. De modo que hasta ese nivel llega la vigilancia. Y si la amiga española o la turista canadiense, a la que había llevado esa noche a bailar al Palacio de la Salsa mientras sonaban los boleros a capela de las Gema4 o zumbaban los metales de la Charanga Habanera se olvidaba del regalito, de la propina, de los fulas con los que se contaba de antemano, para eso se trabajaba en el turismo, para resolver con mayor facilidad, no podía negarse a nada. Había que pagar de todos modos. Todos lo habían visto, todo el mundo lo veía noche tras noche, saltando de discoteca en discoteca, de pista en pista el atleta, siempre en la mejor compañía del momento, no todo el mundo podía permitirse el lujo de acabar en La Cecilia en la madrugada de cada día, colgado de la hembra blanca que acababa de llegar al calor de La Habana. Pero él, Iván Luis Bermúdez no lo ocultaba, todo el mundo tiene ojos en la noche lujosa de La Habana, esta ciudad es lo más grande del mundo, no tiene sino ojos y oídos para cuando hagan falta, y nadie puede pasearse en vano con un coche alquilado que tiene toda la gasolina que quiera sin pagar el peaje y los impuestos. De nada le servía a Bermúdez afirmar que su amiga se había olvidado.

de darle la gota. Habérsela pedido, habérsela exigido, si era hombre para cuidar la playa, para nadar junto a las turistas y llevarlas a bailar, porque lo habían visto como era su costumbre, acaramelado con el bombón blanquito visitante de Cuba, siguiendo despacito el ritmo del bolero, pegándose a su cuerpo, sobándola con cuidadito, haciéndola temblar suavecito, llevándosela poco a poco hasta la tabla, atrayéndola con caricias como se trae al pescado anzuelado desde el fondo del mar.

La vio bailar por primera vez con un traje pantalón color mostaza que se le sujetaba al cuerpo glorioso hasta transparentar casi por completo aquella tentación serpentina que lo desquició. Hasta ese momento, Iván Luis Bermúdez era un desaforado noctámbulo al que la suerte de la ruleta le tocaba todas las noches. Caía simpático a todo el mundo, y quienes mandaban en su empresa le perdonaron la vida cada vez que lo habían agarrado en un renuncio, siempre cosas del fula, problemas con el verde del regalito, que se le quedaba pegado en el fondo de los bolsillos y se le olvidaba entregar para el fondo común. Ni siquiera lo molestaban por esos detalles sin importancia. Al menos en su caso no tenía ni la más mínima importancia que lo vieran la misma tarde en La Maison y un par de horas después, con la boca llegándole a las orejas de la felicidad, compartiendo mesa en El Tocororo de Miramar, que nada menos, para terminar bailando hasta que La Cecilia daba por acabada la función y se apagaba la música al filo de la madrugada. Pero cuando la vio bailar por primera vez en el escenario de La Cecilia, sola ella moviendo el cuerpo encima de las tablas y todos los músicos siguiéndole el ritmo, sintió un ardor en el fondo del estómago que le aceleró la respiración hasta hacerlo sudar de celos. Se fuñó, mi hermano. Desde entonces la persiguió, dejaba el trabajo a las horas menos pensadas para encontrarla y seguirla por todos los rincones por donde ella también tenía permiso para pasear, el área verde, faltaba más, el recinto sagrado del turismo de La Habana. Se olvidó de todo lo demás y, aunque seguía cumpliendo con sus sorpresivas clientes extranjeras cada vez que la ocasión continua y casi cotidiana se le presentaba, enfebreció de pasión por Zeida Olivar. Todo el fula que ganaba con la cortesía de las extranjeras, se lo gastaba en La Cecilia noche tras noche. Hasta que pudo acercarse a la Botellita de Licor y consiguió enamorarla con la misma facilidad con la que enloquecía a sus amigas extranjeras. No descansó ni un minuto hasta lograrlo.

Nadie le dijo quién era. Aunque todo el mundo en La Habana de noche sabía que los ojos de Amalio Punzón estaban por todos lados buscándola, vigilándola, siguiéndola y atosigándola, nadie le avisó del laberinto en el que se estaba metiendo sin darse cuenta. Tampoco él hubiera hecho caso de nadie. Ni siquiera ella misma le advirtió de que Cabeza Pulpo era de esos caimanes mezquinos que no bajaban nunca la guardia, un aura tiñosa que avizoraba no sólo con la vista sino con el olfato de hurón cada movimiento de la real hembra que seguía amando. Nadie le dijo que estaba siempre en guerra incluso consigo mismo, todo el mundo era su enemigo y no daba nunca una batalla por perdida. Y todo el que se acercara a ella, que no fuera un bobo turista de esos que se dejan el dinero viendo bailar a una diosa, estaba matado. Cuando cayó en el trasmallo de Cabeza Pulpo ya era demasiado tarde para volverse atrás. No importaba que su matrimonio con Zeida Olivar hubiera zozobrado del todo casi dos años antes, porque para Amalio Punzón el tiempo pasaba por todo el mundo menos por su relación con la Botellita de Licor. Sólo se dio cuenta del peligro cuando Cabeza Pulpo lo sacó a punta de pistola de su casa de Regla, una madrugada solitaria donde nadie había visto nada ni nadie del barrio se comprometía a hacer cábalas sobre la desaparición de Iván Luis Bermúdez. Le vio la cara de loco furioso en el momento de preguntarle por qué lo detenían, qué delito se le atribuía exactamente y adónde lo llevaba a esas horas.

—Tú camina y cállate esa boca de comemierda —le dijo Cabeza Pulpo.

Vio en la oscuridad, mientras Cabeza Pulpo conducía el auto de la Seguridad del Estado a través de las calles de La Habana, la sonrisa del loco furioso mirándolo fijamente sin prestar atención a la carretera, con la rabia del desesperado cegándole la mente. Notó su respiración alterada, como si tuviera el alma perdida entre los vapores del vaho que exhalaba su boca desfigurada por los celos. Cuando llegaron a Villa Marista, en plena madrugada, Bermúdez se percató del riesgo que estaba corriendo y supo que se le había hecho demasiado tarde para avisar a nadie. Se encerraron los dos en el despacho de Cabeza Pulpo, que dio órdenes expresas de que nadie lo molestara mientras interrogaba al detenido.

—¡No me interrumpan bajo ningún concepto! —gritó Cabeza Pulpo a los dos burócratas que hacían guardia de noche en la antesala, antes de cerrar la puerta del despacho de un golpe y después darle por dentro un par de vueltas a la llave.

—Eso fue poco antes de que Harry decidiera construir el *Progreso*, cuando se convenció de que podía dibujarlo, imaginarlo y hacerlo —me dijo Petra Porter.

—Vamos a hablar un rato yo y tú, maricón de mierda, vamos a ver si aguantas tanto como tú te crees. Siéntate y estáte quietecito —lo amenazó Cabeza Pulpo.

Después sacó del armario una botella de aguardiente que no había sido descorchada. Se sentó frente a Bermúdez, lo miró fijamente y volvió a sonreír mientras servía unos tragos muy largos en dos vasos sucios. Se quitó el saco y puso el cuarentaicinco cargado sobre la mesa antes de obligar a Bermúdez a que se echara el ron de un trago a la garganta.

—Bebe, cagón, de un solo golpe, bebe como yo, a ver si va a resultar que no estoy dando con un macho sino con un poetilla de esos que esconden lo que son paseándose por ahí con hembras a las que no les tocan ni un pelo —le dijo con la voz opacada por la rabia. Se llevó el vaso a los labios y se tragó el aguardiente. Después se limpió la boca con la palma de la mano y volvió a sonreírle a Bermúdez.

—Te estarás preguntando por qué tengo esta cara, ¿verdad? —le dijo—. Te estarás preguntando quién cojones me desfiguró de esta manera mi cara. No te preocupes, mi amigo, yo te lo voy a contar todo, cacho de maricón, para que no te acerques más en tu mierda de vida a esa mujer que es la mía. Bebe más, dale, de un trago, bébetelo todo, te va a hacer falta para lo que te voy a proponer, Ivancito.

—Nadie le había podido quitar de la cabeza que Harry no había tirado la piedra que casi lo mata en una de las cuevas del Valle de Viñales —me dijo Petra Porter.

Todos esos años Amalio Punzón había vivido dándole vueltas al accidente sin acabar de creérselo. Se despertaba por las noches, en medio de una pesadilla recurrente que se lo llevaba de nuevo al pasado, lo situaba en un bosque verde, entre los mogotes de Viñales. Se veía corriendo por una selva que no conocía, como si lo estuviera persiguiendo la muerte misma. Corría hasta asfixiarse para evitar que lo mataran, eso le parecía a Cabeza Pulpo que estaba haciendo en el sueño. Sudaba, se asfixiaba en la carrera, perdía el sentido de la orientación y finalmente, al detenerse en un recodo del bosque, solamente para tomarse un respiro, para ver hacia donde estaba corriendo, sentía el golpe, la pedrada en la cabeza. Volaba por los aires hasta dar con su cuerpo en tierra, destrozado por el dolor y el miedo. Y entonces se despertaba al borde de la asfixia, respirando angustiado, las sábanas y todo su cuerpo tembloroso bañados en sudor. La Revolución lo había salvado de una muerte cierta después de que lo hubieran querido matar sus propios compañeros de colegio, estaba seguro de eso desde hacía años, y eso le dijo a Iván Luis Bermúdez después de haberse bebido cinco tragos de ron seco. La mirada de Cabeza Pulpo se perdía entre las visiones de los mogotes de Viñales y el despacho de Villa Marista en que se había encerrado con Bermúdez.

—¿Tú conoces a Harry?, a Hiram Solar, el ingeniero, ¿verdad que lo conoces? Tú también eres su amigo, ¿verdad que sí, que lo eres? —dijo Cabeza Pulpo—. Tú me vas a decir dónde está escondido ese traidor de mierda, Ivancito. Dispongo de todo el tiempo del mundo para que me lo cuentes todo. No te asustes ni te hagas ilusiones, ahora mismo no hay nadie en toda Cuba que sepa donde estamos, salvo yo, tú y esos dos que están haciendo guardia en la puerta, que son mi propia sombra. Pero primero vamos a jugar a los hombres, nada de cosas de mujeres, sino como los hombres, a ver si eres tan guapo y tan macho como tú te crees.

—Iván Luis me contó aterrorizado —me dijo Petra Porter— que cogió el revólver, lo armó, le dio vuelta al tambor y se lo puso en la sien con un movimiento rápido, de loco. Así estuvo durante unos segundos. Luego apretó el gatillo mirándolo y sin dejar de sonreír. El tambor corrió pero el cuerantaicinco no se disparó.

—¿Te das cuenta de lo que hubiera ocurrido si me llego a matar ahora aquí, contigo, qué tú crees que hubiera dicho la gente, pendejo, qué tú imaginas que te hubiera pasado a ti? —le preguntó en baja voz Cabeza Pulpo.

Bermúdez no dijo una sola palabra. Temblaba atragantado y todos sus músculos estaban paralizados de terror. Trató de contestarle aunque sabía que de su garganta no iban a salir más que algunos sonidos temblequeantes, inconclusos, incoherentes. Se encogió ligeramente de hombros con los ojos desorbitados por el estupor.

—Entonces Cabeza Pulpo —dijo Petra Porter— lo agarró por la camisa, lo levantó de la silla y lo atrajo hacia él. Se le quedó el dril, que estaba pasado, en las manos. Le puso la cara delante de la suya y le escupió al rostro.

—Me hubieras matado tú, maricón, eso es lo que habrían concluido aquí mismo mis gentes, que tú te habías atrevido a matarme en mi propio despacho. Te hubieran colgado por los huevos —le dijo riéndose a carcajadas Cabeza Pulpo a Bermúdez— ¡Imagínate, mamón, tú matándome a mí!, un guapo que no es más que una piltrafa humana, un cagoncito temblón dándoselas de valiente y matando a Amalio Punzón, ¿dónde se ha visto eso, viejo, en qué mundo nosotros vivimos? Te faltan timbales para eso, ¿verdad, Ivancito?, porque tú los huevos que tienes son de juguete, para las hembras y esas cosas, ¿verdad? Pero, dale, comemierda, no pierdas la ocasión, ahí tienes la pistola, cógela si te atreves, dispara, mátame si tienes cojones, hazlo ahora, dispárame.

Le dejó el revolver sobre la mesa al alcance de su mano. Lo retaba a que cogiera el arma y le descerrajara dos tiros allí mismo, en su despacho de Villa Marista. Le exigía que le levantara otra vez la tapa de los sesos, como le había reventado el cerebro la pedrada que Harry Solar le había tirado en los mogotes. Después se sentó en su silla y se quedó esperando a que Iván Luis Bermúdez se atreviera a coger el arma. El nadador no lo dudó. Se quedó inmóvil, conteniendo la respiración, dejando que sus nervios se apaciguaran para poder pensar en una salida. Miraba la cara del loco con el pánico cabalgándole por dentro.

—Esa actitud de aparente tranquilidad de Iván Luis —me dijo Petra Porter—, lo enfureció mucho más. Se lanzó de repente sobre la pistola, la cogió con su mano derecha y apuntó al pecho de Iván Luis. Se quedó ahí quieto unos segundos, en tensión los músculos de los dos hombres, imagínate, Marcelo. Le dio la vuelta vertiginosamente al tambor de la pistola y de inmediato se llevó de nuevo el arma a la sien y apretó el gatillo. El tambor volvió a girar y tampoco esta vez se disparó el arma.

—No creas que no está cargada. Fíjate —le dijo Cabeza Pulpo—. Aquí hay dos balitas, una para ti y otra para mí, no hay ventaja para nadie. Ahora te toca de nuevo a ti. O me disparas a mí y me matas o te la juegas como un hombre con dos cojones y te disparas a la sien. Venga, sé guapo, demuéstrame que eres un macho de verdad.

—Se pasaron dos horas así, jugándose la vida —dijo Petra Porter—. Cabeza Pulpo estaba

completamente borracho e Iván Luis había bebido
lo mismo. Me confesó que no pudo contener el
llanto, que los nervios lo estaban matando poco a
poco mientras aquel loco seguía jugando a la ruleta rusa en un duelo consigo mismo. Lo último
que le dijo, cuando ya estaba despuntando el alba,
fue que desapareciera para siempre, que se perdiera, que se escondiera en el Escambray o se tirara al
fondo del mar, que si lo volvía a ver en algún lugar
de La Habana, si tenía noticias de que vivía, iba a
ir a buscarlo incluso a Caimanera y lo iba a traer otra
vez a aquel despacho de Villa Marista para jugar a
la ruleta rusa que tanto había demostrado que le
gustaba. Eso fue lo que le dijo, así lo condenó a
muerte, chico, ¿te imaginas? Iván Luis no volvió
más al trabajo. Su madre le dijo que diera parte,
que denunciara a Cabeza Pulpo, que la Revolución era justa y todas esas cosas, al fin y al cabo la
pobre vieja era viuda de un héroe de la guerra de
Angola que había muerto sirviendo a la patria.
Pero cuando me lo contó a mí y me dijo donde estaba escondido Iván Luis, la disuadí de la locura.
Iba a ser peor el remedio que la enfermedad, eso le
dije, que el horno no estaba para galleticas con la
que caía sobre La Habana y sobre Cuba en esos
momentos. Iván Luis se convirtió así en el mejor
lugarteniente de Harry durante el tiempo que estuvieron escondidos en dos solares de Lawton, uno
casi pegado del otro.

Ella lo sabía todo de todos, de los pequeños,
de los medianos, de los anónimos y de los insigni-
ficantes, sin que los demás llegaran nunca a ente-

rarse bien de los mecanismos de los que se servía para saber sin yerro todo lo que realmente había ocurrido o estaba a punto de ocurrir. Lo sabía todo de los componentes de la Tribu, por qué cada uno actuó como lo hizo o qué razones indujeron a cada uno a dejar de hacer y de ser lo que se esperaba de ellos. No sólo había sido su mejor confidente, hasta el punto de hacerles a todos necesaria su presencia y su consejo, sino que también era una confesora de sus penurias ocultas y el hada madrina para resolver los problemas inmediatos de cada uno de ellos y de todos los fugitivos que se cruzaron en nuestra conversación esa mañana en la suite del Cohiba, la última vez que yo iba a ver a Petra Porter en Cuba, confesándonos, desnudos por completo de todos los secretos, como si los dos estuviéramos ya muy lejos de la Isla, a salvo de las intrigas que nuestros propios gestos paranoicos delataban, pero también y sobre todo de la constante animosidad policíaca que Castro había cultivado como una semilla original durante décadas para fomentar en toda la Isla el terror del que se alimentaba su fortaleza hasta ahora inexpugnable.

Había llegado a conocer con una minuciosidad profesional incluso los detalles que a los demás podían pasárseles inadvertidos. Datos curiosos, de ninguna relevancia al menos a primera vista, y pequeños matices a los que no concedían importancia a lo largo de una conversada. O puntos oscuros, ocultos, enigmáticos, señales mínimas que sin embargo se delataban vitales a la hora de desvelar el sentido del rumbo de cada uno de los miem-

bros de la Tribu, de los cercanos a su campo mag-
nético y de todo el mundo habanero que conocía
como si fuera su propo cuerpo magnífico, hasta
transformarlo en su mejor destino. No sólo disponía
de un artefacto mental reflexivo, discreto y sintéti-
co, que en la vida cotidiana de La Habana resultaba un salvavidas muy eficiente y necesario para no
ahogarse en el marasmo intraducible de los códigos impuestos por el castrismo, sino que había acu-
mulado en su experiencia personal y en el archivo
invisible de su memoria las combinaciones que de-
venían radiografías, biopsias y diagnósticos exactos
de cada uno de los personajes que se habían cruzado
como algo más que sombras circunstanciales en su
propia existencia.

Doce

Algún día terminará de verdad esta guerra de mentira, dijo Petra Porter. Miraba por los ventanales del Cohiba hacia el Malecón habanero. Más allá, el mar mostraba en la lejanía el color de la lujuria dibujando sobre la cara del agua ligeras caricias que rizaban la superficie azul. Como acabó la guerra de Angola, que parecía interminable, como acabó el Ogadén y las expediciones africanas, seguía diciendo Petra Porter, sin quitar ni siquiera un momento los ojos del Malecón. Como acabó la Unión Soviética, porque tú estás viéndolo todo muy bien, aquí en Cuba no queda un bolo ni para los bisnes que vuelven a entrar por todos lados. Así terminará esta guerra de mentira, estoy segura, dijo Petra Porter, y se acabará este embrollo, este griterío de chismes, miserias y escupitajos, esta borrachera de disparates. Y entonces yo seré una de las que estaré aquí para verlo, con la cabeza alta y los ojos enteros todavía, a pesar de mis años. Estaré aquí y lo recordaré para siempre, me dijo.

Su voz se volvió contundente, mucho más firme en el tono y en la pronunciación de cada sílaba. Sus gestos se volvieron más lentos, menos urgidos por la melancolía de un futuro ansiado que no acababa de llegar en esa mañana luminosa del Cohiba, mientras ella hablaba mirando por los ventanales de mi suite hacia el Malecón, y yo la miraba a ella, admirándola extasiado desde mi cama.

No voy a moverme de La Habana ni un minuto, dijo Petra Porter, porque quiero verlo todo, cómo envejece definitivamente el Hombre y sus manías, y cómo después no pasará nada de lo que unos y otros andan buscando en medio de esta guerra de mentira, la sangre, el poder, los negocios, el dinero. Ni siquiera voy a marcharme ahora, ahora que tú me estás invitando a irme contigo un rato, a España, mi chino, nada menos que a España. Las ganas que tengo de España, si tú lo supieras bien. Santiago de Compostela, Barcelona, Sevilla, Madrid, el Prado, la Giralda, la Sagrada Familia, Segovia, a Petra Porter se le amontonaban en el recuerdo los nombres de los lugares deseados, pero, mi amor, ¿sabes tú cuántas veces he soñado yo con ver otra vez todo eso, verlo con calma, abrazarlo con mis ojos, como un viajero sin prisas, reparando en lo que me dé la gana y todo el tiempo que yo quiera para verlo todo detalle a detalle, contigo además? Una vez estuve en el santuario de Compostela, con un viaje de becarios cuando todavía era estudiante, tenías que haberme conocido antes, en esos años, ¿no crees tú?, entonces era lindísima, era la más hermosa, te lo puedes creer, sabía moverme en una pasarela pero me movía mejor entre mis gentes, porque entonces yo creía en todo lo que hacíamos aquí. Bueno, tampoco puedes creerte tú que esa basílica sea exactamente cristiana y sólo Va-

ticano, ¿no?, me lo imagino, porque debajo de todas esas piedras católicas que suben hasta el cielo
hay mucho más, eso es anterior incluso al Apóstol,
que se fue hasta ese fin del mundo por algo, a fun-
dar un camino, agárrate, a hacer un viaje y a grabar
para siempre una tradición que hasta ahora respira
con los mismos pulmones. Fui a Santiago, y desde
la Plaza del Obradoiro, sin entrar en la basílica, me
puse a temblar. Fíjate que yo soy lucumí, y me sentí como si fuera a entrar en mi propia casa, como si
aquellas piedras fueran mías desde el principio de
los siglos, como si las hubieran transportado desde
el fondo de una selva de África hasta Compostela,
como trajeron a los esclavos desde ese mismo hoyo
africano hasta América. Me recuerdo muy bien que
esa mañana llovía, no se notaba mucho pero al instante todo estaba mojado por un agua lenta y suave que no cesaba de caer, no era un aguacero tropical de los nuestros, sino una caricia de agua que iba
empapándonos mientras entrábamos a Compostе-
la y sentí lo mismo que si entrara al santuario de
Cachita, Marcelo, por tu madre. Me recuerdo que
había allí un cura francés cantando misa en su lengua, y más allá otro en español y a dos metros otro
más en latín, y la gente entraba y salía, como si lo
hicieran desde el túnel del tiempo, hacia una eternidad instantánea, como si atravesaran los años y
los siglos en un solo y único momento, ¿cómo tú
te crees que no me gustaría repetir esa experiencia,
aunque fuera para saber si es igual a la que me recuerdo ahora mismo aquí?, me preguntó mirándome ahora Petra Porter.

Fíjate que estoy segura de que estos puñeteros viejos están conjurados hasta el final, dijo. Son capaces de darle candela a toda la Isla con tal de no perder la oportunidad, aunque ya perdieron todo lo demás, la vergüenza, la decencia, la razón que alguna vez tuvieron y en la que creímos. Porque ellos saben que de lo de aquello no les queda ni la sombra del recuerdo, en todos estos años no han hecho otra cosa que comer y comer y comer, sólo ellos y sus entenados, en la vida nadie los ha visto en una cola para nada, siempre han estado en cabeza aunque fueran los últimos en llegar, ¿y quién o quiénes no han estado empatados con alguno de ellos en todos estos años, puede alguien tirar la piedra y no esconder la mano? Ahora tienen que resistir, Marcelo, no les queda otro remedio que atrincherarse para enmascarar el sudor feo del ñao que les corre por dentro del cuerpo. Son pirañas contra pirañas, eso es lo que pasa, observándose dentro de una pecera, frente a frente, respirando con terror pánico pero buscándose, gritándose, haciéndose ver mutuamente porque necesitan de esa escenita para mantener abierto de par en par el espectáculo.

Algún día de verdad esta algarabía se acabará de una vez para siempre, yo estoy segura, como sea pero acabará, ya lo verás tú también, dijo Petra Porter. Y entonces quiero estar aquí, en La Habana, en Cuba, como estuve hasta ahora, recordándolo todo, porque hay mucha verdolaga que imagina que hay que perder la memoria, que no hay que acordarse de nada sino que hay que olvidarlo todo, de un solo golpe, fuácata, zas, zas, fuácata, y ya está, si te he visto no me acuerdo y si me acuerdo qué más da. Como si en ese milagrito no estuviera encerrada la traición, una mentira más que es lo que ha pasado aquí, con estos puñeteros viejos, con el cuento del enemigo a noventa millas, con la fanfarria de la invasión y el bloqueo, cuando en realidad ellos son todo eso y más, y los otros al otro lado el mismo perro con otro collar. Y ahora se preparan para hacer bisnes con todo aquel que se les ponga por delante, una franquicita, dicen ellos, incluso con el enemigo y sus aliados. Porque, para que tú lo sepas, Marcelo, yo estoy segura de que lo que viene detrás del Hombre no es lo que dicen los viejos ni lo que dicen los que se creen jóvenes, allá en Miami, con la misma jerigonza guerrera y belicosa que se han montado aquí, desde el Palacio de la Revolución hasta Guantánamo, porque lo que pasa es que los dos espantapájaros se necesitan para seguir asustando a la gente y para mantener el negocio en alza, cada uno con su bodega propia, que tiene de todo, abiertas sus vitrinas de par en par, o mejor y menos arriesgado, una diplotienda con todo dentro, los dos se necesitan para seguir respirando miasmas a costa de todos nosotros, los que los aguantamos dentro y los que se tuvieron que ir, se necesitan para seguir haciéndose visajes de propaganda, amenazándose y quemándonos a todos en una hoguera que ya no sirve para nada, Dios del alma, ¿hasta cuándo este teatro de títeres va a manejarnos?

No te lo voy a negar, mi chino, me dijo. A veces se me pone un nudo aquí en el estómago, como si tuviera ahí un amarre malo, y todo me da vueltas, el cuerpo entero se me duerme y siento un cosquilleo incómodo, irritante, y la respiración se me altera como si estuviera cansada, irrecuperable, como si ya me estuviera apagando. Me dan ganas de vomitar, me mareo como si navegara en medio del mar, en una balsa que cruza el Estrecho, como hizo Harry, en un lanchón que anda a la deriva rodeado de tiburones, venga pacá y venga pallá, para donde lo lleve la corriente del ciclón, y me da una sonsera que no había tenido nunca. No, ni hablar, en la vida voy a pensar que tenga que ver con la debilidad, a mí más bien me parece que es el mal que señala el final de esta época. Estas putitas viejas siempre vestidos con su uniforme heroico se empeñan en detener el tiempo, cuando ya hace por lo menos un siglo que aquí y en todas partes se acabaron los héroes, ¿tú te fijas en lo que digo? No, señor, no, Comandante, ya no hay héroes, hablaba consigo mismo ahora Petra Porter, como si estuviera arengando directamente a Saturno, y además usted se encargó de tronar a los últimos, de pasarse por la piedra a los africanos de la Candonga, probablemente porque le entró un ñao de muerte con Ochoa en Cuba, paseándose por toda La Habana con esa mirada verdosa, cetrina, dejándose caer por cualquier sitio para escuchar en silencio las quejas de los que todavía eran sus subordinados, mientras esperaba el destino de mando que nunca le llegó. Mi general, que no tengo ni para comer, mi general, que ayer me enteré de que mi hija, la médico, fíjese, mi general, está en el Malecón y en los hoteles, de jinetera, y yo allá hasta hoy mismo, en Cuito Canavale, abriéndole una zanja al capitalismo imperialista en medio del África, mi general, tiene que ayudarnos, hay que salir de ésta como usted nos ha sacado de peores, ¿no, mi general?, ahí estoy, sentado en mi casa, viendo ese viejo televisor sin hacer otra cosa y más nada, mi general, yo soy un soldado y no un comemierda, ¿qué hago, mi general, qué hago? Chico, Marcelo, yo no te voy a decir a ti que el Calingo fuera un ser sobrenatural ni nada de eso, ¿a mí qué me importan sus pecaditos?, pero era un militar, un guerrero de verdad, y el Hombre a ésos sí que les tiene ñao, a los puñeteros de aquí les da una temblequera de borrachos cada vez que se acuerdan del último héroe. Tú vas por toda La Habana, caminas Habana Vieja, o te pasas al otro lado, ahí donde florece el capitalismo cubano, ese de Miramar, donde crece el juaniquiqui, y ya no hay héroes, no encuentras ni la sombra, nada más que el Hombre y el Che, el pobre Che, el muerto que les sirve a tantos vivos. Ves por ahí, en el Malecón, en los hoteles, en El Tocororo y en La Maison, ves segurosos y bisneros mirándote sin disimulo, con una mala educación que ni te cuento, toda esa gente vestida con guayabera planchada, otro uniforme oficial, la guayabera, más que una contraseña, ya es un símbolo. Se la ponen hasta los embajadores en señal de reconocimiento, como complicidad con el Hombre. Lo bueno sería ponerse unos jeans y una guayabera de manga larga, tipo diplomático occidental, tenías tú que ver a los bolos en los tiempos de la heroicidad, la cooperación y el internacionalismo proletario, y no ahora en la Opción Cero, ya ni el Periodo Especial profundo, los pobrecitos, cada vez que se ponían una guayabera eran la imagen del ridículo, chico, más blancos que el arroz blanco, cebados como puercos en casa de rico y bamboleándose de calor y ron, que casi no podían ni dar un paso por La Habana, de gordos que estaban, ésa es la memoria que me queda de los rusos, todavía sé hablar el ruso mentalmente, claro, ¿qué te parece la hazaña?, lo aprendí para hablarlo y no se me ha olvidado.

Algún día terminará de verdad esta guerra de mentira, repitió Petra Porter para que yo dejara de dudar, para que entendiera que el tiempo pasaba a pesar de las apariencias. A pesar de la lentitud y la desesperanza, todo termina pasando, y de algunas cosas no queda ni la sombra, estos viejos puñeteros han terminado con todo. Se cogieron la Revolución para ellos solos desde el día siguiente que la ganamos entre todos, y después se comieron La Habana y toda la Isla, la dejaron caer hasta donde nunca estuvo, ya ves como está, como si la hubieran bombardeado, porque el Hombre siempre odió La Habana, no le interesó nunca que fuera Patrimonio de la Humanidad ni nada de eso, lo que quería era blindarse, salvaguardarse de una invasión que nunca llegó. Que este santuario se cayera en pedazos, que se derrumbara a trozos a lo largo de todos estos años, que todo se fuera poco a poco al infierno, eso ni al Hombre ni a los suyos les importó nunca nada, no han hecho otra cosa más que mantener la mentira todos estos años, siempre en la maldad, hablando a medias palabras boberías horas y horas para que nadie las entendiera, sino para que le aplaudieran al Hombre sin entenderlas, y largando embustes que todo el mundo siempre supo que eran mentiras del tamaño del Capitolio, mi hermano, pero todo el mundo aplaudía a la Santa Paloma, todo el mundo enardecido con Saturno el Olímpico, como si él fuera de verdad Olofi, como si fuera la Virgen de Regla, San Lázaro y Yemayá. Hasta se lo ha terminado creyendo, y eso que parecía no creer en nada, vete a saber si no se cree que sea Elegguá, porque es el que abre y cierra todos los caminos de Cuba y los cubanos, ahí lo tienes, no se te olvide a ti también, aquí nadie se mueve si no es porque ese Elegguá con barba lo permite. Ni siquiera tú mismo, tú no puedes entrar ni salir, aunque seas español, yo te digo que ahora sabe que estamos aquí, en el lujo, en el Cohiba, sabe los tabacos que te gustan, el ron que te empinas, la piel que te enloquece, la carne que te embebe, sabe que yo estoy aquí contigo, sabe qué cosa te estoy contando y qué te estoy dando, encerrados aquí desde hace más de dos días, sabe lo que hacemos, lo que comemos y a qué hora, sabe incluso el tiempo que pasamos en el Cobijo Real viendo La Habana desde el techo y lo que hacemos los dos en esta suite. Tú no puedes entrar ni salir si el Hombre no te deja. No te rías, mi chino, me recriminó cuando inicié un gesto despectivo, no te rías de lo que te estoy diciendo porque tú tienes que saberlo, a pesar de la imagen de caricatura patética que damos los habaneros ahora mismo.

Por eso yo estaré aquí como siempre, en La Habana, en Cuba, cuando se acabe todo, cuando esta guerra de mentira termine algún día de verdad, y fíjate que me gustaría irme ahora contigo, aunque fuera un rato, con todos los papeles en regla para volver cuando se me antoje. Irme a España contigo, me dijo con los ojos encendidos por la tentación, volver a ver otra vez la basílica de Santiago de Compostela, tú no lo sabes, porque a ti esas supersticiones no te interesan, te crees que son cosas de negros, de africanos a los que nos cogió el subdesarrollo y nos dejó mataos para siempre, pegados al tiempo, como moscas muertas y apestosas en el parabrisas de una máquina de lujo que maneja el mundo blanco y europeo. Bueno, pero todo lo que te digo es de cultura general, la próxima vez que vayas a Compostela, atiende, recuerda, pon un poquito de atención para que escuches cómo resuenan los cueros desde el fondo de los siglos, para que entiendas bien lo que suena desde el fondo de la música.

¡Cómo me gustaría ver la Giralda, el Prado, la Sagrada Familia! Chico, claro, Madrid, Sevilla y Barcelona, los dos juntos, no nos íbamos a encontrar con nadie en ningún sitio, claro que no. Y a Carlos Tabares no me gustaría verlo más, me dijo, ¿para qué darle al reloj cuerda patrás? Porque tú no me lo dijiste pero yo me imagino como está, lo estoy viendo envejecido, silencioso, solo, asustadizo. Así se ponen ustedes cuando dejamos de amar-

los, para que tú lo sepas y no te vayas olvidando
desde ahora. Se entibian y luego se enfrían por
dentro y se les va notando una piel enfermiza y
temblorosa. Se aflojan, se ponen fofitos por dentro y por fuera, pálidos y tristes como la cera seca,
no se atrevieron a la aventura, le tuvieron miedo a
la hoguera, ustedes se creen que la cercanía del sol
los mata y huyen para no quemarse con la candela. Y sin embargo después, cuando les viene el recuerdo del fuego, no cantan sino boleros con esa
voz desafinada por la melancolía que sienten, y res-
piran de menos cada vez que echan aire por la boca. Así es como se quedan ustedes, mi amor, fofitos, asmáticos, temblando de ñao, sin comprender
qué ha pasado, pegados del recuerdo de un cuerpo
y un aliento que nunca tuvieron antes ni después,
sueñan todo el tiempo y se levantan de la cama en
la madrugada maguados de todo, buscando un poco de agua fresca en el refrigerador para apagar las
ansias de los calores. Y durante el día no ven sino
visiones, ni siquiera la comida les sirve de consue-
lo porque lo que ustedes quieren es lo otro, lo que
ya no tienen de nosotras, primero se escapan corriendo de miedo y luego lo echan de menos, no
me lo cuentes que me lo sé de memoria, en cuanto dejamos de amarlos ustedes se quedan así, sombras de asilo, blanditos, secos y muertos de nostalgia melancólica, como almas en pena. Así salen del
apuro y pueden seguir pensando que alguna vez estuvieron en una guerra de verdad, una guerra que
no les costó sino unos cuantos dólares, una guerra
que dura en el recuerdo para toda la vida, eso ahora,

porque estáte seguro de que cuando toda esta miseria cambie de verdad, cuando se acabe esta batalla de mentira, les va costar un banco entero y lleno de fula mirar una mulata parada en zapatos de aguja, no te digo cuánto les va a costar que los quieran, como ustedes creen que los queremos ahora las cubanas, eso costará millones, un mundo entero, caballero.

Te lo cuento para que lo sepas todo, dijo Petra Porter. Lo de Belmondo fue distinto a lo de Carlos Tabares. Es mentira lo del romance con el francés, estoy segura de que tú lo sospechaste desde el principio y sin que nadie te lo haya dicho, seguro que lo sabes. Le hice bilongo una noche entera, recién llegada a París, en una borrachera de fama que ni te cuento porque es indescriptible. Yo iba vestida de santa, de santa de lujo, llevaba un traje de seda blanca que me cubría todo el cuerpo y sólo se me veía la cabeza, el cuello y los brazos. Cuando me quité los guantes blancos, se quedó mirándome las manos, deslumbrado, como si nunca hubiera visto de verdad unas manos de negra. Después miró los zapatos blancos con mis pies de piel negra dentro de ellos, y ya no se quitó de mi lado en toda la noche, ni fiesta ni nada, la única fiesta era yo, la única diosa, la única reina, la única cenicienta venida de repente desde el cuento del Caribe lejano. Me dijo cien veces que le atraía hasta enloquecer, el olor de mi piel, me dijo, que yo era lo único que le importaba, hasta que amaneció en París un cielo azulísimo, y yo miré hacia la ciudad por la ventana después de mirar la cama vacía, después de ver el ramo de rosas rojas, después de probar un sorbo del jugo de naranjas del hotel en el que amanecimos. Se había ido nada más que la luz del día despuntó detrás de las cortinas oscuras de la habitación y un rayito del alba se filtraba por en medio. Tampoco me importó nada, ¿para qué te voy a engañar si tú lo sabes todo? Seguramente él ni se acuerda de esas horas mías que aquí en La Habana me convirtieron en una leyenda de la que todo el mundo dudaba, levantó un barullo que ni te cuento, y yo iba por las calles de La Habana como la reina de la sandunga parisina, ¡nada menos que Belmondo, la niña, mira lo que se tumba, cómo es la cosa de grande! Yo lo sé que es así, pero todos están en la maldad desde hace muchos años, cada uno tiene que inventarse una leyenda y hacérsela creer a los demás, irse por encima del nivel para escaparse de la mediocridad, para dar qué hablar en las alturas, nadie me decía por delante las sospechas que hablaban por detrás, entre ellos, ni siquiera Harry me lo dijo nunca.

Para que tú lo sepas, me confesó mirándome (cada vez que quería convencerme de lo que decía, volvía la mirada hacia mí, se olvidaba del Malecón, del mar y del sol), los ojos del negro se volvían estrábicos si yo nombraba al francés, se encendía como una mecha, como si estuviera malo de la cabeza, se ponía furioso, pero tenía que contenerse para que yo no viera los celos dibujándosele en la cara, le entraba ese temblor frío por el que yo lo notaba todo enfermo, como si estuviera viendo su radiografía. Con eso me bastaba. Pero si quería

verlo encendido por dentro, comiéndose sus tripas sin decir ni esta boca es mía, si lo quería buscar revolviéndolo como si se le hubiera montado
Ochúm y él tuviera que aguantarse para que yo no
se lo notara, le nombraba la noche del francés y lo
mataba de golpe, le daban hasta fatigas, se demu-
daba de celos, se volvía más blanco que tú, mi chino, unos ataques que para mí eran la gloria. Hasta
que se le quitó. Poco a poco se le fue apagando la
fuerza, chico, y a veces he pensado que yo tuve
la culpa, que apreté demasiado las tuercas, que fui
más allá de lo que las reglas del juego me daban de sí.

Todo lo demás le dio igual. Ni lo del empate
con el sandinista, ni lo de los jueguitos con tu embajador, y no le hubiera importado nada lo de cualquier otro, aquí al que se le acaba la corriente y se
le pasa la fiebre es como si no recordara nada de lo
ocurrido, no es como ustedes, que se ponen fofitos y en la madrugada, cuando viene el insomnio,
no hacen más que tocar una guitarrita de pena y cantar boleros con lágrimas y todo. Yo me di cuenta
de que no había nada que hacer con él, y a Harry
terminó también por darle lo mismo. No como a
Cabeza Pulpo, que lleva cayéndole atrás a la pobre
Zeida como si no hubiera sucedido el dramón, como si no se hubieran separado a golpes desde hace
años, ese muchacho se enfermó sin saber cómo, Marcelo. La persigue como una sombra, la amenaza,
le muerde cada paso que da y le saca de encima a
cualquiera que quiera acercársele. Amalio fue siempre así, desde el accidente en esa cueva del Valle
de Viñales. Harry me contó que él llegó el prime-

ro al lugar donde estaba Cabeza Pulpo desangrándose. Se quejaba muy quedo, parecía un niño chiquito llorando en una cuna, encogido, como si le faltara el aire y estuviera agonizando. Me dijo que la sangre le fluía por la herida de la cabeza como si fuera una fuente, como un surtidor de agua roja que le manchaba la cara y toda la ropa, y hacía más ruido, se oía más la sangre saliendo de la cabeza de Amalio que sus propios lamentos de dolor, eso es lo que más recuerda Harry de ese accidente. Cabeza Pulpo no ha hecho desde entonces otra cosa que echarle la culpa a Harry de ese mal golpe. Todavía cree que fue Harry quien le tiró la piedra para matarlo, ¿te lo puedes creer?, que le tenía envidia dice, desde ese día piensa eso, me imagino que por eso lo persiguió con tanta saña, por resentimiento, por celos, por envidia, tú, ese vicio mueve el mundo, no te quepa duda.

Al pobre Iván Luis casi le cuesta la vida haberse acercado a la Botellita, fíjate que la sospecha de que estaba entre los tripulantes del lanchón de Harry no era gratis, a mí ni se le ha ocurrido preguntarme, ni entonces ni ahora. Ése es otro de los misterios de los segurosos, que muchas veces actúan porque sí, arbitrariamente. Tú vas dejando rastros por ahí, una palabra por aquí, una frase por allá, un papelito con claves o un gesto que no les gusta mucho, y estás matao. Te siguen, te persiguen y te arrinconan. Pero si no, no tienen nada que hacer, sobre todo con quienes se pueden equivocar, aunque a ellos en todo eso no les va nada. A Iván Luis casi lo mata, de ñao y de verdad, por lo que yo sé, que sé bastante. Para que veas, él era el Number One de las bicicletas, todos los juaniquiquis que ganó en ese suicidio de las apuestas entre los coches, sirvió para comprar mucho material del barco de Harry, aquí el que más y el que menos se jugó la cabeza, te absuelva o no la Historia en el futuro. Y a la Botellita de Licor no la dejó ni bailar, así es Amalio. Cada vez que tuvo ocasión de salir para fuera con Tropicana, cada vez que estaba a punto de coger la luna con la mano, la emborrachaba, la ponía en remojo, le acercaba a la mano el trago, la botella entera, sobre todo el ron, porque ella se había enfangado desde hacía tiempo con esa bobería del aguardiente, claro que él la ayudaba, nunca puso mucha voluntad para salir del vicio. Cada vez que se reparaba, cada vez que Zeida decidía escaparse del trago, venía Cabeza Pulpo y botellas y botellas de ron, de whisky y de ginebra ahí delante de ella, como si el aparador de la casa fuera un bar dispuesto siempre al embullo y al relajo. Así fue como contribuyó a su fracaso, así es todo aquí en Cuba, ¿tú me entiendes? Cuando todo puede cambiar y empezar a mejorar, viene el Brujo, manda a parar, lo salpica todo y pega un salpafuera de quieto todo el mundo y que nadie se menee, y nadie se mueve de la mesa, mi hermano, ésa es la gran desgracia. Porque Saturno quiere la ruina, él no sabe ni contar y si aquí no comemos no pasa nada, una arenga de horas, siempre con la misma pejiguera, resistir, resistir, resistir, y a otra cosa. Oye, chico, le zumba que los americanos le ayuden con toda esta locura del embargo y las leyes para matarlo a él, a él sólo, ¿tú te fijas?, y de paso lo que consiguen es matarnos de hambre a nosotros, y a él lo dejan más vivo, más héroe y más fuerte que ayer mismo, aquí todo el mundo engorda para dentro y el Hombre es el único que engorda para fuera, aunque ahora parece enfermito, así está de delgado, ¿pero tú no lo ves?, todo el día en un alarido de guerra, que parece que el enemigo de las noventa millas al norte es el gran socio de su negocio, parece la letra de la canción de los Van Van, ¿tú sabes?, no me digas que no lo entiendes, mi hermano, porque me da el ataque y la rabia me sale por la boca sin podérmela aguantar, por tu madre. Ahí lo tienes, envejeciendo, llevándole la contraria a todo el mundo, sin que parezca que la cosa es con él, va a llegar un momento que lo tiras por la punta del Morro y se queda flotando delante de toda La Habana, ahí, sobre el agua, como si fuera el Capitán Akhab. Muchacho, ¿tú crees que es una locura?, no hombre, qué va, yo me lo imagino así, con el uniforme verde olivo, flotando ahí delante, sobre las aguas, y el dedo índice de la mano derecha señalando para La Habana, y el mismo grito de siempre, resistan, resistan, resistan. Y los otros bobos haciéndole el juego sin darse cuenta, o lo que es peor, sin querer darse cuenta de nada, engordando la vejez del Hombre y aplastándonos a nosotros. Y todavía van y dicen ahí afuera que tenemos la culpa por no sublevarnos y acabar con la juerga, tremendo tronco de idiotez la perreta esa que se han cogido los yanquis con la sublevación, pero ¿cómo nos vamos a sublevar, qué es lo que quieren, que nos matemos aquí unos a otros y luego vengan ellos a firmar el armisticio y a reclamar las casas que ya se cayeron al piso hace tiempo?, pero ¿chico, Marcelo, tú has visto locura más grande que la de Cuba?

Pero un día de verdad terminará esta dichosa guerra tan de mentira, dijo Petra Porter, aunque los mangos se sigan cayendo a cientos de la mata, da lo mismo. Ya no hay que estar que si suerte que si mala suerte, aquí dentro hay tesón para aguantar, talento para resolver y ganas de salir palante, el muerto es de hoy para mañana por la mañana, a eso ponle el cuño, Marcelo Rocha, que no me equivoco, el problema está en quien va a enterrarlo, ahí es donde medio mundo se alela. Todo el mundo se asusta de lo que va a venir, ¿y ahora qué?, se preguntan, y se agarran de papaíto para que los defienda de los fantasmas con los que él mismo nos mete miedo, el Hombre es..., oye, tú, como para cogerle cariño, pero, chico, ¿por qué hay que tenerle miedo a quienes puedan venir de Miami, por qué hay que pensar que van a convertir La Habana en Moscú, a ver, por qué, por qué se le antoja al Hombre que todos pensemos igual, resistir, resistir, resistir?, se preguntaba Petra Porter levantando la voz, mirando La Habana al clarear la mañana desde Oriente, mientras se abrían en el firmamento oscuro claridades violáceas que iban encendiendo la oscuridad del horizonte. Amanecía en el Caribe, y La Habana resucitaba suavemente silenciosa y aquietada de otra noche llena de apagones.

Esa misma tarde tenía que salir de Cuba y regresar a Madrid. Quise alargar el tiempo de aquel encuentro con ella verificándola por entero casi diez años más tarde de cuando la conocí con la Tribu en el lobby del Habana Libre. La miraba a los ojos con la ansiedad de los últimos minutos, entre el vértigo del recuerdo que aún no lo es del todo y las sombras grises de la nostalgia que comienzan a cubrir el sol con las nubes del final. La miraba como si tuviera la certeza de que iba a transcurrir un largo tiempo sin volver a verla, a partir de ese día cuyos minutos volaban en mi reloj con la crueldad del vencedor que no repara en la tristeza creciente del derrotado.

Tal vez porque anticipaba la melancolía de su ausencia le había dicho a Petra Porter que se diera por invitada, que en cuanto pudiera debía volar a España invitada por mí. Una temporada larga, un mes, mes y medio, dos meses, un año incluso, el tiempo que quisiera, los días o los meses que a ella le permitieran estar fuera de la Isla. Le dije que recorreríamos en coche la Península entera, que nos demoraríamos rebuscando paisajes que no habíamos conocido, que nos perderíamos donde no podrían encontrarnos, en lugares y rincones que ella no había imaginado nunca, algunos de los cuales no había visto más que de pasada en revistas ilustradas en blanco y negro y libros de geografía. Daríamos una vuelta por las islas, iríamos a Mallorca y a Ibiza, pero sobre todo haríamos un viaje desde Madrid a Canarias, a los volcanes de tierras negras y requemadas, a las playas de arenas amarillas y aguas azules y mucho más frías que las de Cuba, como si cumpliéramos una promesa de peregrinación, como un homenaje que le debíamos desde ese momento al dueño del mar, al patrón marinero y pescador Pedro Infinito.

Se lo había dicho a ella la noche anterior, en La Terraza, mientras disfrutaba de un buen serrucho en escabeche, uno de esos platos de la cocina cubana que habían sido recuperados por el negocio del fula y el regreso del turismo internacional. Tampoco La Terraza era la misma de los tiempos de Hemingway, ni la choza a medio derrumbar que yo había conocido en mi primer viaje a Cuba. Ahora había sido restaurada y modernizada para atraer al turismo que llegaba hasta allí husmeando la sombra de Hemingway y las huellas ya ancianas y clásicas del viejo pescador Pedro Infinito, convertido en la legalidad máxima del mito del escritor norteamericano. Los grandes ventanales del comedor principal, por donde entraba una brisa acariciante que refrescaba el exceso de humedad, abrían sus luminosas cristaleras directamente sobre el mar de Cojímar, y los comensales del restaurante podían escuchar el baile rumoroso y salado de las olas marinas acercándose y alejándose de la costa. En sus paredes de color beis se repetían las fotos de Hemingway junto al viejo Infinito, los dos sonrientes al mostrar los trofeos arrancados al fondo de aquel hilero pescador que se hundía delante de la costa de Cojímar. Los dos eran los verdaderos fantasmas vivos de La Terraza. Estaban por todas partes y, salvo aquella fotografía con Saturno joven (la misma que ilustraba la pared del rincón de Hemingway en El Floridita y otros parajes cubanos en los que había respirado el novelista), los únicos protagonistas de la historia eran el escritor y el viejo Infinito, dominando ambos con sus ojos la geografía sobre la que habían cabalgado juntos durante veinte años los secretos de la mar. También había cambiado la cocina. Ahora la mimaban, se recreaban en los detalles y en el terminado esencial de los platos que servían en las mesas del restaurante, recuperadas a toda prisa la tradición y muchas de las exquisiteces gastronómicas de los cubanos de la costa.

Cada vez que me acordaba de ese plato que paradójicamente había probado por primera vez en La Bodeguita del Medio antes de que la clausuraran (no la de La Habana, sino un restaurante del sur de Miami City al que le habían dado sus dueños el mismo nombre que el famoso gracias al mojito de Hemingway), me venía irremisiblemente a la cabeza el recuerdo del primer viaje que había hecho a La Habana algunos años atrás, cuando conocí a la Tribu y llegué hasta la casa de Infinito, en Cojímar, de la mano de Tano Sánchez. Se lo dije a Petra Porter mientras cenábamos, después del aperitivo de majúas fritas que nos habían servido los camareros de La Terraza. Si algo me había sorprendido sobre todo lo demás en aquel primer viaje fue que en el mismo lobby del Hotel Habana Libre, entre las tiendas de dólares donde sólo podían comprar diplomáticos, turistas y extranjeros, entre las zapaterías, las tiendas de ropas, tabaco, aguardientes y perfumes, había abierta de par en par una ferretería cuyas vitrinas mostraban los últimos artefactos internacionales en la materia.

—Chico, Marcelo —me aclaró Tano Sánchez, quizá exagerando, siempre en tono irónico— es la única ferrerería que hay abierta en La Habana.

—Me cuesta trabajo creértelo —le dije.

—Es igual, porque tú no te lo creas no van a abrir nuevas ferreterías en La Habana —contestó Tano Sánchez.

Le recordé la anécdota a Petra Porter esa última noche en La Terraza. «Ahora», me dijo, «las ferreterías, como tú las llamas, siguen siendo de dólares, las tienen en sus casas, clandestinamente, los macetúos, todo lo demás lo maneja el Ejército, las Fuerzas Armadas, y algún negociante extranjero con influencias».

Las ruedas de serrucho tenían el grado de maceración que requieren los cánones gastronómicos del escabeche y de la tradición marinera de Cuba, ni más ni menos, condimentado en su sazón con alcaparras, cebolla en rodajas y pimientos suavemente hervidos, aceitunas y pimienta molida. Ligeramente aromatizado con laurel, el serrucho en escabeche, en frío, podía regarse después con vino blanco o cerveza. A mí me resultó un manjar inolvidable. Escogí dos Hatuey para la cena de esa última noche con Petra Porter en La Terraza, pero a ella le elegí una botella de vino blanco Chardonnay, un lujo en Cuba, para acompañar debidamente a su langosta enchilada.

—Para que te acuerdes de tu noche parisina —le dije bromista.

—Te voy a hacer un regalo para que te lo lleves a España y nos recuerdes a todos —me contestó ella, sorprendiéndome, sin hacer caso de mi guasa.

Levantó los ojos de su plato y durante unos segundos me miró con la fijeza femenina que pide en silencio la complicidad deseada. Me dijo que probablemente yo no iba a volver a Cuba durante años, quizá nunca más. Tal vez porque los reportajes que iba a escribir y publicar en los periódicos de España desde que saliera de La Habana irritarían tanto a las autoridades de la Isla que terminarían por vetarme la entrada en Cuba durante algún tiempo. Era fácil que ocurriera: con negarme el visado cuando lo pidiera en el consulado en Madrid, requisito sin el que ni siquiera un turista puede viajar hasta Rancho Boyeros, se cumpliría el barrunto de Petra Porter esa noche de la despedida de Cuba.

—Sería paradójico que al final ocurriera conmigo lo que temí que iba a suceder al principio, cuando te conocí en el primer viaje. Que me nieguen ahora la entrada en Cuba después de escribir lo que veo aquí y lo que pienso de esto —le dije.

—Paradójico, pero posible y probable —me contestó sin dejar de mirarme—. Pero, oye, chico, tú no te vas a callar lo que ves, ¿verdad? Yo lo sé, ya te conozco como eres, Marcelo, a ti te cortan la lengua y te vuelve a crecer, y ése es el paradójico favor que tú puedes hacernos a todos los que queremos ver que Cuba sea ya otra cosa distinta a la que ahora es. Aquí viene mucha gente que anda todo el día en el palabrerío y la verborrea, pero luego los miman, los cuidan y los convencen de que no todo está tan mal, todo eso de los «logros» de la Revolución, los inventos de la medicina cubana y los adelantos de nuestra educación, y salen diciendo y escribiendo maravillas de algo que nunca vieron aquí. Tocan de oído, mi hermano, como si los hubieran embrujado, ni estuvieron nunca en un hospital, no los de dólares, claro que no, esa prueba no vale, sino uno para cubanos, donde hay que llevar hasta las sábanas y los bombillos porque allí no hay, hace siglos que no hay, el bloqueo ha impedido que tengamos sábanas en los hospitales pero no ha podido impedir que sobren en los hoteles para los turistas, ¿tú te fijas en la cosa? Pero, a pesar de tanta mala fe, tengo esperanza en que todo puede resolverse en pocos años, y para eso no es necesario, como creen muchos fuera y dentro de la Isla, que nos matemos y que ajustemos cuentas como si fuéramos todavía más suicidas de lo que somos en realidad.

—Tú siempre hablando de reconciliación... —la provoqué.

—Ni siquiera eso es tan necesario como parece —me contestó sin abandonar su seriedad—, las palabras engañan y pedirle a los enemigos a muerte que se abracen como si nada hubiera ocurrido entre las dos partes no es más que colaborar en la hipocresía, ¿no es verdad, qué tú crees de eso?

—¿Y entonces, qué va a pasar, habrá otros diez años de pelea, de guerra y de dictadura, todo va a seguir igual o parecido, como hasta ahora, ésa es tu opinión?

—Oiga, caballero, cuando le digo que no es necesaria una cosa no le digo que no sea necesaria otra, ¿estamos?

—¿...?

—Digamos que... un encuentro razonable, un pacto de madurez entre todos, yo sé que mucha gente piensa que de ésta no nos levantamos ni en el noventa y ocho del dos mil, dentro de un siglo, más o menos, pero yo creo que estamos preparados para vivir ya sin papá y sin el Papá, ¿quién les iba a decir a ustedes que iban a salir de nuevo con una monarquía, con un nieto de Alfonso XIII, nada menos, que se iban a olvidar de la República y que iban a dejar atrás a Franco sin un muertito, eh, quién se lo iba a vaticinar a ustedes hace nada? Nosotros podemos resolver entre todos..., si los yanquis no siguen encandilados con la misma tupición de siempre, claro. Pero es verdad, sería paradójico que tú no pudieras entrar de nuevo a la Isla hasta que se muera todo esto y las cosas cambien.

—Espero que sea pronto, muy pronto, Petra, y que de todos modos yo pueda seguir viniendo cada vez que tenga algo que hacer aquí —le dije mirándola, sin agobiarla, sin arrinconarla, envolviendo su deseo con el mío.

—Te voy a hacer esos regalos para que te los lleves a España, porque sé que te van a encantar —repitió ella—. Como tú eres un fetichista, le vas a dar a esos objetos el valor que realmente tienen esos cachivaches secretos que te van a encantar tanto, estoy segura. Y así te devuelvo el detalle que tuviste conmigo cuando te fuiste de Cuba en tu primer viaje.

Epílogo

Madrid me recibió luminoso y gélido. Hacía casi un mes que el invierno había entrado en su geografía barriendo los restos cansinos y renqueantes de un otoño que había precipitado casi de repente su desaparición.

Por esas fechas la niebla que cae todas las noches sobre la ciudad y sus alrededores impide la visibilidad de los ámbitos más cercanos y retrasa la llegada de la luz del alba con la tenacidad del adversario. Pero ese día de mi llegada a Madrid, el cielo lucía diáfano y límpido desde que sobrevolamos las primeras tierras de la Península por encima de Lisboa, como si fuera el preludio melódico de una bienvenida signada por la buena suerte.

El DC-10 de la compañía Iberia realizó las operaciones de acercamiento entrando desde los cielos de Toledo para aterrizar sin contratiempos en el aeropuerto de Barajas sobre las once de la mañana, con un retraso de tres horas sobre el horario oficial. Para esa hora del día, las nieblas matutinas que suelen cubrir las cimas de los montes de Toledo ya habían desaparecido en esta ocasión y el paisaje de páramo seco e invernal de Castilla se desparramó en tonalidades parduscas y amarillentas de una tierra dura, resistente y secular a los

ojos de los pasajeros deseosos por llegar a su destino. Arriba, en los últimos minutos del vuelo, flotaba en mis oídos el ruido de los motores del aparato, la somnolencia embotaba mis recuerdos y el
cansancio del viaje me impedía poner un orden
mínimo en el equilibrio de los sentidos. Sufría la
borrachera del avión, un mareo cosquilleante y tibio que llenaba de sopor y minúsculos pero per-
sistentes dolores musculares todo mi cuerpo. Miré
por la ventanilla para descubrir de nuevo el azul
del cielo que nos acercaba a Madrid, y dejé que los
ojos fijos y adormecidos se posaran en la tierra mientras el aparato iba descendiendo como un enorme pájaro amaestrado por la habilidad del hombre.

Como tantas otras veces, cuando regresaba a
mi casa después de un periplo que no tenía que
ser necesariamente largo, sentí el pálpito del reen-
cuentro conmigo mismo, la sensación doméstica
de estar despertándome de un sueño del que, aunque habían quedado atrás tantos episodios vividos
entre la satisfacción y la pesadilla, recordaba sin
embargo todos los detalles, cada uno de los personajes, sus rostros, sus gestos, sus voces, sus perfiles
físicos, sus trucos, sus peripecias y vanidades, mientras me anticipaba desde el aire a reconocer sin esfuerzos mis latitudes cotidianas, los ámbitos en los
que había vivido tantos años hasta convertirlos en
parte de mi propia piel, los cielos azules de Madrid; la Avenida de América, la ruidosa y transita-
da vía de María de Molina, por la que se entra en
la ciudad al venir desde Barajas, la gente que camina con abrigos cerrados, cubriéndose la cara del

frío que sopla desde la sierra en invierno, el olor a sequedad de las calles que hay que atravesar una a una para llegar a mi casa, las plazas que hay que rodear para continuar el rumbo; los cruces, las esquinas, los semáforos con el disco en rojo ante los que ha de detenerse de vez en cuando el taxi que va a llevarme hasta mi casa, hasta una buena, larga y reposada ducha de agua caliente.

Sentía que encerrados en el sueño de ese viaje quedaban algunos cabos sueltos, temblando dispersos en el aire de mi cansancio físico, en mi confusión anímica, sin darme respiro al descanso; piezas de las que quizá yo buscaba olvidarme, porque no tenían importancia o porque desistía de organizar la trama al final del viaje, aunque ellas me reclamaban ahora, como si no hubiera salido todavía de La Habana, como si hubieran viajado conmigo escondidas en el silencio para que al llegar a Madrid les resolviera urgentemente su lugar definitivo en esta historia que al final habíamos organizado a medias Petra Porter y yo mismo. Sin ella, sin su cercanía, sin su seguridad y su certidumbre, no habría podido llegar a traducir aunque fuera en una parte diminuta el laberinto de Cuba, ni tan siquiera hubiera entendido la celeridad con que La Habana enmascara sus lenguajes lenguaraces y descarados hasta la procacidad, la palabra constantemente disfrazada y envuelta en el disimulo; en tres cuartos de hora, en cada barrio, en cada reparto, en cada zona de la ciudad, un lenguaje distinto aparentando que deja entrar al visitante incluso hasta el fondo mismo de su casa, un extranjero siempre sospechoso, tal vez en esta ocasión un intruso que mete las narices donde nadie le concede el permiso de nada.

Ensimismado en esas reflexiones contradictorias (porque durante toda mi estancia en La Habana me había sentido como un cubano más mientras permanecí en la Isla, pero ahora, al llegar a Madrid, volvía a lo que siempre había sido, un periodista español privilegiado de la libertad), escuché de nuevo en mi recuerdo el eco de la voz gritona, sandunguera y loca de Tano Sánchez antes de que lo tronaran y decidiera salir de la Isla.

—Oye, chico, con los años que tú tienes encima, ya deberías saber que el mejor momento de una isla, de cualquier isla, es un avión —me dijo antes de romper sus palabras en una carcajada—. Imagínate esta islita nuestra, a noventa millas ¿verdad?, le roncan los cojones, donde el avión es el mismísimo cielo con Dios y todo, uf, uf, uf, lo más difícil del mundo. La vida es del carajo, aquí podíamos haber hecho un paraíso de sobremesa, todo el mundo feliz, bailando y cantando, mucha playita, mucho Varadero y Cayo Coco, mucho ron, mucho museo, mucho humo, mi hermano, y, ¡ah, mira eso y no te lo pierdas!, singando pacá y pallá, para todos lados, fíjate tú lo que podíamos haber hecho aquí, y lo hemos jodido todo palapinga, estamos fuñíos para los restos y vamos a perder hasta el culo como esto siga así. El Hombre ha convertido la Isla en un infierno. Se le ha metido en los cojones que no y que no, y esto es una cárcel, ¿tú no ves a la gente mirando todo el tiempo para el cielo?, a ver si te crees que es porque va a caer malanga como si fuera el maná, mi hermano, qué va. Se quedan bobos mirando los aviones, cómo aterrizan, con qué facilidad se van de la Isla, le roncan los timbales, Marcelo.

El mejor momento de una isla era efectivamente el avión. En ese bicho lleno de luz, que surcaba los aires del mundo abriéndose a gritos caminos en el cielo, podía llegarse a cualquier lugar del mundo, tan lejos como se buscara, y partir de nuevo hacia el destino que se nos antojara a cada segundo. El mejor momento de Cuba, la Isla, también era un avión, eso es lo que ahora recordaba de las palabras de Tano Sánchez, en el instante en que el gran pájaro besaba con sus ruedas el asfalto de la pista de aterrizaje del aeropuerto de Barajas y algunos pasajeros intentaban un tímido aplauso con el que gratificaban al final del vuelo la pericia del piloto.

—Es el mejor momento de una isla, para irse por ahí un rato, hasta casa del carajo si hiciera falta, y para volver cuando queramos, ¿eh, mi hermano? —escuchaba en el eco de mi cansancio la voz de Tano Sánchez—, fíjate que ese milagro de nada lo pueden hacer los puertorriqueños, los jamaiquinos, hasta los dominicanos pueden hacerlo en esta mierda del Caribe, no jodan más, pero nosotros los cubanos, no, los cubanos, nosotros somos héroes, somos patriotas, hacemos como que nos hemos tragado el pescado crudo con espinas y todo, lo de patria o muerte, ¿no te parece una redundancia cubana, con la fiera de Saturno vigilando todas las puertas del infierno para que no se escape ningún diablito?, pero, chico, ¡qué clase de comemierdas somos nosotros, con la cantidad de ligas de béisbol que hemos jugado desde el Maine para acá, a quién se le ocurre!, ¿verdad que sí, chico, dime, dime?

Lo escuchaba ahora desde muy lejos, el eco de su voz se iba apagando conforme se diluía en mi memoria su propia imagen, el rostro sudoroso y carcajeante de Tano Sánchez tras haberse tomado tres o cuatro tragos de ron seco, todos los gestos de su cara y los movimientos de su cuerpo convulsionados por la adrenalina eufórica de su carácter extravertido e impúdico. Seguramente continuaba en la misma actitud enloquecida con la que yo lo había conocido, metiendo la cabeza en un horno con el gas encendido, solamente por curiosidad, o apasionándose por el rock and roll como si fuera la verdadera religión y Elvis Presley su único dios inmortal. Seguramente Tano Sánchez supo desde que lo atracaron en su casa de Miramar que sus días en la Isla estaban contados, y que si le habían mandado a Cabeza Pulpo como director de la operación era para que no le quedaran dudas de sus intenciones, para que supiera, si es que después de tantos años no se había dado cuenta, que el verdadero y único jefe de la tribu era Saturno el barbado y que la verdadera religión era la Revolución que el Hombre había inventado bajando de los cielos en enero del 59.

—Oye, no me digas que tú no sabías que las navidades en Cuba se celebran en el mes de julio —me dijo Petra Porter—. Es el único lugar del mundo donde Cristo nace en pleno verano, con un sol que raja las piedras. Y en la punta misma de una montaña sagrada, chico, en el Pico Turquino, para ser exactos. Aquí todo empieza y acaba el 26 de julio, año a año así, hasta que Dios quiera.

No fue a despedirme a Rancho Boyeros porque no estaba segura de saber comportarse. Era más prudente que yo fuera solo hasta el aeropuerto, una vez que habíamos pasado juntos casi tres días con sus noches en mi suite del hotel Cohiba. A esas alturas, aunque sobre ella no recayera ninguna sospecha añadida, los segurosos lo sabrían casi todo. Conocerían (me dijo Petra Porter) nuestro encuentro en el Hotel Inglaterra, sabrían el ritmo de cada paso de los que fuimos dando juntos desde el Capitolio a La Habana Vieja. Incluso habrían leído ya desde esa misma tarde en nuestros labios cada una de las frases y promesas que nos habíamos hecho, de qué habíamos hablado y a quiénes habíamos nombrado. Ya sabrían que estuvimos juntos esos tres días, que habíamos pasado una mañana de sol y playa en la soledad del Rincón Francés, más allá de Varadero y lejos del tráfago turístico. Sabrían de nuestras visitas a los restaurantes, a los museos, de los tragos en La Mina y de nuestro paso por el Palacio de la Salsa para ver cantar a Paulito, de las vueltas que dimos una de esas noches por La Cecilia para que yo supiera exactamente quiénes eran Juan Formell y los Van Van y para que de paso oteara el futuro en el físico prepotente de los bisneros tolerados y hasta cultivados en primera fila por los segurosos. Sabrían por eso mismo que no me había interesado en visitar a ninguno de los cabecillas de la disidencia política, y que ni siquiera había ido a Cojímar a ver al dueño del mar, sino a La Terraza la última noche que pasamos juntos en La Habana. Lo sabrían todo, aunque no hubiéramos hecho nada sospechoso. No importaba nada que en La Habana no hubiera ya tanto policía como para cubrir las salidas y las entradas de cada cubana con cada extranjero que llegara a la ciudad a la búsqueda de un placer fácil y tan gratificante que era difícil encontrarlo así, tirado y por veinte dólares, en cualquier otra parte del planeta conocido. En realidad ella estaba queriéndome decir que la paranoia que el régimen del Hombre había inyectado en cada cubano había terminado por fin por convencerlos a todos de que a toda hora estaban vigilados, y que incluso en los gestos sabía el Líder Máximo lo que cada uno de los cubanos estaba pensando en cada momento de sus vidas.

—Ser cubano y paranoico, vaya —me dijo—, eso es otro pleonasmo, ¿no te habías dado cuenta? Pero, oye, tú, fíjate, mi chino, los perseguidores existen y su habilidad ya los ha hecho hasta invisibles. El Hombre ya no necesita de tanto policía por eso, porque en cada uno de nosotros hay otro aquí adentro que nos está vigilando y que se lo contaría todo a la primera de cambio, así es como es este bisnes. Por eso cuando se pasan para el otro lado de Miami, muchos siguen más o menos lo mismo que aquí pero al revés, y el que no juega con un fierro en las manos es un traidor aquí dentro y allá fuera.

Al salir esa noche de La Terraza después de cenar y de regreso al Cohiba me dijo que me desviara solamente un minuto para recoger los recuerdos que ella me regalaba para llevármelos a España. Me dijo que nadie los valoraría más que yo, que además me los había ganado a pulso. Me hizo entrar el Nissan rojo a la Villa Panamericana, a pocos quilómetros de Cojímar, y subió las escaleras del edificio ante el que me había pedido que aparcara y esperara un momento. Sabía que no era su casa y que me había llevado hasta allí porque en ese lugar vivía su madre desde hacía un par de años. Ella era la que había guardado los regalos que me hacía ahora Petra Porter y que tanto me habían intrigado mientras la esperaba en el interior del Nissan. Dos minutos después de perderla de vista, cuando había subido las escalones de dos en dos, apareció de nuevo por la puerta del edificio con un sobre grande entre las manos. Abrió la portezuela del coche, me sonrió segura de sí misma y del éxito de su gestión, se sentó y cerró de nuevo la puerta del coche.

—Arranca, negro, misión cumplida, vámonos para La Habana —me dijo.

Aunque me había hecho prometerle que por nada del mundo abriría aquel sobre color mostaza hasta que llegara a Madrid, Petra Porter sabía de antemano que yo no cumpliría la palabra que le había dado. Ni ella me había exigido la promesa como una prueba insalvable ni yo se la había dado pensando en cumplirla. En sus ojos vislumbré un ligero gesto de sospecha, porque sabía también que la curiosidad me estaba matando por dentro y que no iba a poder aguantar el peso de las horas, por muy rápido que pasara el tiempo último de La Habana, sin saber qué cosas me estaba regalando para que me las llevara de Cuba. Al contrario, la tensión iba a crecer hasta alcanzar el punto de una tortura innecesaria. Se lo dije al llegar a la puerta del Cohiba, que todo ese teatro era completamente innecesario, cuando Petra Porter me aconsejaba que guardara yo el sobre y que procurara que no me lo vieran los segurosos, con sus estiradas guayaberas color crudo y sus pantalones negros, perfectamente limpios y planchados, que quizá todavía pululaban por el lobby del hotel. Y cuando llegamos a la suite, después de cerrar la puerta, se lo volví a repetir.

—Abrélo si quieres —me dijo ironizando—, te vas a comer por dentro, mi hijo, qué débil te vuelves con el dulce, estás como para mandarte a un recado con una bandejita de guayaba más allá de la Rampa, pareces un niño.

Rasgué el sobre cerrado a conciencia por Petra Porter con varias tiras duras de papel celo. Trataba de calmarme, de que no me notara la urgencia que el secreto me había despertado, pero ella me miraba sin dejar de sonreírme, con los labios fruncidos por la ironía. Lo primero que saqué del sobre fue una fotografía oficial del viejo Ernest Hemingway en los días posteriores a la concesión del Premio Nobel de Literatura. Se la había hecho el fotógrafo canadiense Karsh. Aunque yo había visto muchas reproducciones y copias de ella, la que yo tenía ahora en mis manos temblorosas, sentado encima de la cama de mi suite del Cohiba, era la verdadera, la original según todas las trazas. Hemingway aparece en ella en primer plano, su torso cubierto por un polo de color oscuro, con el rostro ligeramente desviado hacia la izquierda de la fotografía. Devuelve al objetivo una mirada perdida, vieja y triste, de anciano bondadoso y bastante cansado del trasiego de su vida, con su ojo izquierdo algo más cerrado y fijo en el horizonte que el derecho. Luce una barba muy bien recortada y peinada, completamente blanca, como si ese gesto de coquetería masculina fuera el único que se hubiera permitido ante la sesión de fotografía de Karsh en La Vigía. Sobre el pecho del escritor descansa abierta la palma de su mano izquierda y la sensación de su figura pensativa le otorga un aliento de eternidad del que probablemente nunca tuvo certeza plena. El fondo de la fotografía es oscuro, de un solo color oscuro, en realidad negro o gris marengo tal vez, y sobre él brilla la cabellera blanca del viejo escritor. En su cara brillante y quemada por el sol sobresale la cicatriz que atraviesa su frente hasta perderse debajo del cuero cabelludo, la cicatriz provocada en una caída desde el puente de mando del *Pilar*, uno de los muchos accidentes graves que sufrió a lo largo de su vida aventurera. El borde superior derecho de la fotografía de Karsh tenía varios dobleces y arrugas, exactamente iguales a los que aparecen en el centro y en la parte izquierda de la fotografía. Traté de plancharlos mientras miraba a Petra Porter interrogativo y silencioso.

—No, chico —me reprochó sin dejarme decir una palabra—, no me preguntes ahora de dónde sale esto. Confórmate con saber que la he guardado yo durante un tiempo y que todos los que lo saben están de acuerdo en que te la regale y te la lleves a tu casa de Madrid. Todos, todos, desde Harry a Tano, seguramente estaría de acuerdo hasta el viejo Infinito.

Dejé la fotografía de Heminway y volví al sobre de los tesoros que me había regalado Petra Porter. Metí la mano y saqué otra fotografía. Era de Pedro Infinito, e inmediatamente reconocí en aquella figura el trabajo del artista Alberto Schommer. El dueño del mar aparecía en primer plano, casi cayendo su rostro sobre el objetivo del fotógrafo y su mirada camina hacia el mismo lado que los ojos de Hemingway en la fotografía de Karsh. Pero sus ojos son mucho más vivos que los del escritor y en ellos se dibuja un brillo que traduce el gusto por la vida, todo lo contrario que muestra Hemingway en cada una de sus fotografías. El dueño del mar tiene el rostro apergaminado por el sol de muchos años, y la piel renegrida y rugosa le confiere una apariencia de saurio inteligente, simpático, hablador y cercano. Delante de su rostro aparece su mano izquierda en el momento de levantarla e ir tal vez a colocarla sobre la mandíbula en la parte izquierda de la cara. Lleva puesta una camisa de botones y cuello abierto, que pudiera ser de color crudo con rayas verticales del mismo color y su cabeza está cubierta por una gorra con visera, probablemente de béisbol americano, aunque se sale del objetivo por la parte superior. El fondo de la fotografía en blanco y negro es gris claro. Parece que Infinito posó así, sin apenas darse cuenta, cuando estaba sentado en su sillón preferido en el salón de su casa en Cojímar, porque en el ángulo superior derecho de la fotografía aparece una sombra algo borrosa que semeja el borde del marco de un cuadro que probablemente sea un óleo del viejo Hemingway, que quiere reproducir precisamente la fotografía de Karsh que puse sobre mi cama del Cohiba, bajo la más atenta y asombrada de mis miradas y la más divertida de Petra Porter.

—Ahí los tienes a los dos —me dijo—, tú viniste aquí por primera vez a a buscarlos, te encontraste con nosotros, con la Tribu que anda hoy desperdigada. Lo más normal es que te los lleves tú, a los dos, y los guardes para ti. Te los has ganado a pulso.

El resto de aquellos tesoros los abrí en mi casa de Madrid, con la calma de haber recuperado el entorno doméstico tras aquella aventura, y la nostalgia de haber dejado atrás La Habana y toda Cuba, probablemente por una larga temporada. No se puede estar en dos lugares a la vez, aunque se les quiera de la misma manera, se les ame a la vez, y no estar loco, como canta Machín. Encendí la chimenea del salón a media tarde, cuando las nubes habían caído sobre Madrid dibujando la grisura malva de su cielo al empezar a oscurecer. Los ruidos de los coches en las calles llegaban amortiguados hasta el salón de mi casa, en cuyo tocadiscos hice rodar los viejos microsurcos de vinilo de Alfred Brendel interpretando al piano lo mejor de Schubert. Y entonces, tranquilamente, comencé a curiosear el tercer pliego de documentos que descansaba dentro del sobre que Petra Porter me había regalado al salir de La Habana con las fotografías de Hemingway y Pedro Infinito.

Aquellos papeles, algunos de los cuales estaban arrugados, manchados de tinta y rotos en algunos de sus bordes, eran reliquias que seguramente habían permanecido guardados en varios lugares de La Habana. Documentos que tal vez habían pasado de mano en mano para ser salvaguardados entre los libros de la biblioteca de Tano Sánchez, o durante algún tiempo en el despacho del embajador Tabares, cuando el diplomático español estuvo tan cerca de las complicidades de la Tribu, hasta que llegaron a las manos de Petra Porter, que me los había regalado junto con las viejas fotografías de Hemingway e Infinito y sin sugerirme que hiciera nada especial con ellas. «Sólo guárdalos, son tuyos, como las fotografías de los viejos», me dijo.

Eran papeles ya amarillentos, escritos en una máquina cuya letra renqueante y cansada inmediatamente pude reconocer como la misma de la vieja máquina de escribir de Hemingway, que todavía se muestra en el museo de Finca Vigía. En sus bordes, en medio de las líneas y en la cabecera y el pie de cada página, el insaciable escritor había emborronado todas las cuartillas con su propia letra, escribiendo frenéticamente notas y aco-

taciones al texto escrito con la Royal negra. Tacha-
duras, flechas que salían desde las primeras líneas y
remitían a las del final, palabras y frases subrayadas,
en inglés y en español, enriquecían y trataban de
aclarar aquel texto laberíntico. Poco a poco fui de-
duciendo que esos papeles eran el original perdido
del cuento de Hemingway *The Shot* (que hasta ese
momento se suponía perdido o quemado por la última voluntad del escritor, según su viuda), surgido del episodio real de la muerte de Manuel Castro
el 22 de febrero de 1948 en La Habana. Allí, en
aquella versión confusa e interminada del relato, Hemingway había ido amontonando con su propia
letra nerviosa los datos del suceso que le fueron llegando conforme maduraba el cuento literario cuya
escritura conocida hasta hoy como definitiva publi-
có en Nueva York en 1951.

De su puño y letra, Hemingway escribió
que a Manuel Castro lo habían matado en la esquina de las calles Consulado y San Rafael, frente
al cine Resumen, el «cinecito», mientras conversaba
con varios amigos. Añadía, con un recuadro doble y subrayado el nombre del fallecido y los heridos, que en el atentado había muerto el torero Carlos Puchol Samper y que los heridos eran Ignacio
Valdés Rodríguez y José Miró, amigos de Manuel
Castro. Hay luego, en esa misma cuartilla una llamada de flecha que conduce directamente al dorso, en el que está escrita con letras mayúsculas en
español: CARNAVAL. Me sorprendió el trazo duro con el que estaban escritas las palabras y creí
descubrir que el viejo escritor en algún momento

del desarrollo del cuento había decidido titularlo así, *Carnaval,* en español, en lugar de *The Shot,* en inglés.

En realidad, Hemingway hacía alusión a que el suceso había ocurrido en pleno paseo del carnaval, cuando la cabalgata festiva ocupaba las calles de La Habana junto a las que tuvo lugar el atentado. Haciendo honor al viejo periodista que siempre hubo en su interior, Hemingway se explayaba en sumar nombres en algunas otras cuartillas, como si tratara de no dejar resquicio al olvido, como si buscara que ningún rincón del asunto quedara sin descubrir ni cabo suelto en el relato. En el dorso de otra cuartilla puede leerse en inglés que M. Castro recibió ocho «perforaciones» e, inmediatamente debajo, que el teniente Roberto Ortega, al mando de la Tercera Estación de policía, procedió a detener al joven estudiante universitario de agronomía Gustavo Ortiz Fáez, de 21 años, vecino de la calle 10, entre 15 y 17, en el barrio del Vedado, al que se le ocupó una cuarentaicinco con un peine completamente vacío. Después se cita al doctor Eufemio, que solicitó de las autoridades la entrega del cadáver de Manuel Castro, y en ese mismo apartado, recuadrado y subrayado, están escritas por separado y seguidas las palabras «autopsia» y «doctor Gisper, juez», y el nombre de los «doctores E. Cañizares y R. Velasco». Deduje también que éstos fueron los doctores de medicina legal que practicaron la autopsia al cádaver del líder estudiantil. Y que el primero, que respondía al nombre de Gisper, había ordenado ese acto.

Cuando el relato de Hemingway se acerca a la descripción exacta del atentado contra Manuel Castro, difuminado su nombre en el cuento literario perfectamente fundido con el suceso real, aparecen otra vez y en tinta negra las flechas con las que el escritor reclama su propia atención. Escribe así, esta vez, unas cifras (32-909, 34-005, 1946, y 20-176), que deben corresponder, en mi deducción desde luego, las dos primeras y la última, a las placas de los coches que participaron en el atentado, mientras que probablemente 1946 sea la fecha del año a la que corresponde la matrícula de alguno de los coches. Más abajo hay otro número y dos letras: 11 p.m., la hora misma en la que los asesinos llevaron a cabo el atentado contra Manuel Castro. Y más adelante, en esos viejos papeles aparece con la letra de Hemingway una dirección, San Rafael 2021, La Habana, y el nombre de José de Jesús Jinjaume Montaner. La dirección resulta ser la casa de Jinjaume donde los miembros de la UIR se reunieron para planear el atentado que le costó la vida a Manuel Castro. En un apartado subrayado con mayúscula por la mano misma de Hemingway, junto a otros nombres que supongo que son los de los asistentes a esa reunión, se escribe con mayúsculas «FIDEL CASTRO, Derecho de la U. de La Habana». Y entonces, con la lectura de aquellos trazos duros del escritor norteamericano, recordé lo que Tano Sánchez me había insinuado cuando hablamos en La Habana del cuento *The Shot*.

—Él no lo mató directamente, pero dio el trancazo, indujo a la UIR a hacerlo, ya tú sabes, lo iban a matar a él y lo primero es lo primero. Aunque él le haya hecho eso a los americanos durante tantos años, no se le pueden tocar los cojones a un tigre con un palillo de dientes porque te pega un zarpazo que te fuñe para siempre —me dijo Tano Sánchez sin mirarme, en un gesto con el que buscaba decirme que no me había dicho nada.

Después, dándome datos de la historia para que los añadiera a mi archivo personal, Tano Sánchez me dijo que Manuel Castro había organizado y formado parte de la expedición de Cayo Confites que había pretendido invadir en septiembre de 1947 la República Dominicana, con el objetivo político de derrocar la dictadura de Rafael Leónidas Trujillo, otro generalísimo. No fue casualidad que esa expedición, en la que participó entre otros cientos de voluntarios el joven Fidel Castro, estuviera organizada, además de por Manuel Castro, por Eufemio Fernández (el médico que Hemingway cita en los papeles que tengo en mi poder y que fue condenado a muerte por Fidel Castro años más tarde, el 21 de abril de 1961), el político dominicano Juan Bosch y el abogado cubano Rolando Masferrer, este último, íntimo amigo de Manuel Castro, quien era además uno de los jefes del MSR y habló ante dos mil personas a nombre de ese movimiento político en el sepelio del asesinado.

—Los dos Castro estaban enfrentados en la universidad —me dijo Tano Sánchez—, aunque todavía no se sabe bien por qué Fidel optó por la

UIR, que eran gentes violentas y sin programa político, y se situó frente a la MSR, que competía incluso en ediciones, como la revista *Tiempo* en Cuba,
con el Partido Socialista Popular, los comunistas
cubanos. Bueno, en Cayo Confites, cuando sobre-
vino el desastre y no se pudo zarpar, el Hombre se
lanzó al agua en la bahía de Nipe, con una metra-
lleta en las manos, fíjate tú, lo que te digo, ya era
Gengis Kan, con más suerte que nadie. Así llegó
hasta Birán, a la casa de los padres. No sé donde leí
alguna vez que parecía un náufrago, un fantasma
sacado de una página de Victor Hugo más que de
la realidad de aquella proeza imposible.

Me levanté del sillón dejando los papeles de
Hemingway sobre la mesa de mi despacho. Me
acerqué a la ventana cuando los primeros copos de
nieve caían sobre las calles de Madrid vistiéndolo
momentáneamente de blanco, con ese silencio que
parece imponerse sobre el resto de los ruidos cuando
nieva sobre mi ciudad. Sentí el cansancio en la mirada de mis ojos, en mis hombros y mi cabeza. Me
acordé de La Habana, de Cuba, de esos episodios
vertiginosos que había vivido en la Isla, de todo
cuanto aprendí apasionadamente, deslumbrado y
temblando de sorpresa. Recordé la voz de Petra
Porter y vi su cuerpo desnudo hablándome de pie,
junto al ventanal enorme de mi suite del Cohiba.
Y una vez más, con una nitidez milagrosa, como si
estuviera muy cerca de mí, dentro mismo de esa
habitación desde la que yo veía ahora nevar en
Madrid mientras la tarde se oscurecía definitivamente, la escuché repetir que alguna vez algún día

de verdad se acabaría aquella guerra de mentira. Y que entonces ella estaría allí, como siempre, en Cuba, en la Isla, así en La Habana como en el cielo.

La Habana (Cuba), verano de 1994.
Madrid, Distrito Federal (España), otoño de 1997.

Índice

Primera parte
El santuario en ruinas

Segunda parte
La Habana ilusión

Esta quinta edición de la novela
Así en La Habana como en el cielo, escrita en Madrid,
La Habana, Miami City, Cayo Hueso (Key West),
San Juan de Puerto Rico, Santo Domingo,
Mataespesa del Alpedrete y Las Palmas de Gran Canaria,
compuesta con AGaramond sobre cuerpo 13,
se terminó de imprimir en Unigraf S. L. Móstoles,
Madrid (España), en mayo de 1998.